Wolfgang Burger
Heidelberger Requiem

PIPER

Zu diesem Buch

Alexander Gerlach ist gerade zum Chef der Heidelberger Kriminalpolizei befördert worden und glaubt, einen ruhigen Posten ergattert zu haben. Doch schon an seinem ersten Arbeitstag wird eine Leiche gefunden. Der Sohn eines berühmten Professors am Uniklinikum wurde auf grausamste Weise getötet. Das Mordmotiv liegt auf der Hand: Offenbar hatte der Chemiestudent mit der Herstellung synthetischer Drogen sein Budget aufgebessert. Zudem hielt sich zum Zeitpunkt des Mordes ein Kleindealer am Tatort auf. Der Fall scheint gelöst, doch dann geschieht ein zweiter Mord, der alle bisherigen Überlegungen über den Haufen wirft. Als Gerlach endlich ahnt, was für ein grausames Spiel gespielt wird, überschlagen sich die Ereignisse, und auch er selbst wird in den erbarmungslosen Strudel gezogen ... Ein packender und atmosphärischer Kriminalroman mit einem ungewöhnlich sympathischen Helden. Denn dass Gerlach sich ständig in die falsche Frau verliebt und als allein erziehender Vater von seinen pubertierenden Zwillingstöchtern in Atem gehalten wird, macht ihm das Leben nicht gerade leichter.

Wolfgang Burger, geboren 1952 im Südschwarzwald, ist promovierter Ingenieur und hat viele Jahre in leitenden Positionen am Karlsruher Institut für Technologie KIT gearbeitet. Er hat drei erwachsene Töchter und lebt heute in Karlsruhe und Regensburg. Seit 1995 ist er schriftstellerisch tätig. Die Alexander-Gerlach-Romane waren bereits zweimal für den Friedrich-Glauser-Preis nominiert und standen mehrfach auf der SPIEGEL-Bestsellerliste.

www.wolfgang-burger.com

Wolfgang Burger

HEIDELBERGER REQUIEM

Kriminalroman

Mehr über unsere Autoren und Bücher:
www.piper.de

Von Wolfgang Burger liegen im Piper Verlag vor:
Alexander-Gerlach-Reihe:
Heidelberger Requiem
Heidelberger Lügen
Heidelberger Wut
Schwarzes Fieber
Echo einer Nacht
Eiskaltes Schweigen
Der fünfte Mörder
Die falsche Frau
Das vergessene Mädchen
Die dunkle Villa
Tödliche Geliebte
Drei Tage im Mai
Schlaf, Engelchen, schlaf
Die linke Hand des Bösen

*Dieses Buch widme ich all den vielen Menschen,
die auf die eine oder andere Weise
zu seinem Gelingen beigetragen haben und
die ich hier namentlich gar nicht alle nennen kann.*

MIX
Papier aus verantwor-
tungsvollen Quellen
FSC® C083411

Originalausgabe
ISBN 978-3-492-24217-2
1. Auflage Januar 2005
15. Auflage Januar 2018
© Piper Verlag GmbH, München 2005
Umschlaggestaltung: semper smile, München
Umschlagabbildung: Karl Kinne / Corbis
Gesamtherstellung: CPI books GmbH, Leck
Printed in the EU

1

Erst Wochen später, als wir längst im tiefsten Schlamassel steckten, wurde mir bewusst, dass ich die Frau mit der Perlenkette in den Minuten zum ersten Mal sah, als Patrick Grotheer seinem Mörder die Tür öffnete.

Liebekind, der Chef der Heidelberger Polizeidirektion, hatte mir zu Ehren einen kleinen Empfang organisiert: im dritten Stock des modernen Gebäudes, im großen Besprechungsraum, dessen altmodische schwere Stühle man an der Wand entlang gestapelt hatte, um Platz für die anwesenden Personen zu schaffen. Es war Mittwoch, der siebenundzwanzigste August. Nach einem überschwemmungsreichen Sommer war es endlich doch noch trocken, sonnig und schließlich heiß geworden. Seit Tagen fiel das Thermometer nachts nicht mehr unter fünfundzwanzig Grad. Meine Zwillinge hatten immer noch Ferien und langweilten sich die meiste Zeit.

Sogar ein paar Vertreter der Kommunalpolitik waren da: Zwei ständig auf die Uhr sehende Stadträte und Bürgermeister Schreber, zuständig für Straßenbau und die städtische Ordnung, die in Heidelberg im Großen und Ganzen durch verloren gegangene japanische Touristen oder über die Stränge schlagende Studenten gefährdet war. Hatte ich zumindest bis zu diesem Zeitpunkt gedacht. Es herrschte eine Höllenhitze, und der Sekt in den Gläsern wurde schneller warm, als man ihn trinken konnte. Dazu passend gab es ein lauwarmes Büfett, das gar nicht mal übel schmeckte. Launige Reden wurden gehalten, ich schnappte Worte auf wie »Blitzkarriere«, »der rechte Mann am richtigen Ort«, »Fortführung einer großen Tradition« und war die meiste Zeit damit beschäftigt, mir den Schweiß von der Stirn zu wischen.

Mir grauste vor dem Moment, in dem ich das tun sollte, was ich nie im Leben wollte: mich vorstellen, mich wichtig machen, eine Rede halten. Eine kurze nur, hatte mir Liebekind mit wohlwollendem Schulterklopfen erklärt, aber eine Rede eben, vor viel zu vielen Zuhörern.

»Das wird nun öfter auf Sie zukommen in Zukunft, Herr Gerlach«, hatte er schmunzelnd gebrummt. »So ist das nun mal, wenn man sich nach oben gestrampelt hat. Werden sich dran gewöhnen. Ist noch keiner dran gestorben.«

Seine eigenen »Worte« waren wohltuend kurz und der Temperatur angemessen. Er lobte meinen Vorgänger Seifried, der praktisch in Ausübung seines Dienstes sein Leben hatte lassen müssen. Zu diesem Zeitpunkt wusste ich allerdings bereits, dass er nach einer außerordentlich gelungenen Weihnachtsfeier seinen goldmetallicfarbenen Opel Calibra auf der kerzengeraden Speyerer Straße kurz hinter dem Ortsschild mit hundertfünfzig gegen einen Brückenpfeiler gesetzt hatte. Sogar ein Foto aus einer automatischen Radarkamera hatte man verschwinden lassen müssen, um seine Witwe nicht um ihre Pensionsansprüche zu bringen.

Liebekind verlor noch ein paar Bemerkungen zu den großartigen Mitarbeitern der Polizeidirektion im Allgemeinen und der Kripo im Besonderen. Dann hörte ich es zum ersten Mal in der Öffentlichkeit: Kriminalrat Alexander Gerlach, der neue Leiter der Kriminalpolizei unserer traditionsreichen Stadt, auf die die Welt schaut. Und schließlich war ich dran.

Ich fummelte meinen Zettel aus der Gesäßtasche der Anzughose, trat an das Rednerpult und ließ mir von meinem zukünftigen Chef, der mir mit seiner gemütlichen und nachdenklichen Art schon beim ersten Gespräch sympathisch gewesen war, lange und überaus kräftig die Hand schütteln.

Ich weiß nicht, ob Patrick Grotheer überrascht war, als nicht der vor ihm stand, den er erwartet hatte. Ich weiß nicht, was er dachte in den wenigen Sekunden, bevor sein Gast die Tür hinter sich zutrat. Mit Sicherheit aber muss er sehr überrascht gewesen sein, als er endlich verstand, was die tödliche Absicht seines Besuchers war.

Das Pult war zu wackelig, als dass man sich wirklich daran hätte festhalten können. Um zu Atem und Stimme zu kommen, sah ich, wie ich hoffte, ausdrucksvoll in die Runde. Es wurde ruhiger und ruhiger. Manche räusperten sich an meiner Stelle. Hinten beim Büfett standen die Zwillinge mit vollen Mündern, roten Backen und leuchtenden Augen. Ihr Paps auf einem Podium und mit einem Mikrophon vor dem Mund, cool!

»Sehr geehrter Herr Doktor Liebekind, sehr geehrter Herr Bürgermeister Schreber, verehrte Vertreter des Stadtrats, liebe zukünftige Kolleginnen und Kollegen.« Meine Stimme klang nicht ganz so zittrig, wie ich mich fühlte. Die Zwillinge wagten schon wieder zu kauen und nickten sich zufrieden zu. Manche lächelten zu mir herauf. Andere nicht. Nicht alle meine zukünftigen Untergebenen freuten sich über den Umstand, dass ihr neuer Chef aus Karlsruhe und nicht aus Heidelberg kam. Die eine oder der andere hatte sich in den letzten Monaten, als die Stelle kommissarisch besetzt gewesen war, ausgerechnet, wie groß die eigenen Chancen sein mochten. Liebekind hatte von einer Menge Bewerbungen gesprochen, und ich hatte keine Ahnung, warum man am Ende ausgerechnet mich ausgewählt hatte. Zu diesem Zeitpunkt war ich gerade mal vierzehn Monate Erster Kommissar und konnte auf knapp drei Jahre Erfahrung als Leiter einer kleinen Fahndungsgruppe zurückblicken. Keine Karriere, die einen unbedingt für die Stellung empfahl, die ich gerade antrat. Und außerdem war ich erst dreiundvierzig und damit eigentlich zu jung.

Auch einige meiner Karlsruher Kollegen waren gekommen, worüber ich mich zu meiner Überraschung unmäßig freute. Petzold, nicht zu übersehen bei seiner Größe, lungerte wie üblich beim Büfett herum, dicht daneben die blonde Malmberg, mit der er seit einiger Zeit verbandelt war, und Schilling natürlich, der nun, wie er mir sofort berichtet hatte, endlich zum Oberkommissar befördert worden war.

»In Anbetracht der Hitze und des knapp werdenden Sauerstoffs möchte ich mich kurz fassen«, begann ich und erzählte tapfer etwas von der Verantwortung, der ich mir durchaus bewusst sei, von großen Fußstapfen, in die ich erst noch hineinwachsen müsse, und wunderte mich, dass all dies kein bisschen dümmer klang als die vielen anderen Reden, die ich bei ähnlichen Anlässen schon hatte über mich ergehen lassen müssen.

Und dann sah ich sie. Sie war groß, das offene Haar changierte zwischen Dunkelblond und Brünett, sie war nicht eben schlank, aber auch nicht füllig. Soweit ich es aus der Ferne erkennen konnte, trug sie einen eleganten tannengrünen Hosenanzug, und im Ausschnitt hing eine dieser altmodischen Perlenketten, wie meine Mutter sie zu festlichen Anlässen gerne getragen hatte. Mit einem halb vollen Sektkelch in der Hand stand sie neben dem Bürgermeister und sah mich mit einem leisen Lächeln im Gesicht unverwandt an. Ungefähr so, wie eine Lehrerin ihren Musterschüler beobachtet, der so lange sein Gedicht geübt und immer wieder aufgesagt hat. Sie hat ihm Mut gemacht, hat mit ihm gelitten und gelernt, und nun ist der große Tag, die Aula ist voll, und wie sie erwartet hat, macht er seine Sache gut. So sah sie mich an, genau so.

Für eine halbe Sekunde verlor ich den Faden, dann zwang ich meinen Blick in eine andere Richtung, konzentrierte mich auf Petzold als eines der wenigen bekannten Gesichter und erzählte ihm mit fester werdender Stimme, dass er keine großen Veränderungen zu fürchten brauche, dass man gewachsene Strukturen nicht ohne Not zerschlagen solle, dass ich bereit sei zu lernen und für jeden allzeit eine offene Tür und zwei offene Ohren haben werde. Und dass wir mit vereinten Kräften die Aufklärungsquote hochhalten wollten. Nein, würden. Jawohl.

»Ein Chef ohne seine Mannschaft ist so wenig wert wie ein Haus ohne Wände«, erklärte ich voller Stolz auf dieses Bild, das mir letzte Nacht um halb fünf im Bett eingefallen war. Und natürlich dachte ich wieder einmal an Vera. Fragte mich, was sie wohl von mir halten würde, wenn sie noch da wäre. Bestimmt wäre sie stolz gewesen auf mich, ihren Alex, der nun endlich die Karriere machte, die sie sich immer für ihn gewünscht hatte.

Die Zwillinge hörten längst nicht mehr zu, sondern kauten andächtig Lachskanapees und Kaviarschnittchen. Es entging mir nicht, dass sie hin und wieder angebissene Happen, die ihnen nicht schmeckten, hinter den Blumensträußen verschwinden ließen. Ich beschloss, ihnen später die Leviten zu lesen.

Als mein Blick wieder einmal in Richtung Liebekind wanderte, beobachtete mich die unbekannte Frau mit unveränderter Miene. Ich sah schnell weg, um nicht erneut aus dem Konzept zu geraten.

Schließlich waren meine Notizen zu Ende, ich faltete meinen Zettel zusammen, man klatschte höflich. Liebekind drückte noch einmal herzhaft meine Hand, irgendwer reichte mir ein volles Glas, und ich musste mit allen möglichen wildfremden Menschen anstoßen. Ein verhuschtes Mädchen stellte sich als Mitarbeiterin der Rhein-Neckar-Zeitung vor und stellte mir ein paar sinnlose Fragen zu meinem Werdegang und meinen Plänen. Auch das war neu für mich, ein Interview hatte ich noch nie gegeben. Liebekind blieb in der Nähe und hörte mit gesenktem Blick zu. Aber ich schien die richtigen Antworten zu finden.

Dann drängten die Karlsruher heran, um sich zu verabschieden. Birgit Malmberg überreichte mir eine grüne Flasche ohne Etikett, und Petzold erklärte, darin befinde sich ein köstlicher Kirschbrand aus leider nicht ganz legaler Produktion. Malmberg stieg auf die Zehenspitzen, um mir einen Kuss auf die Backe zu drücken, Schilling hielt lange, lange meine Hand, die inzwischen anfing wehzutun, und erzählte mir allerlei von den alten Kollegen und seinen neuen Karriereplänen. Und außerdem seien sie alle überhaupt nicht glücklich darüber, dass ich sie nun allein lassen würde. Merkwürdigerweise rührte mich das so, dass ich ihn um ein Haar in den Arm genommen und an mich gedrückt hätte.

Plötzlich rückten die Zwillinge in den Mittelpunkt des Interesses.

»Wie heißen denn Ihre zwei entzückenden Töchter?«, fragte mich eine wie für einen Opernbesuch gekleidete Dame mit blasslila Haaren.

»Louise und Sarah«, erwiderte ich höflich.

Die Reihenfolge war dabei sehr wichtig, weil man im umgekehrten Fall unweigerlich von irgendeinem Witzbold gefragt wurde, ob Saarlouis etwa ihre Patenstadt wäre. Auf die Frage, wie um Gottes Willen ich die beiden auseinander halten könne, antwortete ich wahrheitsgemäß: »Überhaupt nicht.« Vera hatte sie auf hundert Meter erkannt, ich nie. Nur ganz aus der Nähe gelang es mir, sie anhand einer kleinen Narbe an der Stirn zu unterscheiden, die Sarah sich im Alter von vier Jahren bei einem Fahrradunfall zugezogen hatte. Ich war sicher, dass sie in der Schule hin und wieder die Plätze tauschten, um wechselseitig ihre Noten aufzupolieren. Aber niemand konnte etwas dagegen tun, sie waren einfach zu ähnlich und weigerten sich, seit sie sprechen konnten, sich anders als vollkommen identisch zu kleiden und zu benehmen. Ich hatte von Zwillingspaaren gehört, die irgendwann bestrebt waren, eigene Identitäten zu entwickeln. Meine Töchter schienen diesen Drang bisher nicht zu spüren, obwohl sie inzwischen dreizehn Jahre alt waren.

Als ich wieder zur Besinnung kam, war die Frau mit der Perlenkette verschwunden. Und gegen neun löste die Veranstaltung sich ziemlich plötzlich auf.

Zu diesem Zeitpunkt muss Patrick Grotheer gestorben sein. Langsam, tropfenweise verblutet. Ungefähr neunzig Minuten lang.

2

Die Tage, bis ich meine neue Stelle antreten sollte, verbrachte ich damit, den Verkauf unseres Hauses in Karlsruhe vorzubereiten und über den kommenden Umzug nachzudenken. Nahezu täglich fuhr ich mit meinen Töchtern nach Heidelberg, um Stadtviertel zu besichtigen und Schulen von außen zu begucken, die natürlich wegen der Sommerferien alle noch geschlossen waren. Schon vor Wochen hatte ich einen Makler beauftragt, eine schöne, große Altbauwohnung für uns zu finden, bisher aber noch keine Angebote erhalten. Die Zwillinge gaben sich erwachsen, vielleicht weil sie fühlten, dass ich zurzeit nicht viel vertragen konnte.

Immer wieder grauste mir vor all den Veränderungen und unbekannten Anforderungen, die unaufhaltsam auf mich zukamen. Weder war ich mir sicher, meinem neuen Job gewachsen zu sein, noch, dass ich ihn wirklich haben wollte. Eigentlich hatte ich mich mehr aus Verlegenheit beworben und mit dem Gedanken, dass es nie schaden könne, auf diese Weise schon mal für den Ernstfall zu üben. Dann war zu meiner Überraschung die Einladung zum Vorstellungsgespräch gekommen und schon zwei Wochen später die Zusage, verbunden mit der Aussicht auf sofortige Beförderung zum Kriminalrat.

Ich war immer gerne Polizist gewesen. Es machte mir nichts aus, Verantwortung zu tragen, ein Team zu führen. Nur eines hatte ich niemals werden wollen: ein Schreibtischtäter, der die Welt nur noch durch die Berichte seiner Untergebenen kennt. Und genau dies war es, was mir nun bevorstand.

Den Samstag verbrachte ich damit, den Keller auszumisten, alles Mögliche und Unmögliche aus Regalen und alten Schränken zu zerren und im Vorraum einen großen Stapel zu bilden mit Dingen, die den Umzug nicht erleben würden. Auf einmal freute ich mich auf einen von Erinnerungen unbeschwerten Neuanfang in fremder Umgebung. Ich genoss die körperliche Tätigkeit und nahm mir vor, endlich wieder mehr auf meine Gesundheit zu achten, ein bisschen Sport zu treiben, hin und wieder das Rad zu nehmen und den Wagen stehen zu lassen.

Am ersten September, einem Montag, begann mein Dienst. Ohne zu frühstücken, fuhr ich morgens um sieben in Karlsruhe los, um nicht gleich am ersten Tag zu spät zu kommen. Meinen Töchtern hatte ich ihr Nutella und Toastbrot bereitgestellt, damit sie sich nicht zu einsam fühlten, wenn sie gegen Mittag aufstehen würden. Die Nachbarn, die sich ein wenig um sie kümmerten, seit sie keine Mutter mehr hatten, waren seit zwei Wochen in Urlaub auf Madeira. Da meine Eltern vor drei Jahren ihren Alterswohnsitz im Süden Portugals bezogen hatten, musste ich die Kinder notgedrungen allein lassen. Die Schule begann erst in vierzehn Tagen wieder, und die Mädchen würden den Tag vermutlich wie üblich an irgendeinem Baggersee verbringen, zusammen mit Leuten, die ich nicht kannte und vielleicht auch nicht kennen sollte. Einen Bullen zum Vater zu haben, galt in gewissen Kreisen als krass uncool. Zuletzt hatte ich noch einen Zehn-Euro-Schein unter das Nutella-Glas geklemmt, damit sie sich etwas zu essen kaufen konnten. Ich hoffte, dass er nicht nur gegen Big-Macs und Cola eingetauscht würde.

In dem für meinen Geschmack ungemütlich großen Büro fühlte ich mich schon nach wenigen Minuten einsam. Bis halb neun räumte ich ohne viel Sinn in meinem altmodischen und muffig riechenden Schreibtisch herum, stellte ein paar mitgebrachte Bücher in den dunkelbraunen, noch altmodischeren Bücherschrank mit gruselig knarrenden Türen und versuchte herauszufinden, ob es hier eher nach Bohnerwachs oder Möbelpolitur roch.

Alles in allem hatte ich nun zweiundzwanzig Beamte unter mir, darunter vier Frauen. Ich würde eine Weile brauchen, um mir die Namen zu merken.

Eine der Frauen war meine Sekretärin, Sonja Walldorf. Sie war schon vor mir am Platz gewesen, trug ein sommerliches Blumenkleid und schien merkwürdigerweise noch aufgeregter zu sein als ich. Meine Frage, ob es wohl eine Chance gebe, diese scheußlichen Antiquitäten gegen etwas Moderneres auszutauschen, brachte sie in Verlegenheit, da sie keine Antwort wusste. Offenbar war sie gewohnt, auf alles eine Antwort zu wissen. Ich beschloss, bei nächster Gelegenheit mit Liebekind über das Thema Möbel zu sprechen. In diesem Museum wollte ich auf keinen Fall hausen.

Mein nächstes Problem war der Kaffee. Die ganze Polizeidirektion duftete inzwischen nach frischem Kaffee, aber ich traute mich nicht, Frau Walldorf danach zu fragen, aus Angst, sie könnte beleidigt sein. Sie war ja die erste Sekretärin meines Lebens, und ich hatte gehört, manche von ihrer Sorte könnten tödlich beleidigt sein, wenn man ihnen solch niedere Dienste zumutete. Andererseits hatte ich keinen Schimmer, wo sich die Quelle befand, die diesen verflixten Duft verbreitete. Erst, als sie mich verlegen-bestürzt fragte, ob ich denn gar keinen Kaffee wünschte, kam heraus, dass mein Vorgänger darauf bestanden hatte, täglich Punkt halb neun ein dampfendes Kännchen zusammen mit zwei frischen Croissants auf dem Schreibtisch zu haben. Wir kamen überein, dass man mit guten alten Gewohnheiten nicht ohne zwingenden Grund brechen solle.

Die Croissants vom Bäcker an der Ecke schmeckten vorzüglich. Der Arabica-Kaffee war frisch gebrüht, eigens für mich, wie sie betonte. Wir saßen noch zehn Minuten zusammen, und sie gab mir einen ersten Überblick über die aktuellen Themen der Gerüchteküche. Draußen schien die Sonne, durch die offenen Fenster drangen Vogelgezwitscher und eine angenehm kühle Luft herein, die nach Sommer und Ferien roch. Ich fühlte mich wohl. Hier konnte man offenbar leben. Sollte ich doch die richtige Entscheidung getroffen haben? Die Zwillinge würden sich einleben, neue Freunde finden. In ihrem Alter vergisst der Mensch noch schnell.

Frau Walldorf hatte eine kleine Zusammenstellung der offenen Fälle vorbereitet. Derzeit arbeiteten meine Leute noch an einem Überfall auf die Volksbank in Eppelheim. Zwei vierzehnjährige Jungs waren seit Anfang der Schulferien vermisst, die sich wegen schlechter Noten nicht nach Hause getraut hatten. Die Universität wurde seit Beginn der Semesterferien von einer Einbruchserie heimgesucht, bei der hauptsächlich teure Laptops verschwanden, die sich bei ebay leicht zu Geld machen ließen. Und außerdem häuften sich in der Stadt die Taschendiebstähle, deren Opfer fast immer Touristen waren. Sonst lag nichts an. Auch Verbrecher müssen hin und wieder Urlaub machen.

Schließlich war es neun, der Kaffee zu Ende, und ich bat meine Sekretärin, mich auf meiner Begrüßungsrunde bei der Truppe zu begleiten. Auf dem Flur trafen wir Polizeioberrat Lamparth, den Chef der Schutzpolizei. In der letzten Woche war er noch in Urlaub gewesen, Tunesien, wie er mir strahlend erklärte, weshalb wir uns noch nicht kannten. Lamparth war zehn Jahre älter als ich, hatte ein offenes Lachen, ein kantiges Kinn, kräftige Zähne und schien ein umgänglicher Kerl zu sein. Schon nach drei Sätzen erklärte er mir, dass es in diesem Haus bisher nicht die üblichen dummen Eifersüchteleien zwischen Schutzpolizei und Kripo gegeben habe. Ich versprach ihm, dass ich daran nichts zu ändern gedenke, und hielt ihm aus dem Stegreif ungefähr ein Drittel meiner Rede vom letzten Mittwoch. Inzwischen begann es schon wieder heiß zu werden.

Die Kripo belegte fast das komplette erste Obergeschoss des weitläufigen Gebäudes. Ich klopfte energisch an die erste Tür und trat ein. Irgendwo hatte ich gehört, man solle als Vorgesetzter nicht auf ein »herein« warten. Ein entschlossener Auftritt schafft Respekt. Draußen hatte ich zwei Namen gelesen: Erste KHK K. Vangelis und KOK S. Balke. Die beiden sprangen auf, als ich eintrat. Balke deutlich schneller als seine Kollegin. Ich ging auf die Frau zu, um ihr die Hand zu schütteln. Ihr Blick war kühl, um nicht zu sagen abweisend.

Liebekind hatte mir im Vertrauen mitgeteilt, sie habe zu meinen engsten Konkurrentinnen gezählt, und Frau Walldorf hatte mich mit bedeutenden Blicken darauf vorbereitet, dass die Erste Kriminalhauptkommissarin Klara Vangelis leider oft gar kein umgänglicher Mensch sei.

Für ihren Dienstgrad war die Frau überraschend jung. Sie musste äußerst ehrgeizig sein. Sehr zögernd hob sie die Hand, und es war offensichtlich, dass sie absolut nichts dagegen gehabt hätte, wenn mich genau jetzt und vor ihren großen dunklen Augen der Teufel geholt hätte.

Zu ihrer sichtlichen Erleichterung klingelte das Telefon. Sie wandte sich ab und ließ mich mit ausgestreckter Hand stehen, obwohl auch Balke das Gespräch hätte annehmen können. Während sie telefonierte, hatte ich Gelegenheit, sie zu betrachten. Wäre sie einige Zentimeter größer gewesen, sie hätte als Model arbeiten können. Üppiges schwarz glänzendes Haar, eine Figur wie aus einem Modekatalog ausgeschnitten und dazu eine helle Bluse und ein dunkles Kostüm, dem sogar ich ansah, dass es dem Gehalt einer Kripobeamtin in keiner Weise angemessen war.

Das Gespräch dauerte nur wenige Sekunden. Mit unbewegter Miene machte sie sich Notizen und legte auf mit der Bemerkung: »Okay. In zehn Minuten.« Sie riss das Blatt vom Block und warf Balke einen Blick zu. »Mord im Emmertsgrund draußen.«

Balke sah ratlos von ihr zu mir. Offensichtlich wusste er nicht, wer hier im Augenblick das Sagen hatte. Sie ergriff mit der linken Hand eine große Schultertasche aus schwarzem Leder, während ihre Rechte einen Schlüsselbund aus der Schreibtischschublade fischte.

»Ich komme mit«, sagte ich entschlossen.

Balke guckte verdutzt, Sonja Walldorf errötete.

»Sie sind der Boss«, meinte Vangelis achselzuckend.

»So lerne ich gleich ein bisschen die Stadt und Ihre Arbeitsweise kennen«, erklärte ich Balke, da Vangelis eisern in eine andere Richtung sah.

»Ich alarmiere mal die Spurensicherung«, murmelte Balke verwirrt.

»Das haben die Kollegen vom Revier schon getan.« Vangelis ging davon, ohne sich weiter um uns zu kümmern. Wir hatten Mühe, ihr zu folgen. Frau Walldorf sah uns mit verzweifeltem Gesichtsausdruck nach und fürchtete offenbar das Schlimmste.

Im Wagen, einem Siebener BMW, den Vangelis fuhr wie der Leibhaftige persönlich, klärte sie uns darüber auf, dass der Anruf von einer Streifenwagenbesatzung gekommen sei, die ihrerseits der Hausmeister eines der Hochhäuser im Emmertsgrund alarmiert habe. Ich hörte den Namen des Viertels zum ersten Mal. Nach den Bemerkungen meiner Untergebenen zu schließen, lag es im Süden und war nicht gerade eine der besten Wohngegenden Heidelbergs. Aufgrund eines immer unerträglicher werdenden Gestanks hatte der Hausmeister heute Morgen eine der Penthouse-Wohnungen geöffnet und die Leiche des Bewohners darin gefunden. Bei dem Toten handelte es sich um einen jungen Mann namens Patrick Grotheer, las Vangelis von ihrem Zettel ab, während der BMW mit hundertzwanzig die holprige Rohrbacher Straße entlangdonnerte.

Balke fand endlich den Knopf für das Martinshorn und setzte das Blaulicht aufs Dach. »Grotheer?«, fragte er mit hochgezogenen Brauen.

»Exakt.« Vangelis schaltete hoch. »Warum?«

Irgendwie war ich auf dem Rücksitz gelandet, beschloss aber, dass mir das nichts ausmachte. Autorität hat nur bei altmodisch denkenden Menschen mit Sitzordnung zu tun.

»Muss ja nichts zu bedeuten haben«, erwiderte Balke ausweichend. »Den Namen wird's mehr als einmal geben.«

Sven Balke war von der Sorte, die meine Töchter seit neuestem in die Kategorie »supersüße Jungs« eingruppierten. Man sah und hörte, dass er aus dem Norden stammte. Er trug enge Jeans und ein T-Shirt, das jede Rundung seines muskulösen Oberkörpers nachzeichnete. Im rechten Ohr zählte ich drei und im linken fünf silberne Ringe. Seine Hautfarbe verriet, dass er sich gerne und oft im Freien aufhielt und es wie viele Hellblonde nicht vertrug. Seinen Kopf zierte eine Art Dreitage-Glatze, mit dem Rasieren schien er sich nicht viel Arbeit zu machen.

In einem lebensgefährlichen Manöver überholte Vangelis einen Bus und schaffte es gerade eben, nicht mit der entgegenkommenden Straßenbahn zu kollidieren.

»Nu mach mal halblang, Mädchen! Der läuft uns ja nicht weg«, maulte Balke. Sein Handy fiepte.

»Oh, oh«, sagte er leise, nachdem er die SMS gelesen hatte.

»Die von gestern?«, fragte Vangelis leichthin und setzte schon wieder den Blinker zum Überholen.

Betrübt schüttelte er den Kopf. »Immer noch die von Dienstag. Schlimme Klette, das Kind.«

»Irgendwann muss dich ja mal eine an den Haken kriegen«, meinte sie achselzuckend.

»Nicht, bevor ich vierzig bin.«

Siebzehn Minuten nachdem das Telefon geklingelt hatte, kletterte ich benommen aus dem Wagen. Ein verstörter Mittvierziger mit dunklem Vollbart und zwei ungewöhnlich blasse Streifenpolizisten begrüßten uns mit Mienen, als ginge es zu einer Beerdigung. Im Lift zum obersten Stock zogen wir unsere fusselfreien Latex-Handschuhe an. Vangelis ließ sich von den aufgeregten Schupos Bericht erstatten und tat, als wären Balke und ich gar nicht da.

Der Körper eines erwachsenen Menschen enthält ungefähr fünf Liter Blut. Ein halber Putzeimer voll, mehr nicht. Zudem muss man in Rechnung stellen, dass ein Mensch, dessen Pulsadern geöffnet werden, nicht einmal die Hälfte seines Bluts verliert. Dann versagt das Herz, der Rest bleibt im Körper zurück und gerinnt im Lauf der folgenden Stunden. Alles in allem konnte der Tote also kaum mehr als zwei Liter Blut verloren haben. Aber wenn diese zwei Liter in einem siebzig Quadratmeter großen Raum verteilt sind, der zudem weitgehend in Weiß gehalten ist, dann ist das eine

Menge. Schwarzes, geronnenes Blut war das Erste, was ich sah. Überall. Es war eine Schweinerei ohnegleichen.

Der Hausmeister weigerte sich panisch, die Wohnung noch einmal zu betreten. Meine Croissants drängten zusammen mit zwei Tassen Kaffee an die frische Luft. Auch Balkes Blick schien fieberhaft die richtige Tür für den Krisenfall zu suchen. Klara Vangelis riss die breite Glastür zur Terrasse auf. Ich sah mich kurz um. Der Täter hatte sein Opfer an das Kopfteil des großen Betts gefesselt, das an der Wand gegenüber der Terrassentür stand, ihm die Pulsadern aufgeschnitten und es langsam verbluten lassen.

Als ich den Gestank nicht mehr aushielt, sagte ich: »Warten wir, bis es ein wenig durchgelüftet hat«, und trat auf die Terrasse hinaus. Balke folgte mir aufatmend. Vangelis blieb drin.

»Diese Frau ist ein Tier«, murmelte er, als er neben mich ans Geländer trat.

»Lächelt sie auch manchmal?«

»Eher selten.«

Die Aussicht war beeindruckend. Das Hochhaus stand in einer Lage, wo man eher Villen als sozialen Wohnungsbau erwartet hätte. Unter uns am Hang verstreut einige kleine Weingärten, hinter uns Wald, vor uns ausgebreitet das Oberrheintal, heute ausnahmsweise ohne die übliche Dunstglocke. Ein hellblauer Bus quälte sich die kurvige Straße herauf. Balke gab mir einen Schnellkurs in Heimatkunde.

»Da unten, das ist Rohrbach. Dort draußen sehen Sie die Autobahn. Und da ganz rechts hinten, das sind die Campbell Barracks. US-Hauptquartier der Landstreitkräfte Europa. Richtig wichtig.«

»Hier gibt's immer noch Amerikaner?«

»Nicht mehr so viele wie früher, aber immer noch genug.« Langsam kam wieder Farbe in sein Gesicht.

In der Ferne heulte ein Martinshorn, kurze Zeit später hielt unten der Notarztwagen hinter unserem BMW. Zwei breite Kerle in Orange stiegen aus und bewegten sich ohne

Eile auf den Eingang zu. Natürlich wussten sie schon, dass es hier kein Leben zu retten galt. Von drinnen hörte ich kurze Zeit später, wie Vangelis den Männern die Situation erklärte, dann kam sie gemächlich zu uns heraus. Mit ausdruckslosem Blick musterte sie uns, als wollte sie abschätzen, wie viel wir schon wieder vertragen konnten. Sie hielt ein kleines ledergebundenes Notizbuch in der Hand und war praktisch fertig mit den Ermittlungen.

»Keine Spuren von gewaltsamem Eindringen. Er muss den Täter gekannt haben. Keinerlei Hinweise auf einen sexuellen Hintergrund. Spermaspuren, entsprechende Verletzungen – Fehlanzeige. Soweit ich das bisher beurteilen kann, hat der Täter ihn geknebelt, ans Bett gefesselt und dann ...«, endlich musste auch sie schlucken, »... abgestochen.« Sie versenkte das Büchlein in ihrer Handtasche. »Er hat ihm die Pulsadern an beiden Unterarmen aufgeschnitten und ihn langsam verbluten lassen. Das Opfer dürfte seit vier oder fünf Tagen tot sein. Schwer zu sagen, bei dieser Hitze.«

Unten quietschten die Bremsen eines grauen Passat Kombi. Die Spurensicherung.

Vangelis fuhr fort: »Was merkwürdig ist: Der Täter hat das Blut teilweise aufgefangen und im Raum verteilt. Hat ein bisschen was von einem Ritualmord. Ich habe so was noch nie gesehen.«

Ich besann mich darauf, dass ich es war, der hier das Kommando führen sollte. »Irgendwelche Hinweise auf Raub?«

Sie schüttelte den Kopf. »Sein Portemonnaie liegt neben dem Telefon, und es steckt eine Menge Bargeld drin, Kreditkarten, alles. Die Wohnung sieht auch nicht so aus, als wäre sie durchsucht worden.«

Ich überlegte kurz. »Wir brauchen mehr Leute. Sagen wir noch fünf. Dann sind wir zu acht, das sollte fürs erste reichen.«

Balke zückte sein Handy.

»Wieso acht?«, fragte Vangelis mit hochgezogenen Brauen. »Fünf und zwei ...?«

»Fünf und drei«, verbesserte ich verbindlich lächelnd. »Ich mache mit.«

Ihre Augenbrauen sanken wieder herab. Sie machte kehrt und ging hinein.

»Wir zwei knöpfen uns mal den Hausmeister vor«, sagte ich zu Balke, nachdem er das Handy wieder zugeklappt hatte. »Nachbarn dürften ziemlich zwecklos sein. In solchen Häusern wissen die Leute normalerweise nichts über ihre Mitbewohner.«

Der bärtige Hausmeister, der einen langen, polnisch klingenden Namen führte, hockte in seiner IKEA-Küche in einer dunklen Erdgeschosswohnung, trank mit nervösen kleinen Schlucken große Mengen Pfefferminztee und wusste eine ganze Menge.

»Student war er, der junge Herr Grotheer.«

»Student?« Ich dachte an die Einrichtung oben, für deren Gegenwert unsereins sich einen Neuwagen leistet.

»Ja. Student.«

Balke führte mit raumgreifender und vollständig unleserlicher Handschrift Protokoll.

»Dann stammt er wohl nicht gerade aus ärmlichen Verhältnissen?«

»Der hat einen Ferrari 456 GT mit über vierhundert PS!«, erklärte uns der Mann wichtig.

Balkes Stift stockte. »Ein 456 GT? Wo steht das Teil?«

Der Hausmeister wies mit bedeutungsvollem Blick nach unten. »Tiefgarage.«

Ich hielt Balke am Ärmel fest, um ihn daran zu hindern, den Wagen gleich mal Probe zu fahren.

»Woher hat der Herr Grotheer das viele Geld? Als Student?«

»Von seinen Eltern vermutlich. Professor Grotheer«, antwortete der Hausmeister, als wäre damit alles gesagt.

»Also doch.« Balke signalisierte mir mit einem Seitenblick, dass dieses Thema damit erledigt war.

»Hat er öfter Besuch gehabt?«

Bevor unser Zeuge antworten konnte, platzte Klara Vangelis herein. Ohne anzuklopfen natürlich. »Das hier haben wir oben gefunden«, sagte sie in einem Ton, als hätte sie es von Anfang an gewusst, und warf ein Tütchen mit blassgelben Pillen auf den Tisch. »Eine ziemliche Menge.«

»Drogen?« Balke besah sich die Dinger mit hochgezogenen Augenbrauen.

»Ecstasy«, stellte ich fest.

»Und zwar ein bisschen zu viel für den Eigenbedarf«, ergänzte Vangelis.

Der Hausmeister kopierte uns die Liste der Hausbewohner. Auf den ersten Blick war nichts Auffälliges darunter. Relativ hoher Ausländeranteil, drei junge Angestellte der Universität, ein arbeitsloser Innenarchitekt, eine allein stehende Dame, die als Broterwerb »Körperkünstlerin« angab, worüber Balke gar nicht mehr aufhören wollte zu lachen. Die zweite Penthouse-Wohnung, die gegenüber von Patrick Grotheers lag, gehörte einer Firma.

»Marvenport and Partners auf Guernsey?«, las ich.

Der Hausmeister hob die Hände, als hätte ich ihm einen Vorwurf gemacht. »Das ist eine Insel. Im Ärmelkanal.«

»Ein Steuerparadies«, erklärte Balke überflüssigerweise.

»Die Wohnung steht aber die meiste Zeit leer«, murmelte der Hausmeister bedrückt. »Dabei ist es die schönste im ganzen Haus. Nur hin und wieder übernachten da Leute, Angestellte der Firma, nehme ich an.«

»War in den letzten Wochen jemand dort?«, fragte Vangelis.

»Nicht, dass ich wüsste.«

Ich mischte mich ein: »Woher wollen Sie das wissen?«

»Dann wäre da natürlich abends Licht gewesen«, erklärte er mit offenem Blick.

»Sind es immer dieselben?«

Unglücklich hob er die Schultern. »Das ist ja hier keine Jugendherberge, wo man sich an- und abmelden muss, nicht wahr?«

3

Ungefähr eine Stunde nachdem wir den Tatort betreten hatten, erinnerte Balke mich mit vorsichtig gewählten Worten daran, dass es an der Zeit sei, die Angehörigen zu benachrichtigen. Seine Blicke ließen keinen Zweifel daran, wessen Aufgabe dies war. Zum zweitenmal an diesem herrlichen Spätsommermorgen wurde mir flau im Magen. Zum einen ist so etwas nie eine angenehme Aufgabe, und zum anderen musste ich mich dazu in Kreise begeben, wo ich mich auch unter weniger tragischen Umständen unwohl fühlte. Wie ich inzwischen erfahren hatte, war der Vater des Opfers, Professor Dr. Dr. h.c. mult. Franz K. Grotheer, Leiter der unfallchirurgischen Abteilung des Universitäts-Klinikums und in seinem Fach eine weltberühmte Kapazität. Seit Jahren munkelte man von einem fälligen Nobelpreis. Ich bat Vangelis mitzukommen. Balke blieb erfreut zurück und versprach, sich den Ferrari anzusehen.

Diesmal fuhr Vangelis langsamer. Ich hatte etwas von Neuenheim aufgeschnappt und wusste nur, dass es nach Norden, über den Neckar ging. Unser Schweigen war zäh und ungemütlich. Natürlich gab es in dem inzwischen glühend heißen Wagen keine Klimaanlage.

Der Polizeifunk sorgte für die Unterhaltung. Verkehrsunfall auf der B 37 vor Neckargemünd. Notarzt war unterwegs. In der Akademiestraße hilflose Person, die sich von der al-Quaida verfolgt glaubte. Vermutlich Alkoholdelirium, morgens um zehn. In Eppelheim, jenseits der A 5, war eine Frau aus dem achten Stock eines Hochhauses gestürzt. Da die Ursache unklar und Fremdverschulden nicht auszuschließen war, wurde die Kripo angefordert. Notarzt war unterwegs. Ich wählte meine eigene Nummer und ließ mir von Frau Walldorf bestätigen, dass ein Team unterwegs war und ich mir keine Gedanken zu machen brauchte.

Ich versuchte, die Zeit zu nutzen, um ein paar Informationen über die Familie Grotheer zu sammeln. Aber das erwies sich als nicht so einfach, weil man mich in der Telefonzentrale der Polizeidirektion noch nicht kannte. Man sprach erst mit mir, nachdem Vangelis mit dürren Worten meine Identität bestätigt hatte.

Als wir den Neckar überquerten, beschloss ich, das Problem frontal anzugehen. Ich bemühte mich um einen leutseligen Ton:

»Sie sind Griechin?«,

»Ich bin in Weinheim geboren, meine Eltern in Griechenland.«

»Ich dachte eigentlich, Vangelis wäre ein Vorname. Für einen Mann?«

»Das ist korrekt.«

»Aber?«

»Ein Missverständnis.«

Ihr Blick klebte auf der Straße. Ich räusperte mich. »Hören Sie, Frau Vangelis. Es ist ja nicht meine Schuld, dass nicht Sie die Stelle gekriegt haben, sondern ich.«

»Das ist mir klar.«

»Vermutlich wären Sie sogar die bessere Wahl gewesen. Sie kennen den Laden. Sie kennen die Stadt, die Leute.«

»Aber ich bin eine Frau.«

Aus dieser Ecke blies mir also der Wind ins Gesicht. »Glauben Sie im Ernst, das hat eine Rolle gespielt?«

Ich wünschte, sie hätte wenigstens ein einziges Mal in meine Richtung gesehen.

»Ich glaube das nicht. Ich weiß es.«

Sie hielt an einer roten Ampel und schien sich ein wenig zu entspannen. Ein Schwarm fröhlich schnatternder Kindergartenkinder überquerte die Straße. Nach einem kleinen Schild an der Hausecke zu schließen, auf dem Weg zum Philosophenweg, einem der bekanntesten Spazierwege der Welt. Schon seit Wochen hatte ich vor, meine Töchter einmal dort hinaufzunötigen. Aber bisher war es ihnen immer gelungen, mich mit den abenteuerlichsten Begründungen abzuwimmeln.

Die Ampel schaltete auf Grün.

»Können Sie sich nicht vorstellen, dass wir auch so gut zusammenarbeiten werden?«

»Haben Sie denn den Eindruck, dass wir nicht gut zusammenarbeiten?«, fragte sie, ohne mit einer ihrer wohl gerundeten Wimpern zu zucken.

»Nein, so meine ich das natürlich nicht ...«

»Wenn Sie an meiner Arbeit etwas auszusetzen haben, dann sagen Sie es mir bitte. Ich werde mich dann bemühen, mich zu bessern.«

Ich hätte sie würgen können! Einfach am Hals packen und schütteln, bis sie um Gnade wimmerte. Oder wenigstens eine Spur von Gefühl zeige. Sie setzte den Blinker und bog ab, zu meiner Verblüffung nach links statt nach rechts. Rechts am Hang lag das Neuenheimer Villenviertel, so viel wusste ich schon. Links lag – nichts von Bedeutung. Zwei Querstraßen weiter hielt sie vor einer nicht gerade bescheidenen, aber auch keineswegs großzügigen Doppelhaushälfte. Nur das Fehlen eines Namens an der Klingel wies darauf hin, dass hier vielleicht keine gewöhnlichen Menschen wohnten. Inzwischen hatte ich immerhin in Erfahrung bringen können, dass die Grotheers zwei Kinder hatten. Es gab noch eine Tochter, Sylvia, zwei Jahre älter als Patrick.

Ich wartete, bis Vangelis den Wagen abgeschlossen hatte, und drückte den Knopf. Ein Dreiklanggong ertönte und Schritte näherten sich. Die Hausfrau persönlich öffnete uns.

Frau Grotheer zählte zu den Menschen, die mit einem einzigen kurzen Adjektiv vollständig zu beschreiben sind. Das ihre war: blass. Eine wächserne Haut, blassblaue Augen, graublondes, streng gescheiteltes Haar, ein hellgraues Kleid, ebensolche Schuhe mit flachen Absätzen, und alles zwar nicht gerade billig, aber mit geradezu nach Absicht riechendem Mangel an Eleganz.

»Sie wünschen?«, fragte sie mit farbloser Stimme, nachdem sie sich davon überzeugt hatte, dass wir ihr weder ein Zeitschriftenabonnement aufnötigen wollten, noch an ihrer

Meinung zum drohenden Weltuntergang interessiert waren. Wir zeigten unsere Ausweiskärtchen.

»Dürften wir kurz hereinkommen, Frau Professor?«, fragte ich. Mit regloser Miene trat sie zur Seite und ließ uns ein.

»Wir müssen Ihnen leider eine schlechte Nachricht überbringen«, fuhr ich fort, nachdem wir uns im altbürgerlichen Wohnzimmer niedergelassen hatten. »Eine sehr schlechte Nachricht. Leider.«

Sie musterte mich mit mattem Blick. Ich fragte mich, ob sie Medikamente nahm.

»Es geht um Ihren Sohn.«

Klara Vangelis betrachtete voller Interesse die scheußlichen Ölbilder an den Wänden und ließ mich leiden.

»Was ist mit ihm?« Jetzt klang die Stimme von Patrick Grotheers Mutter doch eine Spur beunruhigt.

»Er ist tot.«

»Tot?«, fragte sie verständnislos. Oder teilnahmslos? »War es ... sein Wagen?«

»Leider nein.« Ich zwang mich, in ihr Gesicht zu sehen. Vangelis war immer noch in ihre Kunstbetrachtungen vertieft. »Er ist ermordet worden.«

Der Körper der grauen Frau machte eine langsame, fast unmerkliche Veränderung durch. Zuerst senkte sie den Blick, dann die Schultern. Nach und nach wich jede Anspannung aus ihrer Muskulatur. Aber sie weinte nicht, sie schrie nicht, sie sah einfach nur auf den Teppich und schwieg.

»Haben Sie jemanden, der sich um Sie kümmern kann, Frau Professor?«

Keine Reaktion.

»Sollen wir jemanden rufen? Einen Arzt? Ihren Mann?«

»Mein Arzt ist mein Mann«, erwiderte sie mit einer Stimme ohne jeden Klang. »Er ist in den Staaten. Auf einem Kongress.«

»Ihre Tochter vielleicht?«

Sie erhob sich, ging mit überraschend sicheren Schritten

zum Telefon, einem alten grünen Tastentelefon mit schwarzer Schnur und wählte eine Nummer.

»Sylvia, würdest du bitte kommen? Ja, es ist etwas vorgefallen. Mit Patrick, ja.«

In der nächsten Viertelstunde lernte ich meinen neuen Job hassen. Frau Grotheer saß auf ihrem Sessel und studierte das Muster des Perserteppichs, als wäre er eben erst geliefert worden. Vangelis tat, als ginge sie das alles nichts an, und ich versuchte verzweifelt, etwas wie ein Gespräch in Gang zu bringen. Es gelang mir nicht. Frau Grotheer wollte nicht wissen, wer ihren Sohn ermordet hatte, es interessierte sie nicht, wann oder weshalb. Er war tot, und alles andere war ihr gleichgültig. Mir wurde klar, dass sie mit diesem Besuch gerechnet hatte, dass ihr Sohn für sie schon vor langem gestorben war. Wir lieferten nur die letzte Bestätigung einer Nachricht, die sie längst kannte. Wenn er wirklich im Drogenhandel mitgemischt haben sollte, wie wir inzwischen vermuteten, dann war ihre Haltung vielleicht nicht verwunderlich.

Ich trat an die offene Terrassentür, nahm mein Handy heraus und wählte Balkes Nummer. Er berichtete mir aufgeräumt, nach Angaben der Zulassungsstelle habe Grotheer neben dem Ferrari noch einen zweiten Wagen besessen, einen dunkelblauen Renault Kombi, den sie bisher jedoch weder in der Tiefgarage noch in der näheren Umgebung gefunden hatten. Weiter erfuhr ich, dass unsere Spezialisten in der Wohnung bisher nicht die geringste Spur von seinem Mörder gefunden hatten. Keine Fusseln, die seiner Kleidung zuzuordnen waren, kein Haar, keine Hautschuppen, keine Gewebereste unten den Fingernägeln des Opfers – einfach nichts. Offenbar hatten wir es mit jemandem zu tun, der bei aller Brutalität äußerst überlegt und emotionslos vorgegangen war.

»Und noch was«, Balke schien das Lachen nur mühsam unterdrücken zu können. »Sie glauben nicht, was wir in der Küche gefunden haben. Gut versteckt unter der Spüle.«

Ich wartete. Mir war nicht nach Ratespielen.

»Viagra. Zwei Packungen.«

»Viagra? Ist das nicht eher was für ältere Herren?«

»Er scheint öfter Mädels zu Besuch gehabt zu haben, sagen die Leute hier.« Die Sympathie in seiner Stimme war unüberhörbar. »Vielleicht hat er sich dabei ein bisschen übernommen?«

Und schließlich erklärte er mir noch, neben ihm stehe ein höchst aufgebrachter Staatsanwalt, der mehr oder weniger durch Zufall von dem Mord erfahren habe.

Na wunderbar. Es wäre meine erste Aufgabe gewesen, die Staatsanwaltschaft von dem Tötungsdelikt in Kenntnis zu setzen, und ich Idiot hatte es vergessen. Für die Kripo ist ein guter Draht zu ihrer vorgesetzten Dienststelle lebenswichtig, für ihren Chef ist er überlebenswichtig. Balke gab mir einen empörten Herrn Grüner ans Telefon, und es gelang mir, ihn mit vielen freundlichen Worten und halbseidenen Ausflüchten zu beruhigen. Am Ende meldete Balke sich noch einmal und berichtete mir, sie hätten inzwischen doch noch etwas ähnliches wie Schuhabdrücke gefunden, die vermutlich vom Mörder stammten. Außerdem gab es natürlich den schmutzigen Lappen, der als Knebel gedient hatte. Sonst hatten wir nichts. Absolut nichts.

Mittlerweile hatten meine Leute an allen Wohnungstüren im Haus geläutet. Kaum eine hatte sich geöffnet. Die meisten Bewohner waren in Urlaub oder zur Arbeit. Die wenigen, die sie antrafen, hatten erwartungsgemäß nichts gesehen und wenig gehört.

Ich bat Balke, mir Informationen über diese Firma zu verschaffen, der die zweite Penthouse-Wohnung gehörte. Man soll ja als Vorgesetzter niemals den Eindruck erwecken, man wüsste nicht, wie es weitergeht. Er versprach stramm, sich darum zu kümmern.

Als ich wieder in meinen Sessel sank, hatte ich den Eindruck, dass Klara Vangelis nur mühsam ein Grinsen unterdrückte.

Eine genau gehende große Standuhr vertickte die Sekunden, durch die Terrassentür sah man in einen kleinen, gut gepflegten Garten hinaus. Draußen stritt ein hysterischer Spatzenschwarm lautstark um irgendwas. In der Nachbarschaft brummte ein Gerät, dessen Zweck mir nicht klar wurde. Ein Mitglied der Familie Grotheer spielte Querflöte, wie ein Notenständer mit aufgeschlagenem Heft verriet. Vivaldi, die Vier Jahreszeiten. Frau Grotheer konnte sich an ihrem Teppich nicht satt sehen. Ein Hauch von Blümchenparfüm hing in der Luft, vermischt mit dem Geruch nach wohlhabender Trostlosigkeit und alten Möbeln. Endlich hielt draußen ein Auto, eilende Schritte, ein Schlüssel in der Tür.

Sylvia Grotheer sah aus, wie ich mir eine gut genährte und schlecht gelaunte junge Nonne in Zivil vorstellte. Wie ich mühsam in Erfahrung gebracht hatte, studierte sie Medizin im zwölften Semester. Eine Schönheit war sie nicht. Eine Spur zu pummelig, die Nase ein wenig zu spitz, ein etwas zu kleiner Mund.

»Was ist passiert?«, fragte sie atemlos. »Wer sind Sie?«

»Polizei.« Ich zeigte ihr meinen Ausweis. Sie sah nicht hin, sondern fixierte mich, als wüsste sie schon jetzt, dass ich an allem schuld war. Sie trug kein Make-up im Gesicht und schien sich die Haare selbst zu schneiden. Über ihrem dünnen, beigen Kaschmir-Pullover baumelte eine Modeschmuck-Kette mit bunten Kugeln, und in dieser Sekunde fiel mir die Frau mit der Perlenkette wieder ein, an die ich seit vergangenem Mittwoch nicht ein einziges Mal gedacht hatte. Diese Frau, die mich angesehen hatte, als würde sie mich seit Ewigkeiten kennen. Vielleicht hörte sie einfach nur schlecht? Schwerhörige sehen einen ja manchmal so übertrieben aufmerksam an.

Ich weihte Sylvia Grotheer noch im Stehen ein. Und jetzt endlich begann die Mutter lautlos zu weinen. Die Tochter setzte sie sich neben sie und legte mit eher wütender als trauriger Miene den Arm um ihre Schulter. Das Gebrumm im Nachbargarten verstummte. Den Spatzen war es inzwischen zu heiß geworden zum Zanken. Die Standuhr interessierte sich für nichts als die Zeit. Ich hätte alles dafür gegeben, weglaufen zu dürfen. Allmählich versiegten Frau Grotheers stille Tränen.

Sylvia räusperte sich dreimal. »Ich ... Wir haben mit so etwas gerechnet. Irgendwann«, murmelte sie. »Es lag doch auf der Hand.«

Ich schlug die Beine übereinander, um zu demonstrieren, dass ich Zeit hatte. Mit leiser, aber fester Stimme erzählte sie, ihr Bruder habe an seinem achtzehnten Geburtstag das elterliche Haus verlassen, nach zahllosen wüsten Streitereien. Schon damals hatte er über mehr Geld verfügt, als er hätte haben dürfen. Die Wohnung im Emmertsgrund war nicht gekauft, sondern gemietet, der Ferrari gebraucht, aber anscheinend bar bezahlt. Der Wagen kostete zweihundertfünfzig Euro Versicherung.

»Im Monat! Er hat's mir mal erzählt. So viel Geld verdient man doch nicht nebenbei durch Jobben!«

»Sie haben eine Vermutung, woher das Geld stammt?«

»Sie etwa nicht?«

»Doch, natürlich. Wir tippen auf Drogenhandel. Wir wissen nur noch nicht, in welchem Umfang. Hat er tatsächlich studiert?«

»Ja, Chemie.« Sie hob die rundlichen Schultern. »Zwei oder drei Mal hab ich ihn sogar an der Uni getroffen. Kann natürlich auch sein, dass er ...« Sie schluckte.

»Dass er dort gedealt hat?«, half ich nach.

»Obwohl ich immer dachte, er macht das mehr im großen Stil. Durch Kleindealerei kommt man mit einiger Mühe zu seinem täglichen Schuss. Aber wohl kaum zu einem Ferrari.«

Da war was dran.

»Ich glaube, ...« Wieder verstummte sie.

»Was glauben Sie?«, fragte Vangelis leise. Die ersten Worte, die sie sprach, seit wir dieses Haus betreten hatten.

»Nein, eigentlich bin ich mir sicher.« Sylvia Grotheer sprang auf und begann, mit den Händen auf dem Rücken hin und her zu gehen. »Er hat dieses Teufelszeug hergestellt. Das ist nicht weiter schwierig, wenn man ein bisschen was von Chemie versteht. Die Rohstoffe bekommt man problemlos im Chemikalien-Fachhandel. Der Rest ...« Mit dem Rücken zu uns blieb sie an der Terrassentür stehen.

»Der Rest?« Vangelis beobachtete die Zeugin aufmerksam.

»Ein paar Reagenzgläschen, ein Bunsenbrenner, ein Liebigkühler. Das Problem dürfte eher der Vertrieb sein. Und die Konkurrenz natürlich oder die ... Geschäftspartner, wie man ja nun sieht.«

»Entschuldigen Sie die offene Frage. Sie sind nicht besonders traurig darüber, dass Ihr Bruder tot ist?«, fragte ich.

Sie wandte sich nicht einmal um. »Er hat meine Mutter fast umgebracht!«

»Wie das?«

Ich erhielt keine Antwort. Aber ich verstand auch so.

»Im Grunde ist es ein Wunder, dass er das so lange unbehelligt machen konnte. Dass die Konkurrenz ihn so lange hat gewähren lassen. Man muss unglaubliche Gewinnspannen erzielen können mit diesem Gift, und man braucht ja nur die Zeitung zu lesen.« Sie fuhr herum. »Es war nur eine Frage der Zeit, nicht wahr?«

Ich gab ihr wortlos Recht. »Wann haben Sie Ihren Bruder zum letzten Mal gesehen?«

»Vorige Woche, Montag. Da war er in der Klinik. Er wollte zu Pa.«

Ich brauchte einen Augenblick, um meine Gedanken zu sortieren. »Und Sie waren zu diesem Zeitpunkt zufällig auch in der Klinik?«

Inzwischen hatte sie sich wieder völlig gefangen. Die Grotheers schienen hart im Nehmen zu sein.

»Nicht zufällig. Ich mache meine Doktorarbeit dort.«

»Können Sie uns sagen, was er von Ihrem Vater wollte?«

»Ich habe nicht mit ihm gesprochen. Fragen Sie Frau Schmitz.«

»Frau Schmitz?«

»Frau Doktor Schmitz«, erklärte Frau Grotheer mit ihrer sanften, teilnahmslosen Stimme. »Seine rechte Hand.«

»Und die linke meistens auch«, fügte Sylvia hinzu. »Pa ist so viel unterwegs. Jemand muss den Laden ja schmeißen.«

4

Die leitende Oberärztin Dr. med. habil. Marianne Schmitz war eine große, energiegeladene Blonde. Sie trat in den Raum, als käme sie eben von einem Dünenspaziergang im Novembersturm. Frisch, strahlend gelaunt und tatendurstig. Wie uns die erschöpfte Stationsschwester zuvor anvertraut hatte, war ihre Chefin seit vierzehn Stunden ununterbrochen im Dienst. Durch die Urlaubszeit und die Abwesenheit des Chefs hatte sich die chronische Personalknappheit der unfallchirurgischen Abteilung noch weiter verschärft.

Sylvia Grotheer verabschiedete sich mit einem verlegenen Lächeln. »Ich bin drüben im Tumor-Genetik-Labor des Krebsforschungszentrums, falls Sie mich noch brauchen.«

Wie immer in den letzten Monaten fiel mein erster Blick auf die Hände der Blonden, auf der automatischen Suche nach einem Ring. Sie trug keinen. Als Vera noch da war, hatte ich mich natürlich auch für andere Frauen interessiert. Welcher Mann kann das abstellen, auch wenn er noch so glücklich verheiratet ist? Aber damals kreisten meine Phantasien eher darum, wie eine Frau im Bett war, wie man sie herumkriegen könnte. Heute war mein erster Gedanke, wie sie sich wohl als Mutter meiner Zwillinge machen würde. Ob sie beim Frühstück gute Laune hatte. Ob sie angesichts einer ausgelaufenen Waschmaschine zu weinen begann.

Bei Marianne Schmitz war ich von der ersten Sekunde an davon überzeugt, dass sie nach dem Aufwischen umgehend beginnen würde, die Maschine zu zerlegen und in Ordnung zu bringen. Sie war eine Frau von der Sorte, bei der man als

Mann auch mal zugeben kann, dass man sich rettungslos verfahren hat. Ich verliebte mich auf der Stelle in sie.

Sie zog ihre Hand zurück. »Wegen Patrick kommen Sie?«, fragte sie in einem Ton, als wäre dies überaus erfreulich, und wirbelte hinter ihren Chrom-und-Glas-Schreibtisch. Von dem Mord hatte sie natürlich noch nicht gehört. Aber auch sie machte nicht den Eindruck, als würde die Nachricht sie sonderlich berühren. Aus einer Thermoskanne schenkte sie sich eine trübe Flüssigkeit in eine ziemlich schmutzige Tasse. Plötzlich wusste ich, woher der merkwürdig süßliche Geruch kam, der im Zimmer hing.

»Entschuldigen Sie, wenn ich Ihnen nichts davon anbiete«, erklärte sie lächelnd. »Aber das hier kann nur ich trinken.«

»Tee?«, fragte ich.

»So viel Kaffee, wie Sie hier zum Überleben brauchen, können Sie nicht trinken, ohne sich die Leber zu ruinieren. Ich mische ihn mir selbst. Die Basis ist grüner Tee. Mehr verrate ich nicht, sonst hetzen Sie mir noch die Drogenfahndung auf den Hals.«

Womit wir beim Thema waren.

»Er soll vor einer Woche hier gewesen sein.«

»Patrick? Stimmt. Er wollte zum Chef.«

»Können Sie mir sagen, worum es ging?«

Ihr offener Blick wich keine Sekunde aus meinem Gesicht. »Leider nein.«

Ich trat ans Fenster. Unten lag eine kleine, etwas verwahrloste Parkanlage, dahinter Wiesen und schließlich der Neckar im Hitzedunst. Ein leerer Frachtkahn brummte emsig flussabwärts. Pralle, blendend weiße Sommerwolken trieben schläfrig über die Stadt.

Ich wandte mich wieder der Ärztin zu. »Das Verhältnis zwischen Ihrem Chef und seinem Sohn soll nicht besonders gut gewesen sein.«

Inzwischen lächelte sie nicht mehr. »Die beiden hassten sich, wie nur Väter und Söhne sich hassen können.«

Vangelis, die inzwischen in meinem Auftrag ein wenig beim Personal der Station herumspioniert hatte, trat ein und setzte sich leise auf einen der Stühle an dem runden, mit Ordnern und Büchern überladenen Tischchen. Ein Stethoskop, das obenauf lag, kam ins Rutschen. Ohne Hast fing sie es auf und platzierte es wieder auf dem Bücherturm.

Marianne Schmitz erzählte in professionell sachlichem Ton und knappen Sätzen von Patrick Grotheers Jugend. Wir erfuhren, er sei intelligent gewesen, sehr intelligent, habe aber schon früh begonnen, sich gegen den übermächtigen Vater aufzulehnen.

»Ist vermutlich nicht leicht, Sohn eines weltberühmten Mannes zu sein. Man kann schlecht groß werden, in so einem Schatten.«

»Professor Grotheer ist ein strenger Vater?«, fragte Vangelis mitfühlend.

»Er hat seine Maßstäbe.« Die Ärztin nahm einen Schluck von ihrem Spezialtee und wollte fortfahren, aber in diesem Moment flog die Tür auf. Eine Schwester kam hereingestürzt.

»Entschuldigung. Aber ...« Hilflos hob sie den Block, den sie in der Hand hielt.

»Was liegt an?«, fragte Marianne Schmitz mit schmalen Augen und stellte ihre Tasse ab.

»Unfall auf der A 5 am Walldorfer Kreuz. Ein Bus. Wir müssen vier Schwere nehmen«, stieß die Schwester hervor. »Den Rest bringen sie woanders unter. Aber die vier Schweren, die müssen wir nehmen. Sie haben schon alles versucht.«

Die Ärztin stieß die Luft durch die Nase. »Und was haben wir frei?«

Die Schwester überflog ihre Notizen. »Die Zwei und die Fünf sind frei. In der Drei operieren sie gerade den Fenstersturz. Die Eins können wir vergessen, da sind die Leute drin, die die neue Videoanlage installieren, und in der Vier ist schon wieder die Herz-Lungenmaschine kaputt. Aber mit der Reparatur sind sie jeden Augenblick fertig, sagen sie.«

»Wie viel Zeit haben wir noch?«

»Viertelstunde, höchstens. Die Ersten sind schon abgefahren. Ein Multi-Trauma mit Verdacht auf Wirbelsäulenfraktur kommt per Luftpost, der muss jeden Moment landen.«

Marianne Schmitz sprang auf und schenkte uns ein letztes abwesendes Lächeln. »Okay«, sagte sie. »OP zwei, vier und fünf fertig machen. Sehen Sie zu, dass das Personal an Deck ist. Und das Team in der Drei warnen Sie vor. Sie sollen sich darauf einstellen, dass sie abbrechen müssen.« Sie wandte sich an uns: »Sie entschuldigen. Aber Sie sehen ja …«, und ging.

Mein Blick folgte der energischen Blonden, bis sie verschwunden war. Aus der Ferne hörte ich das rasch lauter werdende Brummen eines Hubschraubers.

Klara Vangelis berichtete mir, dass zwei der Schwestern Patrick Grotheer am vergangenen Montag gesehen hatten. Aber auch die wussten nicht zu sagen, was er hier gewollt haben könnte.

»Reden wir nochmal mit der Tochter«, entschied ich. »Inzwischen hat sie Zeit gehabt zum Nachdenken.«

Nach einigem Suchen und Fragen fanden wir Sylvia Grotheer im Keller des gegenüberliegenden Kolossalbaus, in dem sich das Deutsche Krebsforschungszentrum befand. Sie war allein in dem lang gestreckten Laborraum. Es roch, als würde Essig gekocht.

Sie drückte ein paar Tasten an einem Laptop, schaltete ein sirrendes Gerät aus, stellte achtsam einige Glasschalen in den Kühlschrank und begleitete uns zu einem fleckigen Tisch in der Ecke, auf dem eine eingeschaltete Kaffeemaschine stand. Eine der Neonröhren an der Decke, die den dunklen Souterrain-Raum beleuchteten, flackerte leise knisternd. Sylvia Grotheer trug jetzt einen nicht ganz sauberen weißen Kittel und bestätigte alles, was wir über das Vater-Sohn-Verhältnis in Erfahrung gebracht hatten.

»Aber was spielt das jetzt noch für eine Rolle?«, fragte sie.

»Erst mal keine. Wann wird Ihr Vater zurück sein?«

»Morgen. Morgen Abend.«

Erstaunt sah ich auf. »Nicht früher? Immerhin ist sein Sohn gestorben?«

»Diese Veranstaltung in Palo Alto ist einer der größten Kongresse im Arbeitsgebiet meines Vaters weltweit. Außerdem ist er Chairman und kann nicht so einfach davonlaufen.« Angestrengt betrachtete sie ihre kurz geschnittenen, unlackierten Fingernägel. »So ist er nun mal. Er nimmt seine Arbeit sehr ernst. Und was könnte er hier schon tun? Um Mutter kümmere ich mich schon.«

Ich sah auf meinen Block. »Was können Sie uns über den Bekanntenkreis Ihres Bruders sagen?«

»Kaum etwas. Nichts eigentlich.«

»Keinen einzigen Namen?«

Einige wusste sie dann doch zu nennen. Einen ehemaligen Klassenkameraden namens Oliver Barzsch, zu dem er noch Kontakt hatte. Britt Seebach, eine frühere Freundin, die er noch hin und wieder getroffen hatte.

»Im Frühjahr hab ich ihn zwei, drei Mal zusammen mit einer Clique gesehen. Und da war Fitz dabei.«

»Fritz?«

Sie schüttelte den Kopf. »Fitz. Fitzgerald. Sie scheinen sich öfter getroffen zu haben, so wie die sich aufführten. Schulterklopfen, an die Brust boxen, wie Jungs das so machen.«

»Wo war das?«

»Mal vor der Mensa, mal in der Stadt.« Draußen kam ein Krankenwagen an. Sie schwieg, bis das Martinshorn ausgeschaltet wurde. »Fitz war auf derselben Schule wie wir. Die Gardeners haben damals in der Nachbarschaft gewohnt, und wir waren viel zusammen. Später sind sie weggezogen, und Fitz hat die Schule gewechselt. Aber wir hatten immer noch Kontakt. Haben uns hin und wieder getroffen, was zusammen unternommen. Irgendwann hat man sich dann aus den Augen verloren.«

»Welche Schule war das?«, fragte Vangelis.

Sylvia Grotheer machte eine Handbewegung ins Unbestimmte. »Das Bunsen-Gymnasium. Gleich hier um die Ecke. Aber da war er nur bis zur Sechsten.« Sie rieb sich mit dem Handrücken das rechte Auge, schenkte sich Kaffee ein und nahm ein paar vorsichtige Schlucke. »Von der anderen Schule soll er später geflogen sein, habe ich gehört. Wegen irgendeiner Drogengeschichte. Aber das habe ich nur gehört.«

»Können Sie ihn beschreiben?«

»Die letzten Male sah er aus wie ein Rocker. Motorradfahrerkluft, schrille Haare, gefärbt, wie ein Leopardenfell. Sah unmöglich aus.« Sie blinzelte und rieb sich wieder das Auge. »Er ist nicht besonders groß, einsfünfundsiebzig vielleicht, aber kräftig, ziemlich kräftig. Breite Schultern und ein wiegender Gang, wie ein Fußballspieler. Irgendwie angeberisch.«

»Sie mögen ihn wohl nicht besonders?«

Als Antwort erhielt ich ein Schulterzucken. Draußen verstummte endlich das letzte Martinshorn. Nur der Rotor des Hubschraubers lief noch im Leerlauf. Vangelis' Stift kratzte auf dem Papier.

»Was ist Ihr Vater für ein Mensch?«, fragte ich.

»Pa?« Sylvia Grotheer stellte ihren Becher ab. »Nun ...« Nachdenklich sah sie abwechselnd Vangelis und mir ins Gesicht, als würde sie zum ersten Mal in ihrem Leben über ihren Vater nachdenken. »Eigentlich«, begann sie endlich, »aber lachen Sie bitte nicht.«

»Wir lachen selten bei der Arbeit«, sagte Vangelis freundlich.

»Im Grunde ist er so etwas wie ein moderner Heiliger. Manchmal habe ich gedacht, sein Vorname, Franz, ist so etwas wie ein Programm für ihn, eine Verpflichtung.«

»Wollen Sie damit sagen, er ist sehr religiös?«

Entschieden schüttelte sie den Kopf. »Nein. Nicht so. Der heilige Franziskus, der in selbst gewählter Armut lebte. Sehen Sie, Pa verdient wirklich nicht schlecht hier, in seiner Position. Aber Sie waren vorhin in unserem Haus, Sie kennen unsere Einrichtung. Meine Eltern fahren einen dreizehn

Jahre alten Volvo. Ich selbst bekomme von ihnen jeden Monat exakt den Betrag, der mir nach Bafög zusteht, und keinen Cent mehr.«

»Was macht er dann mit seinem Geld?«

Unsicher sah sie auf und senkte den Blick gleich wieder. »Er tut Gutes. Finanziert Krankenhäuser in der Dritten Welt. Somalia, Afghanistan, Mali. Es gibt eine Stiftung, deren Kapital zum größten Teil von seinen Konten stammt. Er spricht wenig über diese Dinge. Er würde es auch nicht mögen, dass ich Ihnen davon erzähle. Die Wenigsten wissen davon.«

»Bemerkenswert.« Ich meinte es ehrlich.

Ein kurzes eitles Lächeln flog über ihr Gesicht. »Für Pa gibt es nur seine Arbeit und die damit verbundenen Pflichten. Seine Vergnügungen beschränken sich auf ein Viertel Wein am Sonntagmittag und hin und wieder einen Spaziergang den Neckar entlang. Und selbst dann spricht er noch am liebsten über sein Fach, über seine Forschungen.« Sie sah an uns vorbei auf die Wand. »Um ehrlich zu sein, wir waren nicht immer glücklich über seine Haltung. Auch Mutter nicht. Es ist nicht besonders witzig, mit einem Heiligen zusammenzuleben.«

Lautlos öffnete sich die Tür. Ein Mann in blauem Kittel trat ein und tauschte die Handtücher aus. Er hatte langes aschgraues Haar, das im Nacken zu einem Schwänzchen gebunden war. Sylvia Grotheer grüßte ihn mit einem Nicken. Er nickte zurück und verschwand ebenso still, wie er gekommen war. Er mochte in den Sechzigern sein, hatte scharfe Gesichtszüge und zog das linke Bein ein wenig nach. Draußen lief das Triebwerk des Hubschraubers wieder hoch.

»Ach, Moment«, rief sie plötzlich, sprang auf und lief dem Mann nach. Sekunden später kam sie zurück und setzte sich wieder.

»Diese Lampe«, erklärte sie leicht außer Atem und wies auf die flackernde Röhre an der Decke. »Er soll sie endlich mal in Ordnung bringen. Man wird ganz verrückt von dem Geblitze.«

Mit lauter Stimme nahm ich das Thema wieder auf. »Sie hatten keine bequeme Jugend?«

»Wir waren immer die mit dem wenigsten Taschengeld in der Klasse. Starke Pflanzen wachsen in rauer Umgebung, sagt er immer, nicht im Gewächshaus.«

Ich beschloss, meine Töchter diesen Satz auswendig lernen zu lassen.

»Ihr Bruder war vermutlich anderer Ansicht«, rief ich gegen den Lärm an.

Sie schloss die Augen.

Draußen hob endlich mit knatterndem Rotor der Rettungshubschrauber ab und entfernte sich rasch.

5

Wie erwartet, bestellte Liebekind mich umgehend in sein Büro, als wir zurück waren. Natürlich war er sauer.

»Hören Sie, Herr Gerlach ...«

»Ich weiß«, sagte ich und tat schuldbewusst.

»Die Staatsanwaltschaft kocht!«

»Wird nicht wieder vorkommen.«

»Ich finde es ja gut und schön, dass Sie sich so intensiv um die Arbeit Ihrer Leute kümmern. Aber Ihr Platz als Chef ist nun mal hier und nicht irgendwo da draußen auf der Straße.«

Ich guckte so betreten, wie es nur ging. »Ich ...«

»Nein«, fuhr er mir ins Wort. »Vergessen Sie es. Machen Sie einfach Ihre Arbeit. Und reden Sie gleich, und damit will ich sagen: sofort, mit der Chefin der Staatsanwaltschaft persönlich. Frau Doktor Steinbeißer. Sie wird Sie grillen, bis Sie gar sind. Aber das haben Sie sich selbst eingebrockt, da müssen Sie jetzt durch.«

Ich versprach, mich umgehend bei ihr zu melden.

»Und tun Sie bei ihr mindestens so zerknirscht wie hier bei mir. Sie machen das gut. Und sie mag das.« Liebekind gehörte nicht zu den Menschen, die einem lange böse sein können.

»Darf ich eine Frage stellen?«

Er lehnte sich zurück, faltete die fleischigen Hände auf dem Tisch und musterte mich aufmunternd.

»Warum habe ausgerechnet ich diese Stelle gekriegt? Ich war ziemlich überrascht, jetzt kann ich Ihnen das ja sagen. Ich bin zu jung dafür, ich habe wenig Erfahrung in Führungspositionen, ich ...«

»Einerseits«, unterbrach er mich freundlich nickend, »haben Sie Recht, Sie sind ein bisschen jung. Aber das kann ja auch ein Vorteil sein. So kommt mal frischer Wind in den Laden. Sie sind ehrgeizig, das hat man gespürt in Ihren Unterlagen. Ihre Beurteilungen waren exzellent.«

»Und andererseits?«

»Nun.« Er ergriff eine dicke, fast schwarze Zigarre, die auf seinem Tisch lag, und schnupperte mit seligem Lächeln daran. »Sie waren mir sympathisch. Darauf sehe ich sehr. Dass es auch menschlich stimmt. Ihre Bewerbung hat nicht so vor Eigenlob und Selbstgefälligkeit getrieft wie manche andere. Und ...«

»Und?«

»Das reicht doch eigentlich schon, finden Sie nicht?«, sagte er ohne aufzusehen. »Es gab keine Widerstände in der Kommission. Man hat sich rasch auf meinen Vorschlag geeinigt.«

»Ich habe gehört, Klara Vangelis hat die Stelle kommissarisch gehabt?«

»Da haben Sie richtig gehört. Sie ist eine unserer Besten.«

Er legte die Zigarre achtsam in eine der oberen Schubladen seines Schreibtischs und nahm dafür eine kürzere, hellbraune heraus. Mir wurde bewusst, dass ich ihn noch nie hatte rauchen sehen. Auch ein Aschenbecher war nicht in Sicht.

»Warum nicht sie?«

»Gott, ja«, erklärte er seiner Zigarre. »Letztlich ist so was am Ende auch immer eine Gefühlssache.«

Ich war sicher, dass er log.

»Wenn du Ecstasy herstellen willst, dann hast du mit zwei Problemen zu kämpfen«, erklärte mir Hauptkommissar Hanning von der Drogengruppe. Er war einer dieser im Dienst vorzeitig gealterten und ewig leidend wirkenden Figuren, deren letztes noch verbliebenes Lebensziel die Frühpensionierung ist. Einer dieser Typen, bei denen man unwillkürlich nach einem Waschbecken Ausschau hält, nachdem man ihnen die Hand gedrückt hat. Andererseits konnte er sich vermutlich tagelang in einem Drogentreff herumdrücken, ohne aufzufallen.

Mit dabei waren Klara Vangelis und Balke. Inzwischen hatte ich mit Unterstützung meiner Sekretärin eine kleine Sonderkommission von elf Personen gebildet. Der Rest meiner Mannschaft war im Urlaub oder mit anderen Fällen beschäftigt. Ein Teil der Soko saß jetzt in den Büros und nahm Anrufe entgegen, die anderen waren noch im Emmertsgrund draußen, um Zeugen aufzutreiben und mit Unterstützung der Schutzpolizei und einer Hundestaffel die Umgebung des Tatorts abzusuchen.

»Im Grunde ist das wie beim Schnapsbrennen«, fuhr Hanning fort. »Da ist einmal der Geruch. Die Lösungsmittel, die du da brauchst, die stinken nun mal. Drum kannst du das auch nicht in einer Etagenwohnung machen. In Holland nisten sich die Burschen mit ihren Giftküchen gerne in abgelegenen Gehöften ein.«

»Bei uns hat es so was noch nicht gegeben?«

»Mal in Niedersachsen oben, ja. Die meisten Labors sind aber in Holland. Und auf dem Balkan seit neuestem.«

»Und das zweite Problem?«

»Die Abfälle. Bei Ecstasy hast du hinterher ein paar Kanister mit flüssigem Chemikaliendreck, und den kannst du nicht so einfach wegkippen.«

Mein Handy klingelte.

»Paps, wir wollen an den Baggersee. Dürfen wir doch, ja?«

»Wann seid ihr zurück?«

»Ähm.«

Aha.

»Es gibt hinterher noch 'ne Party. Aber wir werden heimgebracht.«

»Von wem?«

»Johnny und Pit.«

»Nie gehört.«

»Die haben ein Auto.«

»Mädchen!«, schnaubte ich. »Wie alt seid ihr denn! Und die Jungs sind achtzehn?«

»Wir sind sehr reif für unser Alter. Hast du selber gesagt.«

Es stimmte ja. Um ihnen Mut zu machen in dieser schrecklichen Zeit nach dem plötzlichen Tod ihrer Mutter. Um sie zu loben für die Selbstständigkeit, die sie notgedrungen im Eilverfahren entwickeln mussten.

»Bis wann soll das denn gehen mit dieser Party?«

»Bis zwölf?«

»Kommt nicht in die Tüte.«

»Paps! Wir sind sechsundzwanzig!«

»Ihr seid zweimal dreizehn. Das ist ein Unterschied.«

»Aber wir werden bald vierzehn!«

»Das ändert gar nichts. Wenn ihr sechzehn seid, reden wir weiter.«

»Halb zwölf ist aber okay, ja?« Sie versuchte, mich zu becircen, und es gelang ihr gar nicht schlecht. Das Publikum begann unruhig zu werden.

»Und außerdem gibt's am Baggersee abends Mücken ohne Ende.«

»Wir machen ein Feuer. Elf?«

»Vergesst es. Zehn, spätestens halb elf. Mein letztes Wort.«

Sie unterdrückte ein Jauchzen. Vermutlich hatten sie maximal mit Ausgang bis neun gerechnet.

»Und wie löst man nun das Problem mit den Abfällen?«, fragte Vangelis.

»Die Burschen haben jede Menge Tricks entwickelt. Du kannst die Kanister einfach irgendwo vergraben, zum Beispiel. Ist aber nicht ganz ungefährlich. Du kannst dabei gesehen werden. Jemand kann die Dinger finden, und deine Fingerabdrücke sind drauf.« Unglücklich wie ein Angeklagter rutschte Hanning auf seinem Stuhl herum.

»Ich hatte nicht vor, in dieses Geschäft einzusteigen«, warf ich grob ein.

Er wurde noch kleiner. »Entschuldigung. Wollte nur sagen ...«

»Okay. Weiter im Text.« Ich war wütend auf mich selbst, weil ich meinen Ärger über mein Versagen als Vater auch noch an einem Untergebenen ausließ.

»Ein paar ganz Schlaue klauen sich einen Lieferwagen, packen ihn voll und stellen ihn dann auf irgendeinem Parkplatz ab. Muss man natürlich auch aufpassen mit Fingerabdrücken und Spuren. Ist also auch nicht so genial.«

»Und was machen die Genialen?«, fragte Balke erschöpft.

»Wenn es in der Nähe einen Bach gibt, kannst du einen dünnen Schlauch legen und das Zeug Tropfen für Tropfen ablassen. Ganz, ganz langsam. So wird es bis ins Unendliche verdünnt. Und dann gibt es seit neuestem noch diesen Trick mit der Autobahn. Du packst die Kanister ins Auto und lässt das Zeug auf der Autobahn tropfenweise ab. Nach fünfhundert Kilometern oder so ist es dann verschwunden. Einfach verschwunden.«

Ich dachte an Patrick Grotheers Kombi, den wir bisher nicht gefunden hatten, obwohl er längst zur Fahndung ausgeschrieben war.

»Wo kriegt man die Rezepte her?«

»Aus dem Internet. Wenn Sie mögen, dann zeig ich Ihnen nachher ein paar Seiten.«

»Wie viel muss man investieren?«

»Zwei, dreihundert Euro.«

»Und was kann man dabei verdienen?«

»Wenn Sie's nicht gleich übertreiben, vier, fünftausend im Monat.«

Ich bedankte mich und schickte ihn weg. Dann diskutierten wir kurz und beschlossen, noch einen Tag zu warten. Wenn Grotheers Kombi bis dahin nicht aufgetaucht war, mussten wir uns etwas einfallen lassen. Wir vermuteten, dass es sich dabei um eine Art Firmenfahrzeug handelte.

»In der Wohnung hat er seine Tabletten definitiv nicht hergestellt«, überlegte ich. »Also muss es irgendwo ein Labor geben, vielleicht im Umkreis von vierzig, fünfzig Kilometern. Weit genug, dass man die Spur nicht so leicht zurückverfolgen kann. Nah genug, dass er nicht jedes Mal eine Weltreise machen musste, um es zu erreichen.«

»Und da wird er wohl kaum mit dem Ferrari hingefahren sein«, meinte Balke aufmerksam nickend. »Haben wir den Kombi, dann haben wir früher oder später auch das Labor. Da müssen Spuren dran sein, an den Reifen zum Beispiel.«

Die Chancen standen gut. Alle Polizisten im Umkreis von einhundert Kilometern waren informiert. Und ein Auto kann man nicht so leicht verschwinden lassen.

Wir mussten herausfinden, wo Grotheer sich in letzter Zeit herumgetrieben hatte. Wen er getroffen hatte, welche Lokale er zu besuchen pflegte und welche Straßen er öfter fuhr, die vielleicht in verlassene Gegenden führten.

Mein Handy klingelte erneut. Die Mädchen wollten wissen, ob sie sich Brote schmieren durften. Und die Bratwürste aus dem Eisfach mitnehmen, die ich ohnehin längst vergessen hatte. Und ob sie sich zwei große Flaschen Cola kaufen durften. Diese Party schien das Ausmaß einer kleinen Kirmes anzunehmen.

Beim verspäteten Mittagessen stellte ich fest, dass die Polizeidirektion über eine recht akzeptable Kantine verfügte. Leider musste ich allein am Tisch sitzen. Meine Untergebenen hatten offenbar ihre eingefahrenen Tischgewohnheiten, und Liebekind saß mit wichtigem Besuch zusammen. Die Königsberger Klopse schmeckten, auf einmal hatte ich gute Laune und fühlte mich wohl. Die meiste Zeit dachte ich an eine große blonde Ärztin mit wasserblauen Augen und hinreißendem Lächeln.

Ich beschloss, meinen Antrittsbesuch bei der Staatsanwältin auf morgen zu verschieben, um mir meinen ersten Tag nicht zu verderben. Vor mich hinsummend unterschrieb ich einige Papiere, von denen meine Sekretärin meinte, dass sie unterschrieben werden mussten. Sie besorgte mir einen der Würde meines Amtes angemessenen Terminkalender, und ich trug ein paar erste, unwichtige Sachen ein, damit etwas drinstand. Dann ließ ich mir ein Telefonbuch bringen. Marianne Schmitz wohnte wie ihr Chef in Neuenheim, nur einen halben Kilometer von der Klinik entfernt.

Es war wie so oft: Am Anfang hagelt es Informationen. Man kann gar nicht so schnell mitschreiben, wie alles auf einen einstürzt. Und dann, plötzlich, hört es auf. Alle Zeugen haben ausgesagt, alle Spuren sind gesichert, aber noch nicht ausgewertet, die notwendigen Maßnahmen und Fahndungen sind veranlasst. Und mit einem Mal ist Schluss.

So war es an diesem Montag gegen sechzehn Uhr. Die Spurensicherer meldeten sich mit bescheidenem Ergebnis zurück, die Asservate wanderten in die Labors, meine Leute machten sich daran, Ordnung in ihre Notizen zu bringen, Zusammenhänge zu finden, verdächtige Lücken aufzuspüren.

Als ich mich zu langweilen begann, erklärte ich meiner Sekretärin, ich würde für eine Weile verschwinden. »Operative Fallanalyse, falls jemand nach mir fragen sollte.«

Südlich von Rohrbach bog ich irgendwo falsch ab, geriet im Feierabendverkehr auf eine breite Straße, wo man nirgendwo wenden konnte, und landete schließlich in der Nähe von Leimen, wo es mir endlich gelang, die Fahrtrichtung zu wechseln. So war es schon nach fünf Uhr, als ich meinen Peugeot-Kombi vor dem Hochhaus im Emmertsgrund abstellte. Ein paar Kaugummi kauende Halbwüchsige beobachteten interessiert meine Schritte, als ich auf das Haus zustrebte, und taxierten vermutlich schon den Wert meines Wagens. Ich ging noch einmal zurück, legte das Polizei-Schild aufs Armaturenbrett und hoffte, dass es half.

Der Hausmeister war sichtlich erleichtert, dass ich allein in Patrick Grotheers Wohnung sein wollte. Ich schloss die Tür hinter mir und sah mich um. Schon auf den ersten Blick war erkennbar, dass der Mensch, der sich hier eingerichtet hatte, über Geld, aber nicht über Geschmack verfügt hatte. Alles hier war teuer, nichts passte wirklich zusammen, obwohl das meiste in schlichtem Weiß gehalten war. Eine filigran wirkende Couchgarnitur war um einen viel zu schweren Marmortisch gruppiert, das breite, mit champagnerfarbenem Satin bezogene Bett dominierte den Raum. Das Blut hatte man noch nicht entfernt. So waren überall diese schwarzen Flecken, deren Anblick mir schon wieder den Magen umdrehen wollte. Aber dieses Mal würde ich stark bleiben.

Zum Glück hatte man die Terrassentür offen gelassen, sodass der Verwesungsgeruch erträglich war. Von Westen trieben schwere Wolken heran. Noch hatte es nicht abgekühlt, aber es würde wohl Regen geben heute Nacht.

Rechts neben der Glasfront standen ein schlichter Tisch und zwei Stühle. An den Wänden hingen ein paar Poster, künstlerisch gemeinte, aber pornographisch geratene, grobkörnige Akt-Fotos. In der Kochnische das, was ein Junggeselle braucht, um sich ein Schnellgericht aufzuwärmen und die dazugehörige Flasche zu öffnen. Ein paar ohne Verstand zusammengekaufte Gerätschaften, die sichtlich selten oder nie benutzt wurden.

Im Bad eine sinnlose Anhäufung von Hygieneartikeln. Ein After-Shave von Boss, ein Deo von Adidas, ein vielleicht vergessenes Damenparfüm von Fendi. Unter dem Waschbecken eine Packung billige Zahnbürsten, vermutlich für unvorhergesehen übernachtenden Damenbesuch. Im zweiten Raum, der offenbar als Abstellkammer diente, ein Chaos von Kartons und Koffern mit und ohne Inhalt. Hingeworfene Kleidungsstücke, abgelegte Schuhe, ein paar Bücherstapel, für die sich im anderen Raum kein Platz mehr gefunden hatte.

Ich ging in den Wohn- und Schlafraum zurück, nahm mir einen der Stühle und setzte mich mit dem Rücken zur Fensterfront. Zwei Meter vor mir stand nun das breite Bett, auf dem Patrick Grotheer vor fünf Tagen verblutet war. Überall erinnerten diese schwarzen Flecken an das, was hier geschehen war. Auf dem Bett, darum herum, auf den Couches, wo es der Täter mit Bedacht verteilt hatte.

Operative Fallanalyse – eines dieser wohlklingenden, modischen Worte für das, was gute Kriminalisten seit jeher tun. Sich mit dem Tatort unterhalten und der Geschichte lauschen, die er uns erzählt. Genauer: der Geschichte, die der Täter uns durch seinen Tatort erzählt. Wir müssen nur seine Sprache verstehen, uns auf ihn einlassen, Geduld haben. Es gibt Fälle, da ist der Tatort zufällig gewählt. Das Opfer ist irgendwo auf seinen Mörder getroffen. Dann sagt uns der Tatort wenig, außer dass beide sich natürlich aus irgendeinem Grund dort aufgehalten haben, was auch schon wieder viel sein kann.

Hier war es anders. An diesem Tatort war nichts Zufälliges. Dieser hier war mit Bedacht gewählt. Warum? Weil das Opfer hier zu einem bestimmten Zeitpunkt mit Sicherheit anzutreffen war? Weil es das Opfer zusätzlich demütigte, ausgerechnet hier in seinem eigenen Reich getötet zu werden?

Und warum diese ungewöhnliche Art der Tötung? Einen geschäftlichen Konkurrenten bringt man nicht auf diese Weise um, es sei denn, man möchte ein Zeichen setzen. Ein Zeichen für andere, sich in Acht zu nehmen, nicht denselben Fehler zu begehen, den das Opfer begangen hatte. Waren Grotheer und der Täter sich bei ihren Drogengeschäften in die Quere gekommen? Das erklärte nicht die Grausamkeit der Tat. Einen Konkurrenten legt man um und fertig.

Nein, hier musste es um etwas anderes gegangen sein. Der Mörder war hereingekommen und hatte von der ersten Sekunde an einen festen Plan verfolgt. Er hatte ihn geknebelt, aufs Bett geworfen und mit den Händen an die Gitterstäbe am Kopfteil gefesselt. Dann hatte er ihm die Pulsadern aufgeschnitten, an beiden Handgelenken, und zwar gerade so weit, dass das Blut herausströmte. Nicht zu wenig, sodass die Wunden sich nicht wieder schließen konnten. Nicht zu sehr, sodass der Tod möglichst lange hinausgezögert wurde.

Warum musste es so lange dauern? Wollte er es auskosten, in die Länge ziehen, oder sollte sein Opfer aus einem bestimmten Grund so lange leiden?

Es gibt nach meiner Erfahrung drei Motive, einen Menschen auf solche Weise hinzurichten: sexuelle Perversion, tiefe religiöse oder politische Überzeugung und Rache. Vergeltung für etwas so unvorstellbar Grausames, dass der schlimmste denkbare Tod gerade angemessen erscheint. Anzeichen für sexuelle Handlungen waren nicht gefunden worden. Grotheer war vollständig bekleidet gestorben, kein Knopf war geöffnet, kein Reißverschluss angefasst worden. Anzeichen für irgendwelche religiösen oder politischen Motive gab es ebenfalls nicht.

Also Rache? Nachdem er ihm die Pulsadern geöffnet hatte, hatte der Täter sein Opfer nicht mehr berührt. Was hatte er getan in diesen eineinhalb Stunden? Einfach nur zugesehen? Ich versuchte mir vorzustellen, wo er gestanden hatte. Anfangs war er vielleicht ein wenig auf und ab gegangen, immer verfolgt von Grotheers vor Angst geweiteten Augen, seinem fassungslosen Blick.

Natürlich hatten sie sich gekannt.

Konnte man einen Menschen, den man nicht persönlich kannte, so sehr hassen? Wohl kaum. Irgendwo in der Vergangenheit musste es einen Moment geben, wo diese beiden schon einmal aufeinander getroffen waren, wo einer sich ungerecht behandelt gefühlt hatte, zutiefst verletzt, gedemütigt. Er hatte die Beleidigung, den Schmerz hinuntergeschluckt, Jahr um Jahr mit sich herumgetragen, bis irgendwann das Bedürfnis nach Rache unerträglich wurde. Bis er nicht mehr anders konnte, als ihm nachzugeben. Oder bis etwas geschehen war, was die Vergeltung erst möglich machte.

Später, als Grotheer vielleicht schon nicht mehr bei Bewusstsein war, hatte der Mörder begonnen, sein Blut mit einer Tasse aufzufangen, die jetzt zerschellt in der Ecke lag, und es im Raum zu verteilen. Warum? Auf sein Opfer machte es keinen Eindruck mehr. Wen also sollte es beeindrucken? Mich, den Jäger? Wollte der Täter bewundert werden? Oder wollte er mir etwas mitteilen, indem er den Raum mit Blut tränkte?

Ich erhob mich und sah mich unter Grotheers Habseligkeiten um. Auch was die Kleidung betraf, war sein Geschmack einfach gewesen. Mehrere nahezu identisch aussehende und sicherlich nicht billige schwarze Lederanzüge hingen im Schrank. Daneben stapelweise T-Shirts angesehener Marken, ein paar Jeans, sieben oder acht Paar teure Sportschuhe.

Als ich wieder auf die Uhr sah, war eine Dreiviertelstunde vergangen, und ich hatte nicht eine Antwort gefunden. Dafür eine Menge neuer Fragen. Aber das machte nichts. Fragen sind der Anfang von allem.

6

Auf der Autobahn nach Karlsruhe hörte ich im Radio, dass die achtundzwanzigjährige Frau nicht überlebt hatte, die am Vormittag aus dem Fenster gestürzt war. Schon im Lauf des Tages hatte ich erfahren, dass es kein Unfall, sondern Selbstmord gewesen war. Meine Leute hatten in der Zweizimmerwohnung, die sie allein bewohnt hatte, einen langen Abschiedsbrief gefunden. Trotz intensiver ärztlicher Bemühungen in einer der vermutlich besten unfallchirurgischen Kliniken der Welt war sie am späten Nachmittag ihren Verletzungen erlegen.

Die Zwillinge kamen nicht um halb elf, sondern um fünf vor zwölf, strahlend glücklich und bis zur Unkenntlichkeit zerstochen. Die zwei Burschen, die sie verlegen grinsend ablieferten, schienen nüchtern und soweit in Ordnung zu sein. So beließ ich es bei einem milden Donnerwetter, trug ihnen auf, am nächsten Tag ihr Zimmer gründlich aufzuräumen und zu überlegen, was von ihren Schätzen sie wegwerfen wollten. Ich erzählte ihnen etwas von starken Pflanzen, die nicht in Gewächshäusern wuchsen. Sie musterten mich verwirrt und gaben mir sicherheitshalber in allen Punkten Recht.

In der Nacht träumte ich von Marianne Schmitz, die ich in Gedanken schon beim Vornamen nannte, und am Morgen musste mein Schlafanzug in die Wäsche. Während ich die Maschine lud und einschaltete, wurde mir bewusst, dass die Frau, die in meinem Traum natürlich nackt und überaus gelenkig gewesen war, eine Perlenkette getragen hatte.

Ich pappte den Zwillingen einen Zettel an den Kühlschrank, dass sie die Wäsche aufhängen sollten, bevor sie sich ans Aufräumen machten, und daneben eine Einkaufsliste zur überfälligen Auffüllung unserer Vorräte. Ich hoffte, dass sie vor Ende der Ladenöffnungszeit aus den Betten fanden.

Der erste Lichtblick dieses Dienstags war ein Blumensträußchen, das mir Sonja Walldorf zusammen mit den Croissants und dem Kaffee auf den Schreibtisch stellte. »Damit's nicht gar so kahl ist bei Ihnen«, wie sie zart errötend meinte.

Ich erfuhr, dass es um zwölf Uhr eine Pressekonferenz geben würde. »Weil der Professor doch so berühmt ist, und da sind natürlich alle aufgeregt und wollen alles ganz genau wissen.«

»Noch was, Frau Walldorf«, rief ich, als sie schon in der Tür war. »Sie kennen doch bestimmt eine Menge Leute im Haus? So lange, wie Sie schon hier sind?«

Sie war sichtlich gespannt, welcher Art die Verschwörung war, an der sie teilhaben durfte.

»Ich würde gerne wissen, warum ausgerechnet ich diesen Posten gekriegt habe. Liebekind verrät's mir nicht.«

»Ich werd mal die Hilde beim Kaffee aushorchen. Das

ist seine Sekretärin. Die weiß alles«, sagte sie augenzwinkernd.

Ich trat ans Fenster und versuchte mir die Fragen auszumalen, die die Journalisten an mich richten würden, und mir gut klingende Antworten zurechtzulegen. In der Nacht hatte es ein wenig geregnet, aber inzwischen schien wieder die Sonne. Kurz vor neun klingelte zum ersten Mal an diesem Tag mein Telefon. Es war eine helle, weiche Jungmännerstimme.

»Sie waren doch gestern Vormittag im Chirurgischen Klinikum, oder? Gerlach? Kriminalrat Gerlach?«

Er schien nicht vorzuhaben, seinen Namen zu nennen, und es schien sinnlos, ihn danach zu fragen. Im Hintergrund rauschte Verkehrslärm. Ich vermutete eine Telefonzelle.

»Richtig.«

»Also, der Sohn vom Prof, der war am Montag, vor einer Woche, da war der hier. Bei der Chefin, Marianne Schmitz ...«

»Das wissen wir schon.«

»Okay. Aber ...« Er druckste noch zwei Sekunden herum. Dann brachte er es endlich heraus: »Der ist ganz schön lang drin gewesen bei der. Sie hat dann sogar die Tür zugemacht, und das macht sie sonst nie. Es ist verdammt laut gewesen da drin. Die haben Krach gehabt. Haben sich ganz schön gestritten, die zwei.«

»Konnten Sie irgendwas verstehen?«

»Nö. Null. Ich konnte mich da ja auch nicht so ... Das wär ja aufgefallen, weil ...«

Mitten im Satz legte er auf. Vermutlich, damit wir ihn nicht durch eine Fangschaltung orten konnten. Ich las die Nummer vom Display ab und ging in Gedanken alle männlichen Gesichter durch, die ich gestern in der Klinik gesehen hatte. Ich bat Frau Walldorf, sich um die Telefonnummer zu kümmern. Fangschaltungen hatten wir ja zum Glück längst nicht mehr nötig.

Zwei Minuten später wusste ich, dass der Anruf von einer Zelle am Bismarckplatz gekommen war. Keine zweihundert

Meter von hier. Das ist das Schöne an Städten der Größe Heidelbergs: dass alles so nah beisammen ist.

Für zehn Uhr hatte ich eine Lagebesprechung meiner Sonderkommission angesetzt. Viel brachte sie nicht. Wie üblich hatte jeder zweite Einwohner der Stadt Patrick Grotheer in den letzten Wochen an den unwahrscheinlichsten Orten und bei den unglaublichsten Tätigkeiten gesehen. Einer schwor, er habe ihm seit Wochen die Post gebracht, ein anderer, er würde sich seit längerem Nacht für Nacht vor seinem Haus herumtreiben. Dieser Zeuge mochte auch nicht ganz ausschließen, selbst der Mörder zu sein, und bot an, einen Gentest machen zu lassen. Es war der übliche Irrsinn.

Die erste große Arbeit bei einer solchen Ermittlung besteht immer darin, den Müll auszusortieren. Berge von Müll. Das ist nervenzermürbend langweilig und zeitraubend. Und wenn man nicht aufpasst, dann legt man genau eine Aussage zu viel ab.

Klara Vangelis trug wie gestern ein maßgeschneidertes Kostüm und hatte eine strenge Miene aufgesetzt.

»Ich hab hier was.« Sie schob mir ein eng beschriebenes Protokoll über den Tisch. »Ein Zeuge hat ungefähr zur Tatzeit ein Motorrad zu diesem Hochhaus hinauffahren sehen. Wir haben eine ganz ordentliche Beschreibung und sogar die Zulassungsnummer. Laut Aussage ist die Maschine etwa um Viertel vor acht hinaufgefahren und eine gute Stunde später wieder zurück.«

Ich nickte ihr anerkennend zu. »Und wem gehört dieses Motorrad?«

»Es handelt sich um eine Yamaha FZR, zugelassen auf einen gewissen Fitzgerald Gardener«, erwiderte sie, ohne eine Miene zu verziehen.

»Fitz?«, fragte ich. »Das ist ja interessant!«

Sie hob ihre hübschen, dunklen Brauen leicht an. »Der Halter muss nicht zwingend der Fahrer sein.«

»Den Burschen schreiben wir auf jeden Fall mal ganz oben

auf die Liste«, entschied ich. »Wissen wir schon, wo er wohnt?«

Vangelis schüttelte den Kopf. »Offiziell gemeldet ist er mit einer Adresse im Pfaffengrund. Aber da scheint nur seine Mutter zu wohnen, soweit wir bisher wissen.«

»Diese Adresse hätte ich gerne.«

Sie machte sich eine Notiz.

Balke hatte zusammen mit einem anderen jungen Kollegen Grotheers PC durchforstet, seine Mails gelesen, jedes Dokument studiert und war seinen Spuren im Internet gefolgt. Sie hatten ihren Spaß damit gehabt, denn es war eine Menge nicht Jugendfreies dabei gewesen. Alle Adressen und Inhalte hatten sie pflichtschuldig notiert. Grotheers Mails seien langweilig, hörte ich, vielversprechend dagegen sein Anrufbeantworter, der in den Tagen nach seinem Tod nicht weniger als neunundzwanzig Anrufe aufgezeichnet hatte. Eine Liste der in seinem Handy gespeicherten Nummern lag ebenfalls vor. Alles in allem schienen knapp zwanzig Personen zu seinem engeren Bekanntenkreis zu zählen.

»Eines ist allerdings komisch«, sagte Balke. »Laut seinen Kontoauszügen hat er noch ein zweites Handy, und dessen Rechnung ist zigfach höher als die von dem, was wir gefunden haben.«

»Und dieses zweite Handy ist verschwunden?«

Er nickte. »Entweder geklaut oder vielleicht in seinem Zweitwagen.«

»Oder in diesem Drogenlabor, von dem wir noch nicht mal wissen, ob es wirklich existiert.«

Die Spurenlage am Tatort war deprimierend. Unsere Spezialisten hatten mit ihren technischen Zaubermittelchen noch ein paar weitere verwischte Fußabdrücke gefunden. Die Spur führte aus der Wohnung bis zum Lift und hörte dort plötzlich auf. Merkwürdigerweise zeigten diese Abdrücke keinerlei Profil.

»Überzieher vielleicht«, meinte Runkel, ein sonst eher schweigsamer älterer Kollege. »Wir haben doch auch so

Dinger, die wir über die Schuhe streifen, bevor wir einen Tatort betreten.«

Runkel war eine unscheinbare, magere Gestalt mit früh gebeugtem Rücken und überhaupt nicht zum Körperbau passendem breitem Bernhardinergesicht. Balke hatte mich zuvor darüber aufgeklärt, dass Runkel erst im Alter von sechsundvierzig Jahren geheiratet hatte. »Eine Philippinin. Ungefähr hundert Kilo und gnadenlos hässlich! Echt das ekligste Weib, das ich je gesehen habe«, hatte er mir mit gesenkter Stimme und ausladenden Bewegungen erklärt.

»Wie ist er denn an die gekommen?«

»War auf einmal da. Bums. Drei Wochen später hat er einen Ring am Finger gehabt.«

»Aha.«

»Genau.«

Und nun machte unser stiller Kollege seiner Angetrauten gewissenhaft alle achtzehn Monate ein Kind. Derzeit arbeite man an Nummer fünf, hatte Balke mir anvertraut.

»Und im Aufzug hat er die Dinger einfach abgestreift und in die Tasche gesteckt. Und später irgendwo in die Tonne geschmissen.«

Ich nickte Runkel anerkennend zu. Er strahlte und sah sich um, ob sein Erfolg auch gebührend gewürdigt wurde. Balke gähnte, ohne die Hand vorzuhalten.

Der Lappen, mit dem der Täter sein Opfer geknebelt hatte, schien unsere einzige konkrete Spur zu sein. Derzeit wurde er im Kriminaltechnischen Labor des LKA massenspektroskopisch untersucht. Da er sehr schmutzig war, erhofften wir uns davon eine Menge.

Frau Doktor Steinbeißer, die leitende Oberstaatsanwältin, war eine Sitzgröße. Zu meiner Überraschung wurde sie beim Hinsetzen eher größer als kleiner. Mit sichtlichem Widerwillen spendierte sie mir einen dünnen Kaffee und Kekse, die mindestens so trocken waren wie sie selbst. Um halb elf hatte ich mich endlich zu meinem Antrittsbesuch bei ihr aufgerafft. Sie war äußerst streng mit mir und hielt mir einen ausschweifenden Vortrag über die Gepflogenheiten und Umgangsformen der Strafverfolgungsbehörden meiner neuen Heimatstadt.

Zähneknirschend gelobte ich für die Zukunft engste Zusammenarbeit und flüssigsten Informationsaustausch, versprach, von nun an täglich und ohne Aufforderung einen ausführlichen und selbstredend schriftlichen Bericht über den Fortgang unserer Ermittlungen zu liefern. Nicht einmal beim staubtrockenen Händedruck zum Abschied schaffte sie es zu lächeln.

Zurück in meinem Büro, band ich mir den Schlips um, den ich für solche Fälle mitgebracht hatte, zog mein Jackett über, klemmte mir eine schmale Akte unter den Arm und lief zur Pressekonferenz im großen Besprechungszimmer, wo letzte Woche die Begrüßungsfeier stattgefunden hatte. Der große Raum war überraschend gut gefüllt. Ein Kamerateam des SWR war da, eines von RN-TV, eine Vertreterin der Rhein-Neckar-Zeitung, ein alter, sichtlich bissiger Kettenhund der dpa und viele, viele andere. Noch herrschte Saure-Gurken-Zeit, das Sommerloch gähnte, und die Journaille stürzte sich dankbar auf alles, was auch nur entfernt Ähnlichkeit mit einer Sensation hatte. Der spektakuläre Mord am einzigen Sohn eines berühmten Professors schien nicht das Schlechteste zu sein.

Liebekind war zum Glück schon anwesend. Und Frau Doktor Steinbeißer, die ich eben erst aufatmend verlassen hatte, leider ebenfalls. Sie musterte mich mit ausdruckslosem Blick, als würde sie mich zum ersten Mal sehen. Es schien sie Mühe zu kosten, mein Nicken zu erwidern.

»Sehen Sie einen Zusammenhang zwischen der gesellschaftlichen Stellung von Professor Grotheer und der Tat?«, wollte der dpa-Typ Kaugummi kauend wissen.

»Nein«, erwiderte Liebekind ernst. »Überhaupt nicht.«

»Es ist auch noch viel zu früh, um ...«, versuchte ich mich einzumischen. Aber niemand hörte mir zu.

»Haben Sie bereits eine Theorie über das Motiv?«

»Wir haben eine Menge Theorien«, dozierte Liebekind entspannt. »Wir verfolgen natürlich zahllose mehr oder weniger konkrete Spuren. Aber aus ermittlungstaktischen Gründen können wir Ihnen zum derzeitigen Zeitpunkt leider keine weiteren Informationen geben.«

»Stimmt es, dass der Täter das Opfer regelrecht hat verbluten lassen?«

»Das ist richtig«, bestätigte die Leitende Oberstaatsanwältin widerwillig.

Die Presseleute wollten wissen, ob wir die Art der Tötung nicht höchst ungewöhnlich fanden, was Liebekind bejahte, und ob wir ein Sexualdelikt vermuteten, was die Staatsanwältin verneinte. Ich fragte mich, was ich hier eigentlich sollte.

»Wir erlauben uns derzeit noch keine Vermutungen. Dazu ist es noch viel zu früh«, erklärte Liebekind gemütlich.

»Bislang sammeln wir Informationen und erst, wenn ...«, versuchte ich noch einmal mein Glück.

»Wer sind Sie denn eigentlich?«, fragte die junge Frau, die mich letzten Mittwoch für die Zeitung interviewt hatte. Ich gab auf.

»Der hier ist unser geschätzter Kriminalrat Gerlach, der neue Leiter der Kriminalpolizei«, sagte Liebekind mit einer angedeuteten Verbeugung in meine Richtung. Die Kameras schwenkten anstandshalber kurz auf mich.

»Wie sehen Sie die Chancen, den Fall in absehbarer Zeit aufzuklären?«, fragte mich ein Kerl mit hängenden Tränensäcken, der zum Team des SWR gehörte.

»Oh, sehr gut«, log ich mit fester Stimme. »Wir sind schon ziemlich weit.«

»Heißt das, dass die Öffentlichkeit mit der baldigen Aufklärung dieses abscheulichen Verbrechens rechnen darf?«, wollte ein Vertreter der Bild-Zeitung, Redaktion Mannheim, sofort wissen.

»Natürlich«, antwortete ich verwegen. »Das ist eine Frage von Tagen.«

Liebekind lächelte in sich hinein und spielte mit seinem Füller. Frau Doktor Steinbeißer musterte mich mit einer Miene, der zu entnehmen war, dass sie mich jetzt endgültig für schwachsinnig hielt.

7

Nach dem Essen eröffnete Sonja Walldorf mir betrübt, Liebekinds Sekretärin habe ihr kein bisschen weiterhelfen können. Siebzehn Bewerbungen hatten vorgelegen, davon drei aus dem Haus. Fünf waren in die engere Wahl gekommen und zum Gespräch gebeten worden. Und irgendwann hatte Liebekind ihr einen freundlichen Brief diktiert, an einen gewissen Alexander Gerlach, und vier noch viel freundlichere Absagen.

Am Nachmittag begann ich meine Leute zu beneiden, die ein Stockwerk tiefer unablässig telefonierten und diskutierten, Zeugen aufsuchen durften, etwas erlebten, während ich Personalakten las, offene Fälle studierte und, immer häufiger gähnend, Reisekostenabrechnungen signierte und Statistiken nachrechnete. Einmal mehr fragte ich mich, ob ich mich darüber freuen sollte, Chef zu sein und Verantwortung tragen zu müssen für Dinge, auf die ich kaum Einfluss hatte. Was, wenn ich mich hier in vier Wochen zu Tode langweilte? Was, wenn wir den Fall nicht so rasch lösten und die Presse mich in Stücke hackte? Plötzlich verstand ich den Blick der Staatsanwältin. In spätestens zwei, drei Tagen würde todsicher zum ersten Mal die Frage nach der Kompetenz der Ermittlungsbehörden und ihrer leitenden Beamten gestellt werden. Und was, wenn meine Zwillinge keine neuen Freunde fanden? In eine Klasse voller Junkies und Flittchen gerieten? In Heidelberg saßen die Amerikaner. Drogen gab es hier vermutlich an jeder zweiten Ecke im Sonderangebot.

Zum Glück klingelte das Telefon. Klara Vangelis nannte mir eine Adresse in der Schützenstraße, wo Fitzgerald Gardeners Mutter wohnte. Über seinen derzeitigen Aufenthalt war bisher nichts bekannt. Die wenigen Junkies, die zugaben, ihn zu kennen, hatten keinen Schimmer, wo er steckte. Seit Tagen hatte ihn niemand mehr zu Gesicht bekommen.

Helen Gardener bot mir nicht einmal einen Sitzplatz an. Sie hatte mir die Tür geöffnet und mich gleichgültig in ihr Haus gelassen, ohne nach dem Grund meines Besuchs zu fragen oder auch nur die Kippe aus dem absurd grell geschminkten Mund zu nehmen. Jetzt lag sie wieder in einem breiten Fernsehsessel und beachtete mich nicht mehr.

Ich räumte einen Stapel bunter Heile-Welt-Zeitschriften von einem der zwei billigen roten Kunstledersessel und nahm Platz. Wie ich inzwischen wusste, war Helen Gardener vor dreizehn Jahren in dieses Haus gezogen, ein Jahr nachdem ihr Mann sie verlassen hatte, ein amerikanischer Offizier, mit dem sie offiziell noch immer verheiratet war. Damals war Fitz zwölf Jahre alt gewesen. Seither schien sie ihre Zeit mit Rauchen und Fernsehen zu verbringen und ihren Sessel kaum noch zu verlassen.

Sie trug ein unförmiges, bunt gemustertes Kleid, das sie noch dicker machte, als sie war. Die Beine wirkten merkwürdig dünn, die Haut fast weiß, die Füße waren unter dem Gewicht des Körpers schief geworden.

Das Mobiliar erinnerte mich an den Aufenthaltsraum eines billigen Hotels in New Orleans, wo ich mit Vera einmal auf einem Jazz-Festival gewesen war. Das allumfassende Chaos ließ mich an das Zimmer meiner Töchter denken.

»Ob man ein bisschen Luft hereinlassen könnte?«, begann ich das Gespräch.

Sie nahm die Fernbedienung in die Hand und stellte den Ton lauter. »Wenn's aber bloß nicht zu heiß wird! Hab nämlich keine Klimaanlage!«, stieß sie unwillig hervor.

Ich schob eine gelbe Gardine zur Seite und öffnete ein lange nicht geputztes Fenster mit quietschenden Scharnieren. Draußen herrschten schon wieder achtundzwanzig Grad,

Wolken türmten sich im Westen, es roch nach Gewitter. Ich lehnte mich neben dem Fenster an die Wand. So hatte ich Luft zum Atmen, behielt meine Zeugin im Blick und konnte mich nebenbei umsehen. Das Zimmer mochte vielleicht fünfzehn Quadratmeter messen und war damit vermutlich bereits einer der größten Räume des zweistöckigen Häuschens aus den fünfziger Jahren. Mein Blick fiel auf einen riesigen und dennoch überquellenden Aschenbecher, der auf einem mit Unrat und Plunder übersäten Couchtisch stand. In einer Ecke entdeckte ich eine Art Altar mit einer aus schillerndem Hintergrund rosa beleuchteten Plastikmadonna. Mindestens fünf Katzen beäugten mich schläfrig aus verschiedenen Winkeln. Soweit man bei dem Qualm überhaupt etwas riechen konnte, stank es nach Katzenkot, totem Fisch und Dingen, über die ich lieber nicht nachdenken wollte.

»Frau Gardener«, ich räusperte mich, »ich würde gerne mit Ihnen über Fitz sprechen.«

Sie warf mir einen schnellen, heimtückischen Seitenblick zu und starrte sofort wieder auf den Bildschirm, um nichts zu verpassen. Stumm bewegte sie den Mund zu den schwachsinnigen Dialogen einer Talk-Show niedersten Niveaus. Von einer zänkischen Moderatorin angefeuert, beschimpfte ein junges Paar eine Frau, die, wenn ich richtig verstand, früher mit dem Mann verheiratet gewesen war und vor Tränen längst kein Wort mehr herausbrachte.

Erst jetzt bemerkte ich, dass meine Zeugin etwas in der Hand hielt, was ich als Rosenkranz identifizierte, den sie ständig durch die Finger gleiten ließ.

»Sie verachten mich, weil ich fett bin, stimmt's?«

»Ich verachte niemanden, Frau Gardener.«

Sie grinste schief. »Natürlich tun Sie's. Alle tun's. Früher, da war ich anders. Ganz anders.« Ohne den Blick vom Fernseher zu wenden, wies sie auf ein Foto an der Wand, das einen breit grinsenden Hünen in Ausgehuniform neben einer strahlenden Frau zeigte, die vor Glück und Lebenslust schön war.

»Frau Gardener, es geht um Ihren Sohn Fitzgerald.«

»Sie brauchen sich nichts drauf einzubilden, dass Sie schlank sind. Es sind die Gene, ich hab's gelesen. Man kann nichts machen. Gar nichts. Keiner kann was machen.«

»Könnten wir den Fernseher vielleicht kurz ein wenig leiser ...?«

»Was ist mit Fitz?« Ihre Stimme klang gehetzt, als wollte sie das Unvermeidliche nun so rasch wie möglich hinter sich bringen. »Was wollen Sie von Fitz?«

»Wir brauchen ihn als Zeugen«, log ich. »Und Sie würden mir sehr helfen ...«

»Von der Polizei sind Sie?«, fiel sie mir ins Wort.

»Ja.«

»Fitz ist ein guter Junge. Ein guter Junge ist er.«

»Das glaube ich Ihnen gerne, Frau Gardener ...«

»Geht's um das Söhnchen von unserem berühmten Professor?«, fragte sie gehässig. »Geht's darum?«

»Ja.«

»Wundert mich kein bisschen, dass das so gekommen ist. Das musste irgendwann so kommen.«

»Warum sagen Sie das?«

Ihre Stimme wurde schrill. »Der Herr straft uns für unsere Sünden! Wir sündigen, und der Herr straft uns! So ist das Gesetz! Manchmal dauert's kürzer, manchmal länger. Aber irgendwann, irgendwann kommt die Strafe über uns, grausam über uns! Der Herr vergisst nicht! Niemals!«

Der Rosenkranz bewegte sich unaufhaltsam im Kreis.

»Frau Gardener ...«

»Was?«, fragte sie herrisch. »Was denn noch? Fitz hat nichts damit zu tun. Gar nichts.«

»Sie haben Patrick Grotheer gekannt?«

Angeekelt schüttelte sie den Kopf. »Früher. Will nichts mehr zu tun haben mit diesen Leuten.«

Auf einem Sekretär entdeckte ich ein gerahmtes Foto zweier Knaben in Badehosen. Der eine mochte zehn sein, der andere zwölf. Im Hintergrund war ein See zu erkennen. Offenbar war Sommer gewesen, als das Bild aufgenommen wurde. Ferienzeit.

»Sind sie das? Fitz und Patrick?«, fragte ich.

Ohne hinzusehen schüttelte sie hastig den Kopf. Ihr Mund wurde zum Strich.

»Wer sind die zwei dann, dort auf dem Foto?«

Sie riss nur kurz die Augen auf und machte eine hastige Handbewegung. Die Frage schien sie geradezu in Panik zu versetzen.

Ich atmete einige Male tief durch, um nicht die Beherrschung zu verlieren.

»Frau Gardener, bitte! Sagen Sie mir jetzt bitte, wo ich Fitz finde. Dann sind Sie mich los.«

»Fitz ist vierundzwanzig.«

»Das ist mir bekannt.« Ich sah mich um, ob ich vielleicht ein aktuelles Foto von Fitzgerald entdeckte. Aber es schien keines zu geben. Sie zu bitten, mir sein Zimmer zu zeigen, war vermutlich sinnlos.

»Was fragen Sie mich dann? Der kommt und geht, wie's ihm passt. Der ist alt genug, der weiß, was er tut.«

»Und Sie können mir nicht vielleicht sagen, wo er sich derzeit aufhält?«

Sie schüttelte den Kopf, als wollte sie ein lästiges Insekt verscheuchen. Die gedemütigte Frau im Fernseher fing unvermittelt an zu schreien wie ein Tier und versuchte, dem Mann das Gesicht zu zerkratzen. Frau Gardener lächelte zufrieden.

»Frau Gardener, ich möchte nur mit ihm sprechen, weiter nichts. Er hat nichts zu befürchten.«

Sie tat, als wäre ich nicht da.

Ich beschloss, energischer zu werden. »Wenn Sie partout wollen, dann kann ich auch anders!« Ich war mir nicht sicher, ob sie mich überhaupt hörte.

»Verstehen Sie nicht? Ich kann Sie ebenso gut vorladen lassen, wenn Sie sich weigern ...«

Im Grunde hätte sie nur zu sagen brauchen, dass sie die Aussage verweigerte. Ich konnte sie nicht zwingen, zum

Nachteil ihres Sohnes auszusagen. Stattdessen packte sie die Fernbedienung und stellte den Fernseher lauter.

»Hätten Sie wenigstens ein neueres Foto von Fitz?«, fragte ich längst ohne Hoffnung.

Ihr fetter, vor Kraftanstrengung zitternder Finger blieb auf dem Knopf der Fernbedienung. Die Lautstärke wurde unerträglich.

»Hören Sie doch endlich auf mit dem Unsinn!«, rief ich.

Ihre Augen waren weit und starr auf den Bildschirm gerichtet. Schließlich bückte ich mich und zog den Stecker aus der Wand. Sie glotzte noch eine Sekunde geradeaus, dann sank sie zurück und blickte in ihren Schoß. Ihr Atem ging pfeifend, als hätte sie sich körperlich verausgabt.

Ich räusperte mich verlegen. »Frau Gardener, bitte, Sie tun Ihrem Sohn wirklich keinen Gefallen, wenn Sie solche Sachen machen«, sagte ich leise. »Im Gegenteil, Sie helfen ihm, indem Sie mir helfen. Je eher ich ihn finde, desto besser ist es für ihn. Anscheinend hält er sich versteckt, aber damit macht er sich doch nur verdächtig.«

Unvermittelt begann sie zu beten: »Heilige Maria voll der Gnaden ...« Sie wurde mit jedem Satz lauter und schriller. Ich steckte den Stecker wieder ein und ging.

»Gebenedeit ist die Frucht deines Leibes!«, schrie sie gegen die brüllenden Stimmen aus dem Fernseher an.

Aufatmend zog ich die Haustür hinter mir ins Schloss.

»Bitte für uns Sünder, jetzt und in der Stunde unseres Todes!«

Mit schwirrendem Kopf blieb ich auf der Straße stehen. Links von mir endete die Schützenstraße nach wenigen Metern an einer grünen Schallschutzwand, hinter der der Verkehr über die A 5 brauste, und vor mir befand sich ein Kleingartengelände. Es roch nach Autoabgasen und Torf oder Blumenerde. Der Wind hatte aufgefrischt und ließ Staubwirbel über die Straße tanzen.

Im Fenster eines Nachbarhauses hing ein rundköpfiger Frührentner und grinste mich verschmitzt an.

»Sind Sie vom Amt?«, fragte er, als ich vorbeiging.

Ich blieb stehen. Auch hier hörte man noch Helen Gardeners Geschrei und den Fernseher.

»Kommt sie jetzt endlich in die Anstalt?«

»Ich ... Ich weiß noch nicht«, antwortete ich vorsichtig.

»Ist ja nicht mehr auszuhalten mit der. Wenn sie den Jungen nicht hätte, sag ich immer ...«

»Was ist mit dem Jungen? Wir suchen ihn.«

»Der wohnt jetzt woanders. Seit zwei, drei Jahren schon. Kommt aber oft her. Am frühen Abend meistens. Bringt ihr Essen, schafft den Müll raus. Die würde ja krepieren in dem Dreck, wenn sich keiner um sie kümmern würde. Dabei sieht der gar nicht so aus, wenn Sie wissen, was ich meine. Aber ich sag immer, man soll den Menschen nicht nur nach seinem Äußeren beurteilen. Sie macht ja schon lange nichts mehr. Guckt fern und raucht und betet. Wenn die ihren Jungen nicht hätte, sag ich immer, dann wär die schon lange verhungert. Oder in der Anstalt. Kommt sie denn jetzt in die Anstalt?«

Ich dachte an das Foto. »Gibt es eigentlich einen zweiten Sohn?«, fragte ich auf gut Glück.

»Will? Der ist tot. Schon lange tot.«

»Was ist passiert?«

»Wie's halt so geht. Mit dem Rad sind sie unterwegs gewesen, die Jungs, und da ist er unter einen Lastwagen gekommen. Keiner hat was dafür gekonnt. Danach ist sie verrückt geworden. Sie können sich nicht vorstellen, was das hier manchmal für ein Radau ist. Tag und Nacht dieser Fernseher, und dann schreit sie wieder und betet. Ein Ave Maria nach dem anderen, eins nach dem anderen. Meine Olga, als die noch gelebt hat, die hat immer gesagt, die arme Frau Gardener muss mal wieder ihre Gespenster vertreiben.«

»Dieser andere Sohn ...«

»William. Zwei Jahre jünger als der Fitz ist er gewesen. Alle haben ihn nur Will genannt. Das ist passiert, da haben die noch kein Jahr hier gewohnt. Regelrecht verrückt ist sie geworden nach dieser Geschichte. War arbeiten an dem Tag. Was blieb ihr übrig, nicht wahr, man kann ihr keinen Vorwurf machen. Und die Jungs sind dann nachmittags halt allein gewesen. Hätte auch so passieren können. Auch wenn sie daheim gewesen wäre. Passiert doch immer mal was, sag ich immer.«

Ich dachte an meine Mädchen, die jetzt alleine zu Hause saßen. Oder auch nicht. Hatten sie nicht etwas von einer geplanten Radtour erzählt? Oder war das gestern gewesen?

Ohne zu fragen, erfuhr ich, dass Frau Gardeners Mann sich damals ohne ihr Wissen hatte in die USA versetzen lassen und eines Tages einfach nicht mehr nach Hause gekommen war. Erst nach zahllosen Telefonaten hatte sie schließlich herausgefunden, dass sie von einem Tag auf den anderen allein erziehende Mutter zweier Söhne war.

»Ist dann später hier rausgezogen mit den Jungs. Ist natürlich schon billiger hier als in Neuenheim drüben. Geld sieht die ja wohl keines von ihrem Mann, vermute ich mal. Ich sag ja immer, diese Amis ...«

»Wovon lebt sie dann?«

»Sag ich doch, früher hat sie gearbeitet, und jetzt versorgt sie ihr Fitz. Bringt ihr Essen und Zigaretten und so. Sie braucht ja nicht viel. Das Haus ist bezahlt, und was braucht ein Mensch sonst schon, wenn er zu essen hat.«

Auf der Rückfahrt versuchte ich, meine Töchter anzurufen. Sie schienen nicht zu Hause zu sein. Ein kürbisköpfiger Mann in einem blitzblanken Mercedes musterte mich besorgt, weil Telefonieren im Auto ohne Freisprechanlage verboten ist. Das ist das Schöne an kleineren Städten: dass man sich noch Gedanken um seine Mitmenschen macht.

8

Meine Sekretärin drückte mir zur Begrüßung ein paar Telefonnotizen in die Hand. Unter anderem hatte der Karlsruher
Makler angerufen. Überraschend hatte er einen ernsthaften
und offenbar sogar zahlungskräftigen Interessenten für mein
Haus gefunden.

Daraufhin rief ich sofort seinen Heidelberger Kollegen an,
der sich bisher nicht gerührt hatte. Der schwärmte mir etwas
von einer Vierzimmer-Wohnung in der Kleinschmidtstraße
vor. Letzte Woche erst hereingekommen, Altbau, erstes
Obergeschoss, Balkons nach vorne und hinten, Südostlage,
Bad und Toilette getrennt, alles wie gewünscht und zudem
auch noch bestens renoviert. Der Preis entsprach in etwa
dem, was ich für das Haus bekommen würde. Ich verabre-
dete mich mit ihm für fünf Uhr.

Als Nächstes rief ich Balke an und trug ihm auf, ab sofort
Helen Gardeners Haus observieren zu lassen. Natürlich war
es unwahrscheinlich, dass ihr Sohn dort auftauchte, aber ich
wollte mir nicht am Ende den Vorwurf machen lassen, etwas
versäumt zu haben.

Anschließend wählte ich die Nummer des Sozialamts und
ließ mir vom gelangweilten Behördenleiter erklären, solange
es keine Beschwerden vonseiten der Nachbarn gäbe, sehe
man keinerlei Handhabe, bei Frau Gardener tätig zu werden. Lautes Beten, übermäßiges Rauchen und exzessives
Fernsehen seien an und für sich weder als Störung der öffent-
lichen Ordnung noch als Gefährdung der eigenen Person anzusehen, und wenn man überall einschreiten wollte, wo ein
Zimmer nicht ordentlich aufgeräumt war, dann hätte man
wohl eine Menge zu tun.

Mit dem Wagen in die Weststadt hinüber war es ein Katzen-
sprung. Die Suche nach einem Parkplatz dauerte länger als
die Fahrt selbst.

Der Makler war ein sympathischer junger Kerl mit festem

Händedruck und offenem Blick, die Wohnung war berauschend. Blick auf eine ruhige Straße mit Bäumen, alle notwendigen Geschäfte um die Ecke, Straßenbahn fünf Minuten, zum Schulzentrum zehn, das Büro nicht allzu weit. Die Nachbarschaft schien nicht nur aus alten Leuten zu bestehen, die ihren Lebensabend mit der Erziehung anderer Leute Kinder verbrachten. Ich versuchte, noch ein bisschen den Preis zu drücken, gab aber bald auf. Ich kann nicht verhandeln, wenn ich etwas unbedingt haben will.

Das Schönste kam zum Schluss: Wir konnten sofort einziehen. Der Makler versprach, sich gleich morgen um einen Notartermin zu kümmern und mir einen Satz Schlüssel zu besorgen.

Ich rief die Zwillinge an, um ihnen die freudige Nachricht zu überbringen. Sie klangen verschlafen und freuten sich kein bisschen. Die Wäsche aufzuhängen, hatten sie leider noch keine Zeit gefunden. Sie versprachen aber, diese schwere Aufgabe nun umgehend anzugehen. Einkaufen wollten sie später, wenn es nicht mehr so heiß war. Und außerdem wollten sie ins Kino. Auf meine Frage, in welchen Film, wussten sie beunruhigend lange keine Antwort. Sie schworen aber, brav und ausnahmsweise zeitig zu Hause zu sein.

»Halb elf? Okay? Der Film hat ... vielleicht hat er ja Überlänge.«

Da sich nun in Kürze einiges ändern würde und ich keine Lust verspürte, mir die eben erst aufgehellte Laune mit langwierigen Diskussionen zu verderben, entschied ich, heute ein letztes Mal ein Auge zuzudrücken. Immerhin hatten sie immer noch Ferien, und außerdem waren sie ja wirklich sehr vernünftig für ihr Alter. Und schon aus Prinzip immer zu zweit unterwegs. Nur kurz überlegte ich, ob nach zwanzig Uhr überhaupt noch Filme gezeigt wurden, die ab zwölf freigegeben waren. Sollten sie doch ihren Spaß haben. Die Zeiten waren nicht mehr so wie in meiner Jugend. Und sie sollten nicht darunter leiden, dass sie einen Polizisten zum Vater hatten.

Als ich zum Wagen zurückkam, klemmte ein Kärtchen unter dem Scheibenwischer. In freundlichen Worten klärte es mich darüber auf, dass ich in einer Straße geparkt hatte, die Anwohnern mit Parkausweis vorbehalten war. Das Strafmandat würde mir in den nächsten Wochen per Post zugestellt werden.

Ich steckte die Karte an ihren Platz zurück, damit nicht noch eine zweite hinzu kam, und spazierte durch das Viertel, das bald meine neue Heimat sein würde, um ein bisschen Atmosphäre zu schnuppern und Einkaufsmöglichkeiten zu erkunden. Auf dem Wilhelmsplatz war montags und donnerstags ein kleiner Markt, wo man ordentliches Gemüse direkt beim Erzeuger kaufen konnte, erfuhr ich am Kiosk an der Ecke bei einer großen Apfelsaftschorle und hörte auch gleich, welcher Bäcker im Viertel empfehlenswert war und welcher eher nicht. Kioskbetreiberinnen wissen alles, hören vieles und sehen naturgemäß eine Menge, weil sie den ganzen Tag beim Warten auf Kundschaft aus dem Fenster gucken.

Und die herzerwärmend strahlende und kugelrunde Frau in fast sauberer Kittelschürze erfuhr natürlich unweigerlich auch eine Menge über mich.

»Kripo, sagen Sie? Das ist ja kolossal!«

Ich konnte ihr ansehen, wie sie in Gedanken schon die Machtverhältnisse im Viertel neu sortierte.

»Da könnten Sie doch gleich mal was gegen diese Motorradfahrer unternehmen, die sich hier in letzter Zeit rumdrücken und mir die Kundschaft vergraulen?«

Bisher sei es zwar nicht zu Ausschreitungen gekommen, hörte ich, aber damit sei praktisch täglich zu rechnen.

»Wie das Lumpenpack schon aussieht! Diese komischen Haare zum Beispiel, und alle in Lederzeug, bei dieser Hitze! Und dann diese ... diese ekligen Anstecker im Gesicht ... Also ehrlich, wenn mir meine Nathalie so einen heimbrächte, der würd ich aber den Marsch blasen!«

Ich versprach, mich um den Fall zu kümmern. Daraufhin

räumte sie mir endgültig einen Ehrenplatz in ihrem großen Herzen frei und bestand darauf, mir eine zweite Schorle umsonst zu servieren. Erfreut beobachtete ich, dass sie naturtrüben, ungezuckerten Apfelsaft dafür verwendete und ein fast stilles Wasser. Ich erfuhr, dass sie mit Nachnamen Brenneisen hieß, seit ihrer Kindheit hier um die Ecke wohnte, seit neunzehn Jahren den Kiosk betrieb, der in dieser langen Zeit nur zwölf Tage geschlossen hatte, dass ihr Mann viel zu früh an Krebs gestorben war, und dass sie eine zum Glück überaus gut geratene Tochter hatte, deren Namen ich schon kannte.

Dann fing sie wieder von den Kerlen mit den Motorrädern an. Ich hörte nicht mehr richtig zu, sondern genoss die Abendsonne, die ruhige Stimmung. Plötzlich wusste ich: Hier war ich richtig. Hier wollte ich heimisch werden. Zur Polizeidirektion würde ich, so oft es das Wetter erlaubte, mit dem Rad fahren. Schon, weil man in der Heidelberger Weststadt einen einmal eroberten Parkplatz nicht ohne Not aufgibt, wie ich inzwischen erkannt hatte.

Ich würde auch endlich wieder regelmäßig laufen. Hundert Meter östlich von hier begann schon der Wald, wo es bestimmt schöne Wege gab. Vor fünfzehn Jahren war ich noch ein ganz brauchbarer Langstreckenläufer gewesen. Einmal hätte ich sogar um ein Haar an einem Marathon teilgenommen, wenn nicht im letzten Moment irgendwas dazwischen gekommen wäre. Auch Schach würde ich natürlich wieder spielen. Und zwar mit Menschen und nicht mit meinem humorlosen Computer, der immer nur gewann und sich nicht einmal darüber freute.

Frau Brenneisen plapperte immer noch vor sich hin, während sie in ihrem Kiosk herumräumte.

»Der eine, den nenn ich schon immer den Kettenmann. Der hat nämlich immer so Ketten, hier und da. Und dann mitten im Sommer diese schweren Lederjacken, dass die sich nicht tot schwitzen! Möchte ja nicht wissen, wie die stinken.«

Akribisch beschrieb sie mir die Frisuren der Burschen. Beim Wort »Leopardenfell« fuhr ich herum. Ich ließ mir den Mann beschreiben, dessen Haare wie das Fell einer Raubkatze aussahen. Frau Brenneisen erwies sich als vorzügliche Bobachterin.

»Und wann kommen die immer, sagen Sie?«

»Praktisch jeden Abend, so um acht, halb neun. Je nachdem. Der mit dem Leopardenkopf, der ist aber die letzten Tage nicht mehr dabei gewesen.«

»Seit wann genau?«

Sie legte ihren Lappen weg und zog die Stirn kraus. »Seit letzten Mittwoch sind sie nur noch zu dritt. Da hab ich zu meiner Nathalie noch gesagt, wenn jetzt jeden Tag einer weniger kommt, dann sind sie bis Sonntag alle weg.« Sie lachte. »Und Sie unternehmen jetzt wirklich was gegen die?«

»Bin schon dabei.« Ich zückte mein Handy.

Während ich die Nummer der Polizeidirektion wählte, hoffte ich, dass noch jemand im Büro war und dass dieser Jemand nicht Klara Vangelis sein möge. Es war noch jemand da. Und natürlich war es Vangelis. Schon eine Viertelstunde später war sie da. Wir verabredeten, dass sie den Kiosk von Osten her im Auge behalten würde und ich von Westen.

»Wir unternehmen vorläufig nichts. Wir behalten sie nur im Auge. Vielleicht haben wir Glück, und der Typ ohne Motorrad führt uns zu Fitz«, sagte ich zu Vangelis, als wir uns trennten. Zwei kamen immer mit dem Motorrad, und einer seit ein paar Tagen zu Fuß, hatte Frau Brenneisen mir erklärt.

Schon eine Viertelstunde später kamen sie. Erst die Motorräder, fünf Minuten später der dritte zu Fuß. Frau Brenneisen warf mir vielsagende Blicke zu, als ich vorbeischlenderte, während sie Bier und Bockwürste servierte. Ihre Maschinen hatten die Burschen neben dem Kiosk abgestellt. Eine schien eine Harley Davidson zu sein, die andere eine schwere Honda. Sie tranken ihr Bier und verzehrten lachend ihre Würste. Noch war es hell genug, sodass ich sie aus der Entfernung gut im Auge behalten konnte.

Nach fünfzig Schritten hatte ich meinen Standort erreicht. Nun hieß es warten. Ich hörte die Männer lachen, konnte aus meiner Position aber weder sie noch Klara Vangelis sehen. Der ohne Motorrad war aus meiner Richtung gekommen, also war damit zu rechnen, dass er später wieder an mir vorbei musste. Hin und wieder schlenderten Passanten vorbei. Menschen, die ihre Hunde ausführten, weltvergessene Liebespaare, aufgekratzte Jugendliche auf dem Weg zu ihren Abendvergnügungen. Inzwischen war die Sonne untergegangen, ein kühler Wind war aufgekommen. Ich war zu leicht angezogen.

Kurz vor neun wurde das Gegröle plötzlich lauter, dann heulten die Motoren der schweren Maschinen auf, und Sekunden später hörte ich sie in Richtung Süden verschwinden. Mein Handy vibrierte, Vangelis berichtete mit verhaltener Stimme, der Dritte im Bunde stehe nun wieder am Kiosk und kaufe ein. Wie ich hörte, ließ er sich ein Sixpack Bier und zwei weitere Bockwürste zum Mitnehmen einpacken und ging dann los, wie erwartet in meine Richtung. Augenblicke später sah ich ihn kommen. Ich ließ das Handy verschwinden und betrachtete ein halb abgerissenes Wahlplakat der SPD.

Die spannende Frage war nun, ob er sich weiterhin zu Fuß bewegen würde oder ob er irgendwo in der Nähe ein Fahrzeug stehen hatte. Dann hatte ich Pech gehabt, aber der Schaden würde sich in Grenzen halten. Ich hatte die Kennzeichen der Motorräder notiert, und die Burschen würden sicherlich wiederkommen. Aber ich hatte Glück. Der aufgeschwemmte und sichtlich angetrunkene Mann in zerschlissenem Jeans-Anzug ging an mir vorbei, ohne mich zu beachten. Mit unsicheren Schritten bewegte er sich die Straße hinunter, es ging um einige Ecken, und schon bald hatte ich die Orientierung verloren. Er sah kein einziges Mal zurück. Hin und wieder blieb ich stehen und gab Vangelis einen Straßennamen durch, damit sie mir folgen konnte. Nach etwa einer Viertelstunde, als ich längst nicht mehr wusste, wo ich mich befand, verschwand der Kerl in der dunklen Einfahrt eines vierstöckigen Mietshauses aus der Gründerzeit.

Vor der Fassade stand ein Gerüst, alle Fenster waren dunkel. Offenbar wurde hier saniert und anschließend vermutlich in Eigentumswohnungen umgewandelt, wie es üblich war. Ein paar preiswerte Altbauwohnungen weniger, einige luxuriöse Appartements mehr. Wohnraum für Menschen der Mittelschicht, die es sich leisten konnten. Wie ich zum Beispiel.

Die Einfahrt führte durch das Gebäude hindurch in einen finsteren Hof. Von dort hörte ich ein schepperndes Geräusch, als wäre ein Fahrrad umgefallen, dann war es wieder still. Die Straße war menschenleer. Endlich kam Vangelis daherspaziert.

»Sie gehen weiter bis zur Ecke und rufen Verstärkung«, befahl ich halblaut, als sie einige Schritte von mir entfernt stehen blieb, als hielte sie nach einem Taxi Ausschau. »Ich schnuppere da drin mal vorsichtig rum. Ich will sicher sein, dass dieser Hof keinen zweiten Ausgang hat.«

»Verstärkung?«, fragte sie abfällig. »Wegen so einem zugedröhnten Pimpf?«

»Ich bin nicht Arnold Schwarzenegger, und Sie sind nicht Lara Croft«, erwiderte ich scharf. »Sie warten dann da vorne auf mich. In einer Minute bin ich da.«

Achselzuckend hob sie ein bläulich schimmerndes Hightech-Gerät ans Ohr und spazierte davon. Ich trat in die unbeleuchtete Durchfahrt zum Hof. Nach Sekunden gewöhnten sich meine Augen an das Dämmerlicht, langsam ging ich weiter. Außer einem Radio in der Ferne und einem wimmernden Kind, das vermutlich nicht ins Bett wollte, war es still. Meine Zwillinge fielen mir plötzlich ein, von denen ich den ganzen Tag noch nichts gehört hatte. Ich hoffte, dass dies ein gutes Zeichen war.

Es schien keinen zweiten Ausgang zu geben. Allerdings hätte der Mann zur Not über die etwa zwei Meter hohe Backsteinmauer türmen können. Dort standen Mülltonnen, auf die man steigen konnte, um auf die Mauer zu kommen. In einer Ecke ein altes Moped, zwei vergessene Fahrräder, daneben eine Haufen Schrott und Bauschutt. Wasserrohre, Fliesenscherben, zerbrochene Waschbecken. Links führte eine steile Treppe in den Keller hinunter. Die Tür war nur angelehnt. Gelbliches Licht schimmerte durch den Spalt. Dort unten mussten sie stecken.

Als ich wieder zu mir kam, brauchte ich viele quälend lange Sekunden um zu begreifen, was geschehen war. Mein Hinterkopf schmerzte, dass mir Tränen in die Augen traten, und in meinem Gehirn dröhnte noch der Widerhall des Schlags, den ich erhalten hatte. Meine Hände und Füße waren stramm gefesselt, ich saß halb aufgerichtet in einem fensterlosen, von zwei Kerzen spärlich erleuchteten Kellerraum auf dem schmutzigen Fußboden. Vor mir hockte Fitz und studierte gelassen den Inhalt meiner Brieftasche. Neben ihm lag ein handliches Rohrstück, das vermutlich von dem Schrotthaufen im Hof stammte.

»Bulle ist er jedenfalls nicht«, sagte er über die Schulter zu seinem Begleiter, in dem ich den Bierlieferanten erkannte.

»Was sucht der Wichser dann hier?«

Mein Dienstausweis lag zusammen mit der Waffe im Handschuhfach des Peugeot. Ich wusste nicht, ob das in der momentanen Situation gut oder schlecht war. Fitz warf die Brieftasche zur Seite und sah mich ruhig an. Er schien sich seiner Sache sehr sicher zu sein.

»Also, was willst du von uns?« Er versetzte mir mit dem Rohrende einen derben Stoß in die Magengrube. »Bist du so 'n Privatschnüffler oder was?« Wieder ein Schlag. Ich krümmte mich zusammen, so gut es ging. Ich musste Zeit schinden. Die Verstärkung musste jeden Augenblick anrücken und den Raum stürmen. Vangelis würde längst Verdacht geschöpft haben und meine Befreiung organisieren.

Hoffentlich war sie schlau genug, auf Abstand zu bleiben, nichts zu riskieren, solange sie allein war.

Die Tür knallte auf, meine hübsche Kollegin taumelte herein. Der breitschultrige Kerl hinter ihr gab ihr einen mächtigen Stoß ins Kreuz, sie stürzte auf eine schmierige Matratze, die in der Ecke lag, und rollte sich dort ängstlich wimmernd zusammen.

In Karlsruhe hatte ich einen Kollegen gehabt, der hartnäckig behauptete, Frauen bei der Kripo seien ungefähr so nützlich wie Laubfrösche beim Pferderennen. Im besten Fall störten sie nicht weiter, im schlechten machten sie die Pferde verrückt. In dieser Sekunde war ich geneigt, ihm Recht zu geben.

»Los jetzt, rede, du Arschloch!«, fuhr Fitz mich an. »Oder wir machen deine Torte alle.« Er versetzte mir mit dem Rohr einen eher symbolischen Schlag gegen die Stirn. Es tat verteufelt weh. Er sah auf seine klobige und offensichtlich teure Taucheruhr. »Du hast zehn Sekunden«, erklärte er mir entspannt grinsend. »Dann ist sie dran.«

Klara Vangelis begann zu weinen. Auch das noch. Heulend und schniefend richtete sie sich auf, kniete auf der Matratze und begann zu betteln.

»Bitte, tun Sie ihm nichts!«, jammerte sie. »Wir werden Sie auch nicht verraten! Wir werden keiner Menschenseele was sagen, nicht wahr, Schatz? Bitte! Haben Sie doch Mitgefühl mit uns!«

Ich fragte mich, ob sie auch einen Schlag auf den Kopf bekommen hatte. Die Junkies wechselten amüsierte Blicke.

»Stopf ihr das Maul«, knurrte Fitz und wandte sich wieder mir zu. Er hob die Faust. »Deine zehn Sekunden sind um, Arschloch«, erklärte er mir genüsslich.

»Nein! Bitte!« Nun begann sie auch noch zu schreien, riss ihre Handtasche auf, begann deren Inhalt am Boden zu verstreuen. »Sie können alles von mir haben! Geld, hier, Kreditkarte, meine Uhr!« Sie zerrte ihr silbernes Ührchen vom schmalen Handgelenk und warf es auf die Matratze zu den anderen Sachen. »Meinen Schmuck! Bitte! Alles!«

»So hau ihr doch endlich eins in die Fresse!«, brüllte Fitz genervt. Der Typ, der sie hereingebracht hatte, bewegte sich in ihre Richtung, und plötzlich hielt sie eine Walther PPK in Händen, die sie aus der Handtasche gezaubert und entsichert hatte. Gelassen schwenkte sie die Waffe hin und her.

»Langsam aufrichten und dort drüben an die Wand«, kommandierte sie kalt. »Wer als Erster zuckt, ist als Erster tot.«

Sie drückte ab, es krachte ohrenbetäubend, Putz fetzte von der Wand. Die Typen gehorchten eilig.

»Mit dieser Masche soll meine Urgroßmutter im letzten Krieg sieben Türken ausgetrickst haben«, erklärte Vangelis mir später, während Gardener und seine Kumpanen fluchend in einen Kleinbus der Polizei stiegen. »Und das waren ganz schön taffe Jungs, damals. Nicht solche Weicheier wie die da.«

»Hat sie auch ein Loch in die Wand geschossen?«

»Bei uns hat man damals nie Munition verschwendet. Vier von den Türken sollen hinterher tot gewesen sein, der Rest im Lazarett.« Sie sah auf die Uhr, die sie inzwischen wieder am Handgelenk trug. »Gott, ich bin spät!«

»Kann ich Sie irgendwo hinfahren?«

»Das wäre nett. Ich muss Vater in der Taverne helfen. Mutter hat ihre Migräne, und ich sollte seit zehn in der Küche stehen.«

Ein uniformierter Beamter schob Gardeners Yamaha aus dem Hof, die wir in einem Schuppen gefunden hatten.

»Haben Sie auch hin und wieder so was wie Freizeit?«

»Freizeit? Was ist das?« Sie schwang die Handtasche über die Schulter. »Können wir? Griechische Väter mögen es nicht, wenn ihre Töchter zu spät kommen.«

»Oh«, versetzte ich grinsend. »Deutsche auch nicht.«

9

Der Einkaufszettel klebte unberührt an der Kühlschranktür, und der Kühlschrank selbst war so gut wie leer. Zum Glück fand ich noch ein Paket tiefgekühlte Frühlingsröllchen mit leicht überzogenem Haltbarkeitsdatum und einen Rest vor Ewigkeiten eingefrorenes Kartoffelpüree. Mit Sojasoße schmeckte es gar nicht mal schlecht.

Als die Zwillinge endlich auftauchten, war ich auf der Couch zur Musik von John Taylor, Kenny Wheeler und Norma Winstone eingeschlafen. Die alte Wanduhr aus Veras Erbschaft zeigte sieben Minuten nach zwölf. Draußen fuhr ein Auto davon, dessen Musikanlage noch durch die geschlossenen Fenster die meine übertönte.

Ich verwarnte die Mädchen in strengstem Ton, verschreckte sie mit der Vorstellung, demnächst täglich Kartoffelpüree mit Frühlingsröllchen essen zu müssen, wenn sie nicht endlich mehr Disziplin an den Tag legten. Sie schworen brav, dass heute wirklich die absolute Ausnahme gewesen sei und so was niemals wieder vorkommen werde. Wir einigten uns darauf, dass sie ab sofort spätestens um zehn zu Hause sein würden.

Als ich dann auf der Bluse der linken meiner Töchter auch noch einen Ketchupfleck entdeckte, kam heraus, dass sie nach dem Kino noch bei McDonald's gewesen waren. Ich hielt ihnen einen Vortrag über die Schädlichkeit von Fastfood und Coca-Cola sowie den dramatischen Hang der amerikanischen Durchschnittsbevölkerung zu Übergewicht. Sie versprachen ernst, sich künftig gesund zu ernähren.

»Habt ihr euer Zimmer aufgeräumt?«

Plötzlich waren sie auffallend schweigsam. Auf meine inquisitorischen Fragen hin gestanden sie schließlich, dass sie alles, was ich im Keller aussortiert hatte, gründlich durchsucht und eine Menge wirklich wichtige Dinge vor der Vernichtung gerettet hatten.

»Babyspielzeug, Paps! Du schmeißt unser Babyspielzeug

weg! Und Strampelanzüge! Und den Drachen, den wir im Kindergarten gebastelt haben!«

»Ich kann mich nicht erinnern, dass ihr in den letzten Jahren mit Babysachen gespielt oder Strampelanzüge getragen hättet.«

»Und Amerika hast du kaputt gemacht! Wahrscheinlich willst du den auch noch wegwerfen, was?«

»Natürlich nicht. Ich hab euren heiligen Schrank nicht kaputt gemacht, sondern zerlegt. Der kommt nämlich mit. Einen alten Schrank kann man immer brauchen im Keller. Aber selbst wenn – man muss sich von altem Krempel auch mal trennen können.«

»Aber Paps! Das sind doch Erinnerungen! Und wir haben heute auch mit den Sachen gespielt! Wir hatten sie bloß vergessen!«

Ich glaubte, mich verhört zu haben. »Und was habt ihr sonst noch so gemacht den Tag über?«

»Na ja.« Sie senkten die Blicke. »Unser Zimmer aufgeräumt.«

Ihr Gesichtsausdruck verriet mir, dass dies höchstens die halbe Wahrheit war. »Das will ich sehen.«

Mit gesenkten Köpfen schlichen sie hinter mir her die Treppe hinauf. Es war, wie ich befürchtet hatte: Sie hatten nicht aufgeräumt, um Ordnung zu schaffen, sondern alles Herumliegende beiseite geschoben, um Platz für ihre wiedergefundenen Schätze zu haben. Der Fußboden lag voll von Rasseln, Beißringen, zerknautschten, mehr oder weniger invaliden Stoffpuppen, haarlosen, trübäugigen Teddybären. Mitten in dem Chaos thronte ein kleines rosa Nilpferd, dem ich vor ungefähr zehn Jahren einmal das Leben gerettet hatte, indem ich es im letzten Augenblick todesmutig aus dem Rhein fischte. Ich riss den Mund auf für ein Donnerwetter, holte tief Luft, schloss ihn wieder, schluckte. Dann nahm ich jedes meiner Kinder in einen Arm und drückte sie an mich.

»Habt Recht. War blöd von mir.«

»Und Paps ...«

»Hm?«

»Wir wollen nicht weg. Wir wollen nicht nach Heidelberg.«

Am Mittwochmorgen scheuchte ich meine Töchter um sieben aus den Betten und lud ihnen ohne Gnade Arbeit auf. Sie sollten das Haus von oben bis unten putzen, ihre Spielsachen sortieren und alles auf einen Haufen werfen, was man wegschmeißen konnte. In spätestens zwei Wochen wollte ich umziehen. Sie taumelten benommen herum und sagten zu allem: »Ja, Paps. Klar Paps.«

Um halb neun kam der Makler zusammen mit einem jungen, blassen Paar. Die Frau war ebenso schweigsam wie schwanger, dafür redete ihr Mann umso mehr, gab sich sachverständig und verhandlungsstark, wie so viele Kerle, wenn eine Frau zuhört. Der Makler arbeitete mir in die Hände, und wir senkten den Preis nach einigem Hin und Her seufzend um die fünfundzwanzigtausend Euro, um die wir ihn zuvor heraufgesetzt hatten. Der Mann warf seiner Frau triumphierende Blicke zu, und sie himmelte ihn pflichtschuldig an. Aber ich wurde das Gefühl nicht los, dass sie das Spiel von Anfang an durchschaute.

Frau Walldorf trug eilig mein Frühstück auf und berichtete, Klara Vangelis habe schon dreimal nach mir verlangt. Ich bat sie, sich um mein Strafmandat zu kümmern und mir, wenn möglich, eine Parkerlaubnis für die Kleinschmidtstraße zu organisieren. Sie wollte sich gleich darum kümmern und freute sich, etwas für mich tun zu können.

Ich ließ Vangelis und Balke kommen und bat meine Sekretärin dazubleiben, damit sie Protokoll führte, das Ganze am Ende tippte und an Frau Doktor Knurrhahn schickte.

»Knurrhahn?«, fragte sie mit runden Augen.

»Steinbeißer«, verbesserte ich mich. »Ist ja immerhin auch ein Fisch.«

»Wenn schon, dann Knurrhuhn«, meinte Balke grinsend.

Meine Leute brachten Neuigkeiten. Patrick Grotheer hatte am vergangenen Mittwoch um neunzehn Uhr dreiundvierzig zum letzten Mal telefoniert, mit einem knapp achtzehnjährigen Mädchen, das seine aktuelle Favoritin gewesen zu sein schien. Um Viertel nach acht hatte sie zurückgerufen, um ihm mitzuteilen, dass sie um neun am verabredeten Treffpunkt sein werde, ihn aber nicht mehr erreicht. Damit lag der Tatzeitpunkt ungefähr fest. Zwanzig Minuten später hatte ein, nach der Stimme zu schließen, junger Kerl angerufen, der seinen Namen nicht nannte. Balke spielte mir das Band vor.

»Hi, was geht denn da ab bei dir? Warum machst du nicht auf? Hab doch gehört, dass du da bist. Deine blöde Musik war ja laut genug. Guns 'n Roses, hey, seit wann hörst du denn Guns 'n Roses? Haste wieder eine von deinen Fotzen da oder was? Ruf mich an, okay?«

Der Anruf war von einem Handy gekommen. Die Stimme war die von Fitzgerald Gardener.

Zwischendurch schlug Balkes Handy Alarm. Er warf einen kurzen Blick auf das Display und schaltete es augenrollend aus.

»Die Dame von gestern?«, fragte ich lächelnd.

Sorgenvoll schüttelte er den Kopf. »Die von Sonntag.«

»Der war da oben über eine Stunde«, warf Vangelis ein, »und dann ruft er ihn an und beschwert sich, er hätte ihn nicht angetroffen? Was hat er da so lange getrieben, wenn er gar nicht bei Grotheer war?«

»Vielleicht ein Trick?«

Balke wedelte mit einem Blatt herum. »Ich hab mit diesem Mädchen geredet, das Grotheer an dem Abend treffen wollte. Gardener und Grotheer haben sich bis vor einem halben Jahr regelmäßig getroffen, sagt sie. Irgendwelche Deals hätten sie zusammen gemacht. Mehr weiß sie auch nicht. Nur, dass da irgendwas gelaufen ist.«

»Das ist doch schon eine ganze Menge«, meinte ich.

»Wenn sie unter einer Decke stecken, hat Gardener möglicherweise ein Motiv für den Mord. Grotheer wird ihn vielleicht ausgebootet haben, um das Geschäft zukünftig allein zu machen, und Gardener hat ihm das übel genommen.«

»Okidoki.« Balke beugte sich vor. »Es kommt noch besser: Dieser Lappen, den Grotheer im Mund gehabt hat, an dem haben die Leute im Labor unter anderem Spuren von Motorenöl gefunden. Und Lackspuren, die zu Gardeners Yamaha passen könnten. Die Analysen sind noch nicht ganz fertig. Aber es sieht verdammt gut aus.«

»Dieser Anruf«, warf Vangelis missmutig ein. »Irgendwie passt das alles nicht zusammen. Wenn er der Täter ist, warum um Himmels Willen sollte er ihn dann später anrufen?«

»Tarnung«, schlug ich vor. »Er bringt ihn um, ruft ihn anschließend an und spricht ihm auf den AB, um den Verdacht von sich abzulenken?«

»Blöder Trick, irgendwie«, meinte Balke.

Vangelis zog eine Grimasse.

»Er wird nicht der Hellste sein«, sagte ich.

»Und die Zeit stimmt auch nicht«, fuhr Vangelis hartnäckig fort. »Grotheer hat mit einiger Sicherheit noch gelebt, als Gardener weggefahren ist.«

»Wer sagt uns denn, dass er bis zum Ende dageblieben ist?«, fragte ich.

Mit der Zungenspitze im Mundwinkel schrieb Sonja Walldorf mit. Wir warteten, bis sie aufsah.

Ich lehnte mich zurück und beglückwünschte uns zu unserem Fortschritt. »Und jetzt knöpfe ich mir diesen Fitz vor und dreh ihn durch den Wolf. Der hat noch was gut bei mir.« Ich tastete nach meiner Beule. »Er gibt zwar den harten Kerl, aber im Grunde ist er ein Waschlappen. Der Teufel soll mich holen, wenn der Fall heute Mittag nicht geklärt ist.«

Balke gähnte mit zufriedener Miene und Vangelis musterte mich mit einem nicht zu deutenden Blick.

Ich bat Frau Walldorf, Fitz Gardener ins Vernehmungszimmer bringen zu lassen, und schickte die anderen beiden weg. Dann trat ich ans Fenster und beobachtete entspannt den Verkehr, der unablässig um den Römerkreis brandete. Der Fall war gelöst. Was jetzt folgte, war Formsache. Gewaltverbrechen sind ja in aller Regel so einfach zu durchschauen. Neunundneunzig Prozent aller Tötungsdelikte sind so erschreckend banal. Nur zwei Dinge fehlten mir jetzt noch: das Motiv und die Tatwaffe. Aber das machte nichts. Selbst wenn wir dieses Messer niemals finden sollten, Gardener hatte keine Chance mehr. Und das Motiv würde er mir in Kürze erzählen.

In der Nacht hatte es wieder geregnet. Jetzt war es windig, die Wolken wirkten bedrohlich. Es war nicht mehr so heiß wie an den vergangenen Tagen.

Fitzgerald Gardener sah mitgenommen aus. Erwartungsgemäß hatte er schlecht geschlafen. Die erkennungsdienstliche Behandlung hatte er bereits hinter sich, seine jungfräuliche Akte lag vor mir auf dem schweren Holztisch.

Bandgerät und Videorekorder im Nebenzimmer liefen. Balke beobachtete uns durch die verspiegelte Scheibe und überwachte die Aufzeichnungsgeräte.

Ich klärte Gardener über seine Rechte auf, sprach Datum und Uhrzeit, den vollständigen Namen meines Gegenüber und den Anlass der Vernehmung ins Mikrophon.

»Dringender Tatverdacht des Mordes zum Nachteil von Patrick Grotheer.«

Ich lehnte mich zurück, bemühte mich um eine entspannte Körperhaltung und einen siegessicheren Blick und musterte meinen Verdächtigen. Ich konnte Frau Brenneisen verstehen. Er war das genaue Gegenteil dessen, was sich eine Mutter unter einem netten Schwiegersohn vorstellt. Er erwiderte meinen Blick feindselig und kampfbereit. Der Mund war verkniffen. Ich gab ihm drei Stunden. Bis zum Essen wollte ich sein Geständnis auf Band haben. Schließlich senkte er den Blick.

Eine der besten Vernehmungstaktiken, die ich kenne, besteht darin, immer das zu fragen, was der andere am wenigsten erwartet.

»Wie ist Ihr Bruder gestorben?«, begann ich.

Verdutzt sah er auf. »Was soll denn der Scheiß jetzt?«

»Ist die Frage so schwer zu verstehen? Wie ist Ihr Bruder damals ums Leben gekommen?«

Ich wartete. Abwarten ist die zweitbeste Vernehmungstaktik, die ich kenne. Ausgiebig betastete ich meine Beule am Hinterkopf. Ein stechender Schmerz zuckte durch meinen Kopf, wenn ich sie falsch berührte. Sie hatte ungefähr die Größe einer Pflaume. Nach elf Minuten gab Gardener auf.

»Kann man hier rauchen?«, blaffte er.

»Vorläufig nicht.«

Er öffnete den Mund und hatte das »A« schon auf den Lippen, schloss ihn aber wieder.

»Fuck! Warum wollen Sie das denn wissen?«, fragte er. »Was hat denn der alte Scheiß mit Pat zu tun?«

»Weil es mich interessiert. Ganz einfach.«

Er schluckte. »Ein Laster«, sagte er rau und hustete. »Ein Tanklaster.«

»Wo?«

Er machte eine fahrige Handbewegung. »Irgendwo bei Ladenburg. Irgendwo da.«

»Wann genau war das?«

Er schloss die Augen. »Vor zwölf, dreizehn Jahren. Weiß nicht mehr so genau.«

»Wer war dabei?«

»Na, ich.«

»Wer noch?«

Lange schwieg er. »Sie wissen's ja schon«, sagte er endlich tonlos. Hier war offenbar ein wunder Punkt, den ich ausnutzen konnte, um ihn zu quälen, weich zu kochen.

»Patrick?«, fragte ich in heiterem Plauderton.

Er nickte mit verschlossener Miene.

»Wie ist es passiert?«

»Wir ... Fuck, Mann! Ich will 'ne Zigarette!«

»Immer schön eines nach dem anderen.«

»Wir haben ... 'ne Radtour haben wir gemacht. Haben wir damals öfter, in dem Sommer. Bei Heddesheim hinten, da gibt's 'nen kleinen See, und ...« Er verstummte.

»Weiter.«

»Wir Jungs haben ein Rennen gemacht. Pat war natürlich vorne. Dann ich und dann Will. Er ist der Jüngste gewesen und ...«

»Und?«

»Hinter Dossenheim ging's über 'ne Straße. Da war ziemlich Verkehr. Pat und ich, wir sind schon drüben gewesen. Ich hab den Laster kommen sehen, hab natürlich gedacht, Will, der sieht den auch und ... und ... Ich will jetzt endlich rauchen, Scheiße.«

»Für jedes ›Scheiße‹ und jedes ›Fuck‹ wird Ihr Entzug zehn Minuten länger dauern.«

»Leck mich, Arschloch.«

»Für jedes Arschloch zwanzig.«

»War gar nicht mal so schnell, dieser Laster, überhaupt nicht besonders schnell. Aber Will hat den irgendwie nicht gesehen. Wollt halt unbedingt über die Straße, weil er so weit hinten lag, der Blödmann. Und dabei haben wir doch sogar gewartet, und der hat die ganze Zeit in die falsche Richtung geglotzt, weil von da ein Traktor gekommen ist oder ein Mähdrescher, weiß nicht mehr. Und dann ist der einfach losgefahren, und ...«

»Wie alt waren Sie da?«

»Und er hat nicht mal geschrien. Nicht mal geschrien, verstehen Sie? Ich glaub, der hat gar nichts mitgekriegt von allem. Ist vielleicht ganz okay so, dass er gar nichts gemerkt hat.«

»Wie alt waren Sie damals?«

»Will ist zehn gewesen, ich zwölf, glaub ich. Pat hat noch was gerufen. Der hat diesen Laster natürlich auch gesehen und ... Ich, ich hab keinen Ton rausgebracht, keinen Mucks, einfach nur dagestanden und geguckt. Hab gedacht, das

gibt's ja nicht, dass der dieses Riesenteil nicht sieht und …
und …«

»Haben Sie manchmal ein schlechtes Gewissen deshalb?«

»Ich?« Verblüfft sah er mich an. »Wieso denn ich?«

»So was gibt's. Dass man sich die Schuld gibt für etwas,
wofür man gar nichts kann.«

»Das ist doch gequirlte Affenscheiße, was Sie da labern!«

»Sie werden heute noch zum Nichtraucher werden.« Ich
fischte ein Foto aus der Innentasche meines Jacketts, hielt es
aber so, dass er es nicht sehen konnte. Zeit für den ersten
Schwenk. Ich beugte mich vor und sah ihm in die Augen.

»Wissen Sie, Gardener, ich bin überzeugt, dass Sie Grotheer umgebracht haben. Ich weiß sogar schon ziemlich genau, wie es abgelaufen ist. Das Einzige, was mich heute interessiert, ist deshalb die Frage, warum Sie es getan haben.«
Ich schnippte das Foto auf den Tisch. »Sie kennen diesen
Lappen?«

Er sah gar nicht hin. »Nie gesehen.«

»Dieser Lappen hat in Grotheers Mund gesteckt, damit er
nicht schreit. Und er stammt aus Ihrer Yamaha, das wissen
wir inzwischen. Unsere Leute im Labor haben das Ding untersucht. Sie haben Ölreste und Farbspuren von Ihrer Maschine daran gefunden. Er stammt eindeutig aus Ihrer Maschine.« Das stimmte nur halb. Die Laboranalysen waren ja
noch nicht fertig. Aber ich hatte nicht den leisesten Zweifel,
wie das Ergebnis lauten würde. »Warum? Warum musste er
sterben?«

Die beste Taktik für den, der vernommen wird, ist das
Schweigen. Wer nichts sagt, der sagt nichts Falsches.

Er schwieg.

»Okay. Wenn Sie nichts sagen, dann will ich Ihnen erzählen, wie es war. Sie brauchen nur zu nicken. Den Papierkram
machen wir dann später.«

Er sah auf seine kräftigen Hände, kratzte sich zwischen den
Fingern, und ich erzählte ihm in knappen Sätzen, wie ich mir
den Tathergang zusammenreimte. »Sie sehen also, ich weiß

schon so gut wie alles. Das Einzige, was mich heute interessiert, ist das Warum. Warum haben Sie ihn umgebracht?«

Er schwieg und machte Fingergymnastik.

»Sie haben sich ganz schön dämlich angestellt dabei, wissen Sie das? Das spricht für eine Tat im Affekt, das ist ein Punkt für Sie. Andererseits sieht manches wieder nach Vorsatz aus. Und das passt nicht zusammen. Irgendwas verstehe ich noch nicht ganz. Warum also? Warum haben Sie Patrick Grotheer umgebracht? Und warum so? So grausam?«

Ich ließ ihm Zeit. Fünf Minuten. Zehn Minuten. Eine Viertelstunde. Er knispelte an seinen Fingernägeln. Entfernte winzige Stückchen Hornhaut an den Rändern. Kratzte sich ausgiebig am Handgelenk. Die Uhr über der Tür schob jede Sekunde den dünnen Zeiger einen Strich weiter. Vom Flur hörte man Schritte, laute Gespräche von einem Ende zum anderen. Gelächter. Über den Römerkreis quietschten in regelmäßigen Abständen Straßenbahnen. Autos stoppten vor roten Ampeln und fuhren wieder an. Der Wind hatte sich gelegt, die Wolken sahen nach langem Regen aus.

»Bloß keine Eile. Ich bin Beamter. Ich habe Zeit ohne Ende«, erklärte ich entspannt lächelnd und verschränkte die Arme vor der Brust.

Zwanzig Minuten. Er hatte seine Fingerübungen eingestellt und bewegte sich nicht mehr. Ich wippte auf meinem Stuhl und sah ihm beim Stillsitzen zu.

Um elf hatte ich genug von der Herumsitzerei und seinem Anblick. Ich übergab an Balke und arbeitete einige Akten ab, die Sonja Walldorf inzwischen auf meinem Schreibtisch deponiert hatte. Als ich auf dem Weg zum Essen noch einmal unten vorbeischaute, schwieg Gardener noch immer. Später verlangte er nach einem Glas Wasser. Um Viertel nach drei nach einem zweiten.

Inzwischen wurde sein Zimmer im Pfaffengrund auf den Kopf gestellt. Und das Kämmerchen in der Wohngemeinschaft in der Neugasse, wo er zusammen mit zwei seiner Kumpels hauste, wenn er es bei der Mutter nicht mehr aushielt. Die Adresse hatte mir einer seiner Komplizen bereitwillig genannt, der deutlich gesprächiger war als Gardener. Der hatte natürlich auch nicht viel zu befürchten, da er mit dem Mord nichts zu tun hatte, und versuchte, Pluspunkte zu sammeln.

Als ich mit meinen Akten fertig war, rief ich im Klinikum an. Seit gestern Abend war Professor Grotheer von seiner Tagung zurück. Vielleicht war es sinnvoll, ein paar Worte mit ihm zu sprechen. Er sei im Haus, hörte ich, befinde sich aber leider gerade in einer äußerst wichtigen Konferenz. Und nein, auch später würde er wohl kaum zu sprechen sein.

»Wünschen Sie einen Termin mit Herrn Professor Grotheer?«

Ich wünschte. Man wollte es versuchen. Eine Viertelstunde würde der Herr Professor wohl erübrigen können von seiner kostbaren Zeit für den Mann, der immerhin den Mörder seines einzigen Sohnes suchte. Morgen vielleicht, irgendwann.

»Und Frau Doktor Schmitz«, fragte ich mit leisem Herzklopfen, denn dies war natürlich der eigentliche Grund meines Anrufs, »könnte man die eventuell ...?«

Grotheers Sekretärin hielt kurz die Hand vor den Hörer. Ich hörte Gemurmel. Dann war sie wieder dran.

»Frau Doktor Schmitz hat heute leider noch zwei OP-Termine. Das wird wohl auch nichts werden. Soll sie zurückrufen, falls sie doch Zeit findet?«

Ich meinte, so wichtig sei es auch wieder nicht, weil mir auf die Schnelle keine sinnvolle Begründung einfallen wollte.

Um halb vier betrat ich das Vernehmungszimmer erneut. Ich versuchte es wieder mit dem Überraschungsmoment.

»Wovon lebt eigentlich Ihre Mutter?«, fragte ich noch im Stehen.

Keine Antwort.

»Überweist Ihr Vater Geld aus Amerika? Hat sie Vermögen? Oder sind Sie es, der sie versorgt? Wenn ja, woher ha-

ben Sie es? Einer geregelten Arbeit scheinen Sie nicht nach-
zugehen.«

Sein Gesicht wurde unruhig. Aber er schwieg weiterhin.

Wir wechselten die Taktik. Bombardierten ihn abwechselnd mit Fragen. Wieder und wieder dieselben Fragen.
Ohne Pause.

Er antwortete auf keine einzige.

10

Um Viertel vor fünf ließ ich Balke wieder mit Gardener allein und rannte in mein Büro hinauf, weil ich kurz davor
war, die Beherrschung zu verlieren.

Den Telefonnotizen meiner Sekretärin entnahm ich, dass
eine gewisse Frau Schmitz zweimal angerufen hatte. Und
außerdem hatte Klara Vangelis schon nach mir gefragt. Es
sei wichtig. Das »wichtig« war doppelt unterstrichen.

Vangelis konnte warten. Mit hüpfendem Puls wählte ich
die Nummer der Klinik. Aber Marianne Schmitz war schon
wieder irgendwo im Haus unterwegs. Man versprach, ihr
auszurichten, dass ich angerufen hatte. Sie würde sich melden.

Dann ließ ich Vangelis kommen.

»Wir haben das Messer!«, sagte sie noch in der Tür.

Fast glaubte ich, etwas wie Freude in ihren Augen blitzen
zu sehen, doch es dauerte nur Augenblicke, dann zeigte sie
wieder die übliche stoische Miene. Sie nahm Platz und
schlug die Beine übereinander. Selbst ihre Schuhe waren sehenswert. Wieder einmal fragte ich mich, woher sie das Geld
für ihre teure Kleidung nahm. Ob ihr Vater mit seiner Taverne so gut verdiente? Oder hatte sie vielleicht eine hübsche
Erbschaft gemacht?

»Ein Hund hat es gefunden.« Mit geschmeidigen Bewegungen breitete sie einen Stadtplan auf dem Schreibtisch aus.
»Hier, ungefähr einen Kilometer nördlich vom Tatort.«

Ihr Finger ruhte in der Nähe eines Gebäudekomplexes im Wald. Mühsam entzifferte ich, dass es sich um das Europäische Institut für Molekularbiologie handelte.

»Sie brauchen eine Brille«, bemerkte sie und faltete den Plan wieder zusammen.

»Was?«

»Wie Sie die Augen zukneifen. Sie brauchen eine Brille. Ich kann das mühelos lesen.«

»Unsinn«, erwiderte ich. »Es liegt am Licht.«

Sie hob die Schultern und wechselte das Thema. »Der Täter hat es vergraben, aber nicht tief genug. Der Hund muss das Blut gerochen haben.«

Ich betrachtete das Fundstück, ein schlankes Springmesser aus italienischer Produktion, an dem überraschend wenig Blut klebte. Inzwischen war es natürlich in einem unserer durchsichtigen Spurenbeutel verpackt. Jemand hatte mit blauem Kugelschreiber und säuberlicher Handschrift das Aktenzeichen, eine Identifizierungsnummer und das heutige Datum in die dafür vorgesehenen Felder geschrieben. Ich bat Vangelis, das Ding sofort ins Labor zu schicken, und erntete einen mitleidigen Blick.

»Ist das nicht merkwürdig?«, sagte sie, als sie sich erhob. »Wenn er sich schon die Mühe macht, das Messer zu vergraben, warum macht er dann nicht wenigstens das Loch tief genug?«

»Die meisten Verbrecher sind nun mal Idioten.«

Sie war nicht überzeugt. Als sie draußen war, wählte ich noch einmal die Nummer der Klinik. Die Oberärztin war inzwischen nach Hause gefahren. Draußen grollte ein erster Donner. Aber es regnete noch nicht.

Um halb sieben ging ich ein letztes Mal hinunter. Nichts hatte sich geändert. Balke kämpfte mit der Müdigkeit, und Gardener hing auf seinem Stuhl mit den Händen auf dem Tisch wie um elf Uhr am Vormittag. Ich ließ ihn in seine Zelle bringen.

»Bis morgen früh dann«, rief ich zum Abschied. »Ich freue mich drauf. Ist so schön ruhig mit Ihnen!«

»Wichser«, erwiderte er müde.

»Haben Sie das gesehen? Ist Ihnen aufgefallen, dass er hinkt?«, fragte Balke nachdenklich, als die Tür zu war. »Nur ganz leicht. Er zieht das linke Bein ein klein wenig nach.« Er wandte sich um und hob den Zeigefinger. »Das ist es vielleicht! Ich hab mir die Tatort-Skizzen und die Fotos mal genauer angeguckt. Diese verwischten Fußabdrücke, die die Spurensicherung gefunden hat, ich hab's mal ausgemessen, die Schritte sind nicht ganz gleichmäßig. Sieht aus, als ob der Täter ein Bein nachzieht. Und zwar das linke!«

Ich parkte den Peugeot in Sichtweite des Kiosks und bat Frau Brenneisen, ein Auge darauf zu haben, damit ich nicht noch ein Knöllchen zu bezahlen hatte. Zu Fuß machte ich mich auf den Weg zum nahe gelegenen Schulzentrum. Die Zwillinge mussten angemeldet werden, und erstaunlicherweise war der Schulleiter bereit gewesen, mich abends zu empfangen. Unterwegs testete ich, aus welcher Entfernung ich die Straßenschilder entziffern konnte. Es ging völlig problemlos. Natürlich brauchte ich keine Brille.

Oberstudiendirektor Quetzke war ein griesgrämiger, stämmiger Kerl Ende fünfzig, der seinen Job verstand und ebenso missmutig wie zügig die notwendigen Formalitäten erledigte, wobei er unentwegt auf seine abwesende Schreibkraft schimpfte. Beim Unterschreiben bemerkte ich, dass ich das Kleingedruckte nur mit Mühe entziffern konnte, und am Ende der angenehm kurzen Prozedur hielt ich zwei amtliche Papiere in der Hand, die besagten, dass Louise und Sarah Gerlach künftig die Klasse 7 b des Heidelberger Helmholtz-Gymnasiums besuchten.

Auf dem Rückweg kaufte ich mir in der Apotheke an der Ecke zur Dantestraße eine große Packung Vitamin A.

»Probleme mit den Augen?«, fragte die honigblonde Apothekenhelferin mitfühlend.

»Gar nicht.« Ich legte einen Schein auf den Tresen. »Ist rein prophylaktisch.«

»Ja, ja«, meinte sie mit wissendem Lächeln und zählte aufmerksam das Wechselgeld auf einen silbernen Teller. »Schaden wird's schon nicht.«

Draußen schluckte ich gleich eine der dicken Pillen und fühlte mich, als hätte ich Viagra gekauft – mit der Ausrede, es sei für einen Bekannten. Ich zog den Beipackzettel aus der Schachtel, konnte aber die idiotisch kleine Schrift nicht entziffern. Die Wolken hatten sich inzwischen verzogen. Der Regen war ausgeblieben.

Frau Brenneisen berichtete mir stolz, sie habe nicht weniger als zwei Politessen davon abgehalten, das Kennzeichen meines Peugeot in ihren Computer zu tippen. Zum Dank bestellte ich eine extragroße Apfelsaftschorle.

Auf einmal fühlte ich mich ausgelaugt. Vielleicht lag es am Wetterumschwung. Frau Brenneisen tat alles, um meine Laune zu heben. Sie lobte Heidelberg im Allgemeinen und die Weststadt im Besonderen, erzählte mir von ihrer Tochter und allerlei Nichtigkeiten aus dem Leben eines wohlhabenden Stadtviertels. Die Sonne brach durch, es wurde noch einmal warm. Ich bemühte mich, nicht vollkommen schweigsam zu sein, und langsam entwickelte sich ein Gespräch. Ich erzählte ihr von meinen Mädchen, was sie sehr interessierte. Die Wahl der Schule fand sie absolut richtig.

»Auf die ist meine Nathalie auch gegangen«, erklärte sie mir gewichtig. »Da ist es noch so wie früher. Keine Drogen, keine Schlägereien, nicht so viele Ausländer.«

Meine Stimmung stieg. Mein Handy klingelte.

»Paps?«

»Habt ihr eure Arbeit gemacht?«

»Natürlich.«

»Was heißt das genau?«

»Alles haben wir gemacht. Treppe geputzt. Spielsachen sortiert. Alles, was du gesagt hast.«

»Und eingekauft auch?«

»Eingekauft auch. Und sogar Wäsche haben wir gewaschen. Obwohl du das gar nicht gesagt hast. Und aufgehängt.«

Etwas beunruhigte mich an diesen Antworten. Das war alles zu schön, um wahr sein zu können.

»Paps?«, kam es zaghaft. »Wir dürfen doch heute Abend ein bisschen in die Disco, ja?«

»Disco ist ab sechzehn.«

»Aber alle gehen in die Disco! Die Nadine zum Beispiel, die nimmt immer einfach den Perso von ihrer großen Schwester und ...«

»Ihr wisst, dass das kriminell ist. Vergesst es, okay? Geht wieder ins Kino, von mir aus.«

»Aber wir sind auch in Begleitung!«

Ich stellte mir vor, wie meine zarten, unschuldigen Kinder von einer Bande volljähriger Kerle in irgendeiner schmierigen Diskothek mit Alkopops und Party-Drogen willenlos gemacht wurden, während sie nebenbei ertaubten von diesem infernalischen Lärm, den sie Musik nannten.

»Kommt nicht in die Tüte. Fragt in drei Jahren nochmal.«

Ihre Stimme wurde flehend. »Paps! Wir haben es aber doch schon versprochen!«

»Euer Problem.« Ich beendete das Gespräch.

Meine Laune stürzte ins Bodenlose. Seit Vera nicht mehr da war, ging das öfter so. Innerhalb von Augenblicken konnte ich aus hellster Euphorie in trübste Depression versinken. Frau Brenneisen musste die Unterhaltung wieder allein bestreiten. Ich dachte an Frau Gardener, die am Tod ihres Sohnes verzweifelt war, für den sie sich die Schuld gab. Ich dachte an meine Töchter, die mich jetzt dafür hassten, dass ich ihnen alles verbot, was ein bisschen Spaß machte. Ich beschloss, mir am Wochenende endlich wieder einmal Zeit für sie zu nehmen, etwas Schönes mit ihnen zu machen, Spaß miteinander zu haben. Endlich mal wieder eine Familie zu sein, auch ohne Mutter. Vielleicht würde ich eine Runde

Monopoly mit ihnen spielen, das sie so sehr mochten, weil sie immer gewannen.

Ich überlegte, dass ich wohl doch einmal zum Augenarzt gehen und meine Sehfähigkeit testen lassen sollte. Aber die Vorstellung erschien mir noch unattraktiver als die Aussicht auf die morgige Fortsetzung der Vernehmung. Ich grübelte, wie ich den Abend verbringen wollte. Zu Hause zwei frustrierten Teenagern beim Schmollen zuzusehen, hatte ich keine Lust. So entschied ich mich schließlich, mir einen freien Abend zu gönnen, in Heidelberg zu bleiben, irgendwo eine Kleinigkeit zu essen und unser neues Viertel zu erforschen. Frau Brenneisen war hell begeistert von meinem Plan und bot mir von ihren Bockwürsten an, die weithin berühmt seien.

»Die hol ich jeden Morgen frisch vom Ochsen-Metzger in Ziegelhausen. Da lass ich nichts drauf kommen, die sind erste Qualität, für die kommen manche Leute sogar von weit her ...«

Man konnte unter nicht weniger als fünf Sorten Senf wählen zu diesen sagenhaften Würsten. Als sie meinen Blick bemerkte, empfahl sie mir mitfühlend ein Bistro ganz in der Nähe, wo ihre Tochter arbeitete. Sie war kein bisschen beleidigt, dass ich ihre Schnellküche verschmähte, und versprach, weiterhin gut auf meinen Wagen aufzupassen.

11

Das Bistro in der Rohrbacher Straße war sichtlich neu und mit Geschmack eingerichtet, Nathalie Brenneisen um Klassen hübscher als ihre Mutter, die Speisekarte klein, aber mit Phantasie und offensichtlichem Spaß an der Sache zusammengestellt. Ich wurde bedient wie ein Stargast und hatte das Gefühl, dass mein Besuch nicht unerwartet kam. Demnächst würde es mir vermutlich nicht mehr möglich sein, hier auch nur einen Schritt zu machen, der nicht von Frau Brenneisens Informationsnetzwerk registriert wurde.

Außer mir waren nur ein paar gickelnde Teenager da, die an einem der hinteren Tische saßen, sich flüsternd von ihren jüngsten Abenteuern und Eroberungen erzählten und an ihren Eistees nippten. Ich sah durch die großen Fenster nach draußen und fühlte mich auf einmal wohl. Zur Feier dieses nun plötzlich doch noch schönen Tages gönnte ich mir eine Weinschorle und bestellte eine »Insalata ai frutti di Mare«. Mit den ersten Schlucken nahm ich sicherheitshalber noch eine von meinen Vitamintabletten.

Unser neues Wohnviertel gefiel mir immer besser. Die ganze Stadt gefiel mir. Plötzlich freute ich mich auf den Umzug, auf die neue, unbekannte Umgebung, und die Zukunft erschien mir leicht und voller Möglichkeiten. Alles würde sich ändern. Endlich würde ich wieder auf meine Gesundheit achten. Seit Veras Tod hatte ich zugenommen. Damals hatte mein fester Vorsatz gelautet, niemals im Leben mehr als achtzig Kilo zu wiegen. Heute lag die magische Grenze bei fünfundachtzig, und eine weitere Verschiebung stand unmittelbar bevor. Seit Monaten hatte ich kein bisschen Sport mehr getrieben. War versunken gewesen in Lethargie und Trauer.

Plötzlich war ich wieder überzeugt, die richtige Entscheidung getroffen zu haben. In dem Haus, wo ich so lange mit Vera gelebt hatte, wo unsere Töchter zur Welt gekommen waren, ihre ersten Schritte versucht und sich ihre ersten Beulen geholt hatten, würde ich niemals wieder ein unbeschwertes Leben führen können. Jedes Mal, wenn sich hinter mir eine Tür öffnete, erwartete ich, Veras Schritt, ihre Stimme zu hören. Jede Bodenfliese erinnerte mich an sie, jede Tapete, die wir gemeinsam ausgesucht und am Ende regelmäßig restlos zerstritten an die Wand gekleistert hatten. Jedes Möbelstück von IKEA, das wir unter wilden Flüchen und wechselseitigen Vorwürfen dreimal zusammen- und wieder auseinander geschraubt hatten, bis das Ding wenigstens ungefähr so aussah wie im Katalog.

Ich überlegte, was ich mitnehmen würde in mein neues Leben. Viel würde es nicht sein. Viel durfte es nicht sein. Vielleicht würde es mir auf diesem Wege gelingen, endlich nicht mehr alle fünf Minuten an den Menschen zu denken, mit dem ich zwanzig Jahre lang alles geteilt hatte. Und vielleicht würde ich mit der Zeit wirklich eine andere Frau finden. Noch lange war ich nicht alt genug, um mich mit dem Alleinsein abzufinden. Noch hatte ich jede Menge Zukunft vor mir. Und natürlich hatte diese Frau in meiner Vorstellung starke Ähnlichkeit mit einer gewissen blonden Oberärztin des Universitätsklinikums.

Mit ausgestreckten Beinen und im Genick verschränkten Händen beschloss ich, sie morgen aufzusuchen und mir viel Zeit für dieses Gespräch zu nehmen. Und wer weiß, vielleicht würden wir uns am Ende auch ein wenig über andere Dinge unterhalten. Sie erwiderte mein Interesse. Warum sonst sollte sie sich die Mühe machen, mich anzurufen, obwohl ich gar nicht um Rückruf gebeten hatte? Vielleicht würde ich etwas von ihrem Leben erfahren, womöglich würden wir sogar in der Kantine ihrer Klinik einen Kaffee zusammen trinken und uns näher kommen. Sie war nicht sehr viel jünger als ich. Sie mochte mich. Sie trug keinen Ring und lebte allein. Ich nahm mir vor, morgen früh ausnahmsweise darauf zu achten, was ich anzog, und hatte merkwürdige, lange nicht gekannte Gefühle in der Magengegend.

Ein Schatten fiel auf mich. Jemand trat an meinen Tisch. Ich sah auf. Es war die Frau mit der Perlenkette.

»Darf ich?«, fragte sie mit einem scheuen Lächeln, das mich verwirrte. Ich machte eine alberne Geste und setzte mich korrekt hin.

»Sie sehen fröhlich aus«, sagte sie ernst, nachdem sie Platz genommen hatte. »Geht es Ihnen gut?«

»Ich habe gestern eine Wohnung gefunden. Eine richtig tolle Wohnung. Gar nicht weit von hier.«

Sie nickte konzentriert. »Die Weststadt ist ein sehr schönes Viertel.«

Damit war der erste Teil unseres Gesprächs zu Ende. Ich

wusste nicht mehr, was ich sagen sollte, und ihr ging es offenbar ebenso. Eine Weile betrachtete sie ihre gepflegten Hände. Glücklicherweise kam mein Salat.

»Sie gestatten doch? Ich bin ziemlich hungrig.«

Sie entspannte sich und lächelte wieder. »Ich bin noch nie hier gewesen«, sagte sie leise und sah sich um.

Der Salat war vorzüglich, und allmählich kam unser Gespräch wieder in Gang. Während ich aß, erzählte sie mir von Heidelberg. Sie hatte eine angenehm volle, leicht angeraute Altstimme. Ob sie rauchte? Sie mochte zwei, drei Jahre jünger sein als ich. Nicht so energisch und temperamentvoll wie Marianne Schmitz, dafür weiblicher, weicher. Ihre Bewegungen strahlten Ruhe und Sinnlichkeit aus. Sie wählte ihren Rotwein mit Bedacht und schien etwas davon zu verstehen. Und ohne dass ich hätte sagen können, wie wir darauf gekommen waren, redeten wir bald über Musik.

Auch nach einer Stunde wusste ich noch immer weder ihren Namen noch, was sie von mir wollte. Manchmal, wenn ich etwas sagte, was ihr gefiel, lächelte sie wieder ihr zufriedenes Lehrerinnenlächeln. Als hätte ich einmal mehr bestätigt, dass sie sich nicht getäuscht hatte in mir.

Sie hatte große Augen in einem fast reinen Grün, die sehr ernst blicken konnten, aber auch mädchenhaft neugierig und im nächsten Moment wieder mütterlich warm. Vor Jahren musste sie eine sehr schöne Frau gewesen sein. Inzwischen hatte auch sie vermutlich das eine oder andere Kilo zugenommen, ein paar erste Fältchen ließen sich auch mit teurem Make-up nicht mehr überschminken. Sie gefiel mir. Zeit meines Lebens habe ich mich immer in starke Frauen verliebt. Verschämt kichernde Elfen mit Knabenfiguren haben mich nie interessiert.

Rasch stellten wir fest, dass wir einen ähnlichen Musikgeschmack hatten, was sie nicht zu überraschen schien. Wir mochten beide Jazz, sie eher Miles Davis und Stan Getz, ich Keith Jarrett und Jan Garbarek. Als sie einmal zur Toilette ging, orderte ich eine zweite Weinschorle und stellte fest, dass sie noch immer eine schöne Frau war. Sie hielt sich gerade, bewegte sich mit dieser selbstverständlichen Eleganz, die man entweder von Geburt an hat oder niemals haben wird. Sie trug eine perfekt sitzende sommerlich bunte Bluse und einen schmalen, nicht übermäßig langen Rock. Alles unaufdringlich geschmackvoll. Ihre Beine waren sehenswert.

»Ich habe Sie bei dieser albernen Feier letzte Woche gesehen. Also wissen Sie meinen Namen«, sagte ich, als sie zurückkam. »Da fände ich es fair, wenn Sie mir auch den Ihren verraten würden.«

»Wie möchten Sie denn, dass ich heiße?«, fragte sie mit ihrem sanften Lächeln, und ich fühlte mich wie ein Schuljunge, der etwas sehr Dummes gesagt hat.

»Okay. Keine Namen.« Ich nippte an meinem Glas. Sie würde ihre Gründe haben. Den Ring an ihrer rechten Hand hatte ich natürlich längst bemerkt. Vorhin, während sie weg war, hatte ich überlegt, ob sie vielleicht Journalistin war. Aber ist der Kripochef einer Stadt wie Heidelberg eine solche Geheimnistuerei wert? Und sie hatte bisher keinen Versuch gemacht, mich auszuhorchen. Sie hatte links gestanden, bei den Stadträten. Kam sie aus dem Rathaus? Aber selbst, wenn es so wäre, es erklärte nicht, dass sie hier saß und sich stundenlang mit mir über Jazz und Heidelberg unterhielt.

»Namen, Worte«, sagte sie so leise, dass ich sie kaum verstand. »Sollten wir uns nicht mehr für das interessieren, was sich dahinter verbirgt?«

Eine Weile schwiegen wir. Sie gehörte zu den angenehmen Menschen, mit denen man nicht immerzu reden muss, um sie und sich bei Laune zu halten.

»Okay«, sagte ich noch einmal. »Also keine Namen.« Ich sah auf die Uhr und erschrak. Es war schon nach zehn. Meine Mädchen würden zu Hause vor dem Fernseher sitzen, unangemessene Filme gucken und sich womöglich Sorgen machen. Ohne dass ich es bemerkt hatte, war es draußen dunkel geworden. Die Musik war jetzt lauter, das Lokal fast voll. Meine geheimnisvolle Gesprächspartnerin beugte sich vor und ergriff ganz selbstverständlich meine Hand.

»Sie müssen fort?«

Ich nickte zerstreut.

»Hätten Sie noch einige Minuten Zeit für mich? Ich würde Ihnen gerne etwas zeigen«, sagte sie mit plötzlichem Ernst.

Wir bezahlten getrennt und verließen das Lokal gemeinsam.

Schweigend führte sie mich um einige Ecken. Ich achtete nicht auf den Weg und genoss es, in Begleitung einer Frau, und noch dazu einer so attraktiven, durch die nächtlichen und immer noch sommerlich warmen Straßen zu schlendern. Wir kamen an einem offenbar gut besuchten griechischen Lokal vorbei, irgendwo schloss sie eine Tür auf und betrat einen dunklen, schmalen Hausflur. Es handelte sich um eines der weniger eindrucksvollen Gebäude der Weststadt. Beim Hinaufsteigen wurde ich unruhig und fragte mich, ob ich hier womöglich geradewegs in eine Falle spazierte. Aber wer sollte mir eine Falle stellen, wo mich noch kaum jemand kannte? Und vor allem, warum? Ich ärgerte mich über mich selbst. Als Polizist neigt man dazu, von Menschen immer das Schlimmste zu denken. Ich beschloss, erst morgen wieder Polizist zu sein. Da ich hinter ihr ging, hatte ich eine wunderbare Aussicht auf ihre nackten Beine. Mein Puls beschleunigte sich. Ich war das Treppensteigen nicht mehr gewohnt. Sie sah kein einziges Mal zurück. Offenbar war sie sich völlig sicher, dass ich ihr folgte.

Im zweiten Obergeschoss öffnete sie eine Wohnungstür, machte Licht. Der Name auf dem polierten Messingschild an der Tür lautete Bergengrün. Es war unverkennbar eine Single-Wohnung, die Wohnung einer Frau. Lebte sie in Scheidung? Und was sollte ich nun hier? Mir ihre Schmetterlingssammlung ansehen? Sie wandte sich um.

»Was wollten Sie mir denn zeigen?«, fragte ich heiser.

Sie ergriff meine Hand, führte sie unter ihren Rock. Sie trug kein Höschen. »Das«, sagte sie sehr leise und sehr ernst. Ich hatte seit elf Monaten keine Frau gehabt.

Später angelte sie ein Päckchen Zigaretten aus ihrer geräumigen Handtasche und rauchte. Es war eine französische Marke. Sie wirkte entspannt, und ich erwartete, dass sie jede Sekunde zu schnurren begann. Wir lagen auf dem Rücken und sahen dem Rauch nach. Ich hatte Vera gegenüber ein schlechtes Gewissen, weil ich sie zum ersten Mal seit ihrem Tod betrogen hatte. Und gegenüber dieser Unbekannten neben mir, die sich so selbstverständlich an mich schmiegte, weil ich eben an Marianne gedacht hatte.

Ihr Handy trillerte, sie rückte ab von mir und nestelte es aus der Handtasche. Ich streichelte ihren Rücken, folgte mit dem Finger der eleganten Linie ihrer Wirbelsäule.

»Hallo, Lieber«, hörte ich sie mit rauchiger Stimme sagen. »Doch, mir geht es gut. Sehr gut, ja. Bei Inge. Ja, wir quatschen noch ein bisschen. Nein, du wirst nicht erfahren, worüber. Ja, ich werde auf mich aufpassen. Mach dir keine Sorgen. Nacht, Lieber. Gute Nacht.« Sie rollte sich auf die Seite und kuschelte sich an mich. »Das war mein Mann«, hauchte sie und schnurrte nun wirklich wie eine satte Katze.

»Ihr Mann?«, fragte ich mit belegter Stimme.

»Der einzige Reiz der Ehe besteht darin, dass sie beide Partner zwingt, ein Leben in der Verstellung zu führen.«

»Das habe ich schon mal irgendwo gelesen.«

»Sie lesen?«, fragte sie schläfrig lächelnd.

»Hin und wieder.« Ich setzte mich auf und machte ein förmliches Gesicht. »Verehrte Schöne. Da ich hier unverkennbar der Ältere bin, möchte ich mir erlauben, nach allem, was zwischen uns vorgefallen ist, Ihnen hiermit das Du anzutragen«, erklärte ich und reichte ihr die Hand.

»Wozu?«, fragte sie erstaunt. »Sartre und Simone de Beauvoir haben sich zeit ihres Lebens gesiezt. Und das, obwohl sie verheiratet waren!«

Ich warf mich wieder neben sie. Sie begann, mich zart und kenntnisreich zu streicheln. »Außerdem werden wir auf diese Weise nicht in Verlegenheit kommen, falls wir uns einmal ... im richtigen Leben begegnen sollten«, hauchte sie heiß in mein Ohr. Ihre Hand wanderte abwärts. Als ich schon wieder unübersehbar in Stimmung kam, klingelte erneut ein Handy. Dieses Mal war es meines. Ich brauchte einige Sekunden, bis ich klar denken konnte.

»Wer ist da?«, fragte ich ungeduldig, weil ich den Namen nicht verstanden hatte, und schob ihre Hand beiseite.

»Knobloch, POM Knobloch. Revier Akademiestraße in Karlsruhe.«

Ich erinnerte mich an einen rotgesichtigen Gemütsmenschen mit dröhnender Stimme.

»Und was gibt's?«

»Sie sind doch der Gerlach? Ich spreche doch mit Kriminalrat Gerlach? Der früher hier bei der Kripo war?«

»Richtig.«

»Wir haben hier ... also ... hier sitzen zwei hübsche Mädchen. Haben wir aus dem Kroko-Keller gefischt, aus der Disco. Sie seien sechzehn, behaupten sie. Glauben wir aber nicht. Und außerdem wären sie dann immer noch zu jung dafür, nicht wahr. Und Papiere haben sie auch keine dabei.« Stöhnend fiel ich in die Kissen. »Und jetzt behaupten die zwei Hüpfer doch tatsächlich, sie seien Ihre Töchter. Stimmt das?«

»Wie heißen sie denn?«

»Sie verweigern die Aussage zur Person und verlangen einen Anwalt. Sie wissen aber nicht mal, was das ist, ein Anwalt. Und jetzt verlangen sie, dass wir Sie anrufen.«

»Wie sehen sie denn aus?«

»Hellblond, rote Backen, schmaler Mund«, antwortete er zögernd. »Größe knapp einssiebzig, würd ich sagen. Und Zwillinge sind sie, das sieht man.«

»Kann man sie irgendwie unterscheiden?«

»Überhaupt nicht.«

»Dann sind sie es.«

»Und was sollen wir jetzt machen mit den zwei Hübschen?«

»Erschießen«, sagte ich nach kurzem Überlegen. »Erschießen Sie sie einfach.«

»Hä?«

»Sie heißen Sarah und Louise.«

»Sarah und Louise«, wiederholte er. Plötzlich lachte er los: »Dann ist Saarlouis bestimmt ihre Patenstadt, was?«

»Erschießen Sie sich gleich mit«, erwiderte ich müde. »Lassen Sie die missratenen Gören ein Protokoll unterschreiben. Machen Sie es ruhig ordentlich wichtig. Und anschließend packen Sie die zwei in einen Streifenwagen und fahren sie heim.« Ich gab ihm die Adresse. »Und noch was, legen Sie ihnen bitte Handschellen an.«

Auch in dem winzigen Bad gab es keine Anzeichen von einem Mann. Nur eine Zahnbürste, kein Aftershave, der einzige Rasierapparat in Rosa und Pink. Ich verabschiedete mich von der schönen, wohlig lächelnd und mir so sympathisch obszön ihre Reize präsentierenden Frau, deren Namen ich heute wohl nicht mehr erfahren würde.

»Es war schön mit Ihnen«, sagte ich.

»Wir sehen uns wieder?«, fragte sie mit leisem Lächeln.

»Und dann werde ich wissen, aus welchem Buch Ihr Zitat stammt.« Ich küsste sie ein letztes Mal auf ihren weichen, heißen Mund, fühlte ihre erfahrene Hand im Schritt, sog ihren Duft ein und ging.

Auf der Autobahn beschloss ich wieder einmal, bei der Erziehung meiner Töchter von nun an deutlich härter gespannte Saiten aufzuziehen. Als ich ankam, stand ein unbeleuchteter Streifenwagen vor unserer Tür. Hinter manchen Gardinen in der Nachbarschaft war Licht und Bewegung. Die Zwillinge taten sehr zerknirscht. Nachdem die grinsenden Schupos ihre Handschellen eingesteckt hatten und abgefahren waren, gingen wir hinein, und ich hielt meinen rührend betreten guckenden Töchtern eine ebenso lange wie lautstarke Ansprache, bei der sie oft und ernst nickten.

Dann schickte ich sie ins Bett und ging ins Wohnzimmer, um meine Gedanken und Gefühle zu sortieren, ein Glas Wein zu trinken, noch eine Platte zu hören und meine Nerven zu beruhigen. Sie hatten es nötig.

Ganz selbstverständlich wählte ich Miles Davis, eine Platte, von der sie mir erzählt hatte, von der ich wusste, dass sie sie liebte. Meine Gedanken kreisten um das eine Thema: Wer war diese Frau, mit der ich vor nicht einmal einer Stunde geschlafen hatte? Wie kam es, dass sie mich kannte? Machte sie so etwas öfter, oder hatte sie aus einem unbekannten Grund ausgerechnet mich ausgewählt? Und falls ja, weshalb? Gut, sie hatte Kondome in ihrer Handtasche gehabt. Andererseits machte sie nicht den Eindruck, als würde sie jede Nacht mit einem anderen Mann ins Bett steigen. Die ganze Zeit war ich das Gefühl nicht losgeworden, sie hätte seit langer Zeit auf diesen Abend, auf mich gewartet. Und warum zum Teufel wohnte sie in einer Single-Wohnung, obwohl sie doch verheiratet war?

Ich gähnte. All dies würde ich herausfinden. Morgen. Wozu war man schließlich Polizist. Als die Platte zu Ende war, ging ich ins Bett. Ich schlief unruhig, träumte von Marianne Schmitz und der geheimnisvollen anderen. In meinem Traum waren sie ein und dieselbe Person, verschmolzen zur Frau an sich, und am Ende war es wie immer Vera, die ich in den Armen hielt. Als ich pünktlich um halb sieben erwachte, wenige Sekunden bevor der Radiowecker sich einschaltete, fühlte ich mich ausgeschlafen und heiter wie selten.

12

Ich trieb die Mädchen aus dem Bett und besprach das Tagespensum mit ihnen. Wie ich feststellte, hatten sie am Tag zuvor wirklich alles erledigt, was ich ihnen aufgetragen hatte. Aber ich lobte sie nicht dafür.

Bevor ich mich auf den Weg machte, trat ich noch rasch

ans Bücherregal im Wohnzimmer. Nach der altertümlichen Sprache zu schließen, musste das Zitat aus einem älteren Text stammen. Ich hatte schon eine Ahnung und brauchte nur zwei Minuten. Es war aus »Das Bildnis des Dorian Gray« von Oscar Wilde. Ich warf das Buch auf den Couchtisch, um am Abend darin zu lesen, und verabschiedete mich kühl von meinen schläfrigen und immer noch bettwarmen Töchtern.

Im Büro bat ich meine Sekretärin, alles über eine gewisse Frau Bergengrün in der Blumenstraße 54 herauszufinden, was mit legalen Mitteln herauszufinden war. Sie teilte mir mit, das mit dem Strafmandat habe sich erledigt, und meine Parkerlaubnis sei beantragt. Dann machte ich mich an mein Frühstück und sah nebenbei die Post durch. Obenauf lag der Bericht der Beamten, die Gardeners Unterkünfte gefilzt hatten. Er war äußerst interessant.

Sie hatten zwölf Laptops gefunden, auf denen teilweise noch die Inventar-Aufkleber der Universität prangten. Wenn mich nicht alles täuschte, hatten wir also ganz nebenbei eine Einbruchserie aufgeklärt und unsere Erfolgsstatistik damit gehörig aufpoliert. Außerdem hatten sie einige Ecstasy-Pillen sichergestellt, allem Anschein nach aus derselben Produktion wie bei Patrick Grotheer. Und schließlich hatten meine Leute in verschiedenen Verstecken eine Menge kostbaren Schmuck entdeckt, drei teure Armbanduhren und einige andere Dinge, die die Vermutung nahe legten, dass Gardeners Bande nicht nur die Uni heimgesucht hatte.

Dann fand ich es an der Zeit für die Fortsetzung der Vernehmung.

»Wie geht's?«, fragte ich gespielt munter, nachdem Gardener sich auf den Stuhl hatte fallen lassen. »Sie sehen ja richtig übel aus. Etwa nicht gut geschlafen?«

Ich wartete vergebens auf ein Zeichen von Nachgiebigkeit. Meine Beule war schon etwas kleiner geworden und schmerzte kaum noch, wenn ich sie berührte. Ich ließ ihn zwei Minuten warten, dann warf ich ein Foto des Messers auf den Tisch.

»Kennen Sie das?«

»Fuck. Nein. Fuck. Nie gesehen.«

Ich beugte mich vor und sah ihm ins Gesicht. »Wollen wir wetten, dass da Ihre Fingerabdrücke drauf sind?« Natürlich wusste ich es längst. Und nicht nur seine Abdrücke waren darauf. Auch Fussel, die eindeutig aus der Innentasche seiner Lederjacke stammten. Es war ganz sicher sein Messer.

»Nie gesehen, das Teil.«

Ich ließ ihm Zeit, das Foto zu betrachten. Dann steckte ich es ein.

»Herr Gardener, Sie sind doch ein intelligenter Kerl. Sie können rechnen. Zählen wir mal zusammen: Dieses Messer gehört Ihnen und ist eindeutig die Tatwaffe. Der Knebel stammt aus Ihrer Yamaha. Sie waren zum Tatzeitpunkt im Emmertsgrund oben, wir haben Zeugenaussagen. Ehrlich, es sind schon Leute wegen wackligerer Indizien lebenslänglich im Knast gelandet.«

»Ich war's nicht.«

»Das muss ich irgendwo schon mal gehört haben«, lachte ich.

Er sah noch schlechter aus als gestern. Eingesperrt zu sein ist für Ungeübte eine Folter. Nahezu die einzige Folter, die bei uns erlaubt ist. Die fiebrige Unruhe in seinem Blick hatte tiefer Müdigkeit Platz gemacht. Er roch, als hätte er in seinen Kleidern geschlafen. Bald würde er so weit sein.

»Ehrlich. Ich war's nicht. Ehrlich.«

Ich legte mein Foto wieder auf den Tisch. »Aber das hier ist Ihr Messer?«

Er nickte gequält.

»Und der Putzlappen stammt aus Ihrer Maschine?«

»Trotzdem war ich's nicht.«

»Wie wär's, wenn Sie mir zur Abwechslung mal Ihre Version erzählen würden?«

Er rieb sich mit beiden Händen das unrasierte Gesicht. »Die glauben Sie mir ja sowieso nicht.«

»Lassen wir es auf einen Versuch ankommen.«

Er sollte Recht behalten. Seine Geschichte war so abenteuerlich, dass sie nicht einmal witzig war. Er sei zu Patrick Grotheer gefahren, entnahm ich seiner wirren Erzählung, um mit ihm zu sprechen, wegen irgendwelcher geschäftlicher Dinge, über die er keine näheren Angaben machen wollte. Ich bohrte nicht nach. Das hatte Zeit. Er habe sein Motorrad in der Tiefgarage neben dem Fahrstuhl abgestellt und abgeschlossen. Unmittelbar darauf habe er einen harten Schlag gegen den Hinterkopf bekommen und das Bewusstsein verloren. Und als er nach unbestimmter Zeit in einer staubigen, dunklen Ecke hinter dem Fahrstuhl wieder zu sich gekommen sei, habe er sein Messer nicht mehr gehabt. Dass auch der Lappen weg war, wollte er nicht einmal bemerkt haben. Daraufhin habe er oben Sturm geläutet, von innen laute Musik gehört, aber niemand habe geöffnet. So sei er schließlich mit brummendem Schädel und Wut im Bauch wieder weggefahren und habe von unterwegs noch einmal angerufen. Aber Grotheer habe nicht abgenommen.

»Das mit dem Anruf, das stimmt immerhin«, bestätigte ich. »Den Rest glaubt Ihnen nicht mal Ihre Mutter.«

»Lassen Sie Mom aus dem Spiel!«, brüllte er plötzlich. »Die hat nichts damit zu tun, verdammt! Nichts, verstehen Sie? Nichts!« Im Takt seiner Worte drosch er mit beiden Händen auf den Tisch.

Na endlich. Er begann, Nerven zu zeigen. Ich lehnte mich zurück und gab mir keine Mühe, mein Grinsen zu unterdrücken. »Okay. Nochmal von vorn und der Reihe nach, damit ich auch alles richtig verstanden habe.«

Wir gingen seine Geschichte dreimal durch. Er blieb bei der ersten Version, verwickelte sich nicht in Widersprüche.

»Wenn die Story stimmt, dann haben Sie eine Beule oder wenigstens eine Schramme. Zeigen Sie mir die mal.«

»Da war keine Beule, verdammt. Er muss mit was ganz Weichem zugeschlagen haben. Hab ich mal im Fernsehen gesehen, zum Beispiel mit ’nem Telefonbuch geht das. Echt, das geht! Hab noch tagelang Kopfweh gehabt.«

»Wir sind hier aber nicht im Fernsehen.«

Ich ließ ihn rauchen und spendierte ihm einen Kaffee. Seine Hand zitterte so, dass er kaum trinken konnte.

»Wenn Sie es nicht waren, warum haben Sie sich dann tagelang versteckt?«

»Mann!« Er lachte hysterisch. »Ich bin doch nicht bescheuert! Ich höre, Pat ist tot, kaltgemacht, während ich da in der Tiefgarage liege. Und vermutlich auch noch mit meinem Messer. Ehrlich, Mann, hätten Sie da nicht auch zugesehen, dass Sie von der Bildfläche verschwinden?« Gierig zog er an seiner Zigarette. »Sie glauben einem wie mir doch sowieso nichts! Ich kenn euren Laden doch!«

Und natürlich hatte er auch das eine oder andere zu verbergen gehabt. Aber darum ging es jetzt nicht.

Ich ließ ihm Zeit, sich zu beruhigen.

»Warum haben Sie ihn so gehasst?«, fragte ich leise, als er die Kippe ausdrückte. Ich erhob mich, um eines der vergitterten Fenster zu öffnen, blieb dort stehen und lehnte mich mit dem Rücken an die lindgrün lackierte Fensterbank. »Um jemanden auf diese Weise abzuschlachten, muss man ihn hassen bis aufs Blut. Was hat er Ihnen getan?«

Er schwieg, und ich fürchtete schon, er würde wieder auf stur schalten. Aber dann öffnete er den Mund:

»Pat war ein Arschloch. Und er ist mir tierisch auf den Sack gegangen mit seinem Angebergetue. Früher, da war er ganz okay, ein Kumpel. Aber seit er vor lauter Kohle nicht mehr gewusst hat, wo vorne und hinten ist, war echt nichts mehr mit ihm anzufangen. Aber trotzdem hab ich ihn nicht kaltgemacht«, murmelte er mit gesenktem Blick.

»War es wegen Will?«

Verwirrt sah er auf. »Will? Wieso denn Will?«

»Weil er vielleicht schuld war an seinem Tod?«

»Bullshit!«, fauchte er und kniff die Augen zu. »Das ist doch absoluter Bullshit!«

In Kürze würde er mit den Tränen kämpfen. Ich schaltete einen Gang zurück.

»Wer war damals noch dabei?«

Erschrocken sah er auf. Blinzelte mich verwirrt an.

»Gestern haben Sie gesagt: Wir Jungs haben ein Radrennen gemacht. Heißt das, dass auch Mädchen dabei waren?«

Fitz Gardener schlug die Augen nieder. Etwas wie Demut lag in dieser kleinen Bewegung. Er war am Ende. Wir waren am Ziel.

»Der Professor. Der alte Grotheer ist auch dabei gewesen.«

»Und Sylvia«, ergänzte ich.

Auf einmal war ich sehr müde. Meine Augen brannten, vermutlich vom Rauch.

»Diese Frau Doktor hat schon wieder angerufen«, teilte mir meine Sekretärin mit, als ich das Vorzimmer betrat. »Sie sollen sich bei ihr melden, wenn's geht.«

»Hallo«, sagte wenig später die helle Stimme, die ich in den letzten Nächten so oft im Traum gehört hatte. »Sie wollten mich sprechen?« Es klang, als stehe ein stilles Lachen auf ihrem Gesicht.

»Und Ihren Chef auch, wenn es sich machen ließe.«

»Bei mir sieht's kurz vor Mittag ganz gut aus. Wir haben gleich noch eine Finanzbesprechung, aber das wird nicht so lange dauern.«

Sie sprach kurz mit jemandem im Hintergrund und wandte sich wieder an mich: »Der Chef hätte um elf kurz Zeit für Sie. Und anschließend sehen wir uns. Geht das in Ordnung?«

Ich fand das sehr in Ordnung und freute mich darauf, sie wiederzusehen. Aber noch musste ich eine Stunde Zeit totschlagen, bevor ich losfahren durfte. So las ich meine Post noch einmal durch und rief Balke an, um mir bestätigen zu lassen, dass die Wachen vor Helen Gardeners Haus wieder abgezogen waren und es ansonsten nichts Neues gab.

Später kam Sonja Walldorf und berichtete mir mit vor Stolz leuchtenden Augen, Frau Bergengrün in der Blumen-

straße heiße mit Vornamen Ingrid und sei vor neununddrei-
ßig Jahren in Hannover zur Welt gekommen. Von Beruf sei
sie Graphikerin, angestellt bei einer Marketing-Agentur in
Schwetzingen. Ingrid Bergengrün war geschieden, fuhr einen
acht Jahre alten schwarzen Golf GTI und hielt sich im Auftrag ihres Arbeitgebers seit drei Monaten in Sydney auf.

Anschließend wimmelte ich einen ungewöhnlich hartnä-
ckigen Journalisten mit unserer Standardbegründung ab,
dass wir aus ermittlungstaktischen Gründen keinerlei Informationen herausgäben, und verwies ihn an die Pressestelle.

Dann war es endlich Viertel vor elf, und ich durfte los.

Einen weltberühmten Wissenschaftler hatte ich mir anders
vorgestellt. Beeindruckender. Bedeutender. Raumfüllender.
Franz Grotheer war auf den ersten Blick eine unscheinbare
Person. Er hatte etwa dieselbe Statur wie sein Sohn, war
einen halben Kopf kleiner als ich, dabei schlank, fast drahtig
für sein Alter. Er trug einen perfekt gebügelten Kittel, dessen
makelloses Weiß die gesunde Bräune seiner Haut noch un-
terstrich, und war ziemlich außer Atem, als er in sein Büro
kam und sich als Erstes die Hände wusch. Eine gute Viertelstunde hatte ich warten müssen. Die Chefvisite habe wieder
einmal länger gedauert als vorgesehen, erklärte er mir verbindlich lächelnd. Und sein nächster Termin sei in zehn Minuten.

Sorgfältig trocknete er sich die Hände ab und wandte sich
endlich mir zu. Sein Händedruck war überraschend kräftig
und sein Lächeln ehrlich.

»Tut mir Leid, dass Sie warten mussten, Herr Gerlach.
Aber unsere Arbeit lässt sich nun mal nicht so planen wie
eine industrielle Produktion. Hier haben wir es mit Menschen zu tun, und die funktionieren leider Gottes nicht wie
Maschinen.«

»Das ist bei uns nicht anders«, erwiderte ich. Ein wenig
hatte ich mich vor diesem Gespräch gefürchtet, vor dem Zusammentreffen mit einem Mann, dem ich in keiner Weise

das Wasser reichen konnte. Aber er ließ mich seine Überlegenheit nicht spüren.

»Was kann ich also für Sie tun?«

»Nun ...«, begann ich.

Er fiel mir ins Wort. »Sie wollen von mir hören, wer meinen Sohn getötet hat? Da fragen Sie leider den Falschen. Er hat seit langem sein eigenes Leben gelebt. Wir hatten nur noch wenig Kontakt. Haben Sie selbst Kinder?« Sein Pieper gab Signal. Stirnrunzelnd warf er einen Blick darauf und drückte eine Taste.

»Töchter. Aber sie sind jünger als Ihr Sohn.«

Er nickte anerkennend. »Sie werden das auch erleben. Erleben müssen. Unsere Kinder gehen irgendwann eigene Wege. So ist der Lauf der Welt. Was unsere Erziehung bis zum zwölften Lebensjahr nicht erreicht hat, werden wir nie erreichen, das ist meine Überzeugung.« Er warf einen Blick auf die große Uhr über der Tür. »Ist das immer ein Drama, wenn man mal ein paar Tage weg ist«, murmelte er und blickte mich auffordernd an in der offensichtlichen Erwartung, dass wir nun am Ende wären.

»Wenn ich Sie richtig verstanden habe, dann kennen Sie also niemanden aus dem Bekanntenkreis Ihres Sohnes?«, fragte ich demonstrativ entspannt.

»Das haben Sie durchaus richtig verstanden.« Er stellte das leere Glas wieder auf das Tablett.

Ich berichtete ihm von Gardeners Festnahme. »Haben Sie eine Idee, weshalb er es getan haben könnte? Einen Verdacht, mag er Ihnen noch so absurd erscheinen? Was mir immer noch fehlt, ist das Motiv.«

Grotheer stützte die Ellenbogen auf die Knie, legte das Gesicht in die Hände und schwieg zwei Sekunden. Dann sah er mir von unten in die Augen.

»Sie wissen über diese Dinge vermutlich schon jetzt mehr als ich, Herr Gerlach. Sie wissen, dass mein Sohn in Drogengeschäfte verwickelt war. Dass er damit viel Geld verdient hat, oder sagen wir besser: eingenommen. Dass er somit in kriminellen Kreisen verkehrte. Wenn ich Ihre Worte richtig verstehe, dann gilt das alles für Fitzgerald ebenso. Was also bezwecken Sie mit dieser Frage?«

»Das Motiv könnte mit Dingen zu tun haben, die weit zurückliegen. Und schließlich könnte der Mörder auch aus einem ganz anderen Umfeld kommen. Bisher leugnet er die Tat hartnäckig. Und der erste Verdacht ist nicht immer der richtige.«

»Das predige ich meinen Studenten auch immer.« Seine Finger spielten auf der Stuhllehne Klavier. »Sprechen Sie mit meiner Frau«, sagte er schließlich. »Ich habe Patrick seit über einem Jahr nicht mehr gesehen. Sie schon. Sie hat immer wieder versucht, ihn zu erreichen, zur Vernunft zu bringen, zurückzuholen. Es gelang ihr nicht.«

Plötzlich sprang er auf. »Ich nehme an, wir sind fertig? Falls Sie weitere Fragen haben, jederzeit. Vielleicht lässt sich das eine oder andere telefonisch klären? Meine Sekretärin weiß immer, wo ich gerade stecke.«

Sein Händedruck war wirklich ungewöhnlich kräftig. Er musste irgendeine Art von Sport betreiben, Tennis vielleicht. Zusammen mit der Art, wie Grotheer einem dabei in die Augen sah, übertrug dieser Händedruck Zuversicht und Vertrauen. Ich konnte mir vorstellen, dass er allein dadurch selbst in einem Todkranken wieder Hoffnung weckte.

Als ich seine gepolsterte Bürotür hinter mir ins Schloss zog, war es genau halb zwölf. Jetzt kam der angenehme Teil meines Besuchs. Marianne Schmitz saß mit übereinander geschlagenen Beinen und offenem Kittel in ihrem Büro und studierte Patientenakten. Heute wirkte sie nicht ganz so frisch wie am Montag. Aber als sie aufsah, lächelte sie. Mein Herz setzte einen Schlag aus. Ich reichte ihr die Hand.

»Und? Haben Sie ihn schon?«, fragte sie leichthin und legte den rosafarbenen Schnellhefter auf den Stapel zurück. Wieder roch das ganze Büro nach ihrem Tee. Darunter mischte sich der übliche dumpfe Klinikgeruch nach Krankheit und Desinfektionsmitteln.

»Wen?«, fragte ich und lächelte ebenfalls. Ich konnte gar nicht anders in ihrer Gegenwart.

»Na, wen?« Sie lachte. »Den Mörder natürlich.«

»Wir haben jemanden festgenommen. Aber gestanden hat er leider noch nicht.«

»Das ging ja ganz schön flott.«

Ich erzählte ihr von Fitzgerald Gardener, von meiner Arbeit, davon, dass Mord und Totschlag meist Beziehungsdelikte sind, dass diese Fälle für uns oft einfacher aufzulösen waren als jeder Taschendiebstahl. Sie hörte aufmerksam zu und schien alle Zeit der Welt für mich zu haben. Sie jetzt schon zu bitten, mich in die Kantine zum Kaffeetrinken zu begleiten, wäre wohl doch ein wenig plump gewesen.

»Könnte man Ihnen mit einem Kaffee eine Freude machen?«, fragte sie und wies mit dem Kopf zur Tür. »Am Ende des Flurs haben wir einen Automaten. Der Cappuccino soll gar nicht mal übel sein, den das Ding macht.«

»Prima Idee«, sagte ich mit meinem charmantesten Lächeln. Sie sprang auf wie eine gespannte Feder.

Der Kaffee war wirklich nicht schlecht. Sie hatte sich etwas von ihrem merkwürdigen Tee mitgebracht. Nun standen wir an einem hohen, runden Tischchen, und unsere Ellenbogen berührten sich beinahe.

»Frau Doktor Schmitz ...«

»Schmitz genügt«, fiel sie mir fröhlich ins Wort.

Marianne wäre mir natürlich noch lieber gewesen.

»Frau Schmitz. Sie sollen mit Patrick Grotheer gestritten haben, als er letzte Woche hier war. Ziemlich heftig sogar.«

Ich sah ihr ins Gesicht. Nicht nur, weil diese wachen, offenen und so unglaublich blauen Augen mich faszinierten, sondern auch, weil jede ihrer Regungen jetzt wichtig war. Sie trug keinerlei Schmuck. Das Make-up beschränkte sich auf einen dezenten Lippenstift, der ihren Lippen ein wenig Glanz verlieh, die natürliche Farbe aber nicht veränderte. Die Nägel waren mit einem transparenten Nagellack überzogen. Sie roch hauchfein nach einem vermutlich sündteuren Parfüm.

Erstaunt musterte sie mich. »Gestritten? Aber worüber denn?«

Ich nippte an meinem Cappuccino und wandte den Blick nicht ab. Ein junger Kerl mit einem riesigen Verband um den Kopf humpelte vorbei. Bei jedem Schritt entrang sich seinem schmerzverzerrten Mund ein Stöhnen.

Sie blickte ihm nach. Dann sah sie in ihren Becher. »Gestritten, nein, das ist zu viel gesagt.«

Zwei Schwestern gingen eilig vorbei und schimpften lautstark auf einen Hausmeister, der seit Tagen nicht zur Arbeit erschienen war.

»Wie würden Sie es denn ausdrücken? Was hat er hier gewollt?«

»Er wollte seinen Vater sprechen. Und ich habe versucht, ihm klarzumachen, dass der erst diese Woche zurückkommt. Und das war auch schon alles.« Sie hob die Schultern und sah mir wieder ins Gesicht. Ihr Lächeln war verschwunden.

»Meines Wissens ist Professor Grotheer am Dienstag abgereist. Ihr Gespräch mit seinem Sohn war am Montag.«

Sie zögerte sehr lange. »Er wollte ihn nicht sehen, verstehen Sie? Das ist alles. Er wollte ihn einfach nicht sehen.«

»Sie hatten das so abgesprochen?«

»Alle haben Anweisung, ihn wegzuschicken, falls er hier auftaucht. Es war ja nicht mehr zum Aushalten.«

Obwohl ich nur winzige Schlucke nahm, ging mein Kaffee unaufhaltsam zur Neige.

»Letzte Frage.« Ich stellte den weißen Plastikbecher ab. »Warum hat er nicht versucht, seinen Vater zu Hause anzutreffen? Seine Mutter hätte ihm ja wohl kaum die Tür gewiesen.«

»Das ist eine wirklich gute Frage«, erwiderte sie schlicht und lachte mich an.

Es war so offensichtlich, dass sie mich mochte. Manchmal ist es verteufelt schwer, eine Frau nicht anzufassen.

13

Grotheers Kombi war endlich gefunden worden.

Vangelis klopfte energisch mit einem schlanken silbernen Stift auf ihr Büchlein. »Eine Streife ist gestern Abend praktisch über ihn gestolpert. Er war in der Nähe des Rohrbacher Friedhofs in einer Seitenstraße geparkt. Dummerweise hatte Grotheer ihn zu nahe an einem Zebrastreifen abgestellt. Die Schupos hatten ihm schon letzte Woche ein Knöllchen verpasst.«

Gestern Abend wollten sie den Kombi dann abschleppen lassen, und der Fahrer des Abschleppwagens hatte sie endlich darüber aufklärt, dass nach dem Renault seit Tagen gefahndet wurde. Anwohner gaben zu Protokoll, der Wagen habe öfter dort in der Gegend geparkt, meist für längere Zeit. Und es sei immer derselbe junge Mann gewesen, der ihn abgeholt und zurückgebracht habe.

Ich fand die Stelle im Stadtplan. »Von seiner Wohnung zu der Stelle, wo der Renault gestanden hat, sind es fünfzehn Minuten zu Fuß.«

»Die Karre ist schon im Labor«, sagte Balke. »Und es stinkt da drin wie in einem Chemiebaukasten.«

»Was ist mit den Reifen?«

»Lehmboden, Kiefernnadeln, Sand, roter Sand. Sie meinen, vielleicht irgendwo aus dem Odenwald hinten. Morgen früh haben wir die ersten Analysen.«

»Das Messer?«

»Ist definitiv die Tatwaffe«, meinte Vangelis.

»Fingerspuren?«

Sie wiegte den Kopf. »Sind drauf, müssen aber natürlich nicht zwingend vom Täter stammen. Gewebespuren vermutlich nur vom Opfer.«

»Jetzt ist es wasserdicht.« Ich schlug auf den Tisch. »Er war's. Er muss es gewesen sein. So viele Zufälle gibt's einfach nicht. Und seine Geschichte vom großen Unbekannten, das ist doch Kinderkram.«

Das Fieber hatte mich gepackt. Dieses Jagdfieber, das sich immer dann einstellt, wenn es plötzlich vorangeht, wenn die Hunde die Spur aufgenommen haben und an den Leinen zerren, wenn das Ende in Sicht ist.

Ich berichtete kurz von meinem Gespräch mit Grotheer.

»Merkwürdige Familie«, murmelte Vangelis mit schmalen Augen. »Sein Sohn ist tot, und er hält es nicht einmal für nötig, nach Hause zu kommen. Lässt die Mutter alleine da sitzen. Bei uns in Griechenland ...« Meinem Blick wich sie hartnäckig aus.

»Höhere Gesellschaft«, knurrte Balke und gähnte schon wieder. »Konnte dieses Volk noch nie leiden.«

Wir diskutierten mögliche Motive. An einen Zusammenhang mit dem Tod des jüngeren Bruders wollte Vangelis nicht glauben.

»Hier geht's um Drogen. Das andere ist mir zu romantisch.«

»Drogen an sich sind noch kein Motiv«, meinte Balke. »Grotheer war nicht groß im Geschäft, Fitz bestenfalls ein Kleindealer, falls überhaupt. Die Drogenfahnder haben die beiden Namen noch nie gehört.«

»Wo dieses Zeug ist, da ist Geld«, warf sie ein. »Viel Geld.«

Sie legte ihr ledergebundenes Büchlein auf den Schreibtisch, blätterte eine leere Seite auf und zeichnete ein kleines Viereck.

»Der ganze Tatablauf stimmt einfach hinten und vorne nicht. Sehen Sie, hier ist der Tatort. Gardener kommt mit seiner Yamaha, stellt sie in der Tiefgarage ab, nimmt seinen Putzlappen mit, den er immer im Gepäck hat, fährt nach oben, knebelt und fesselt sein Opfer, schneidet ihm die Pulsadern auf, geht später seelenruhig einen Kilometer spazieren, um irgendwo das Messer zu vergraben.« Sie zeichnete einen Kreis und Pfeile hin und zurück. »Er vergräbt es aber so, dass es gefunden wird, dass es praktisch gefunden werden muss. Dann bummelt er zurück, steigt auf sein Motorrad und fährt nach Hause. Glauben Sie das im Ernst?«

»Und wo sind die anderen Sachen?«, fragte Balke nachdenklich. »Diese Überschuhe, die er angehabt hat? Was ist mit denen?«

»Auch verbuddelt. Irgendwo«, meinte ich. »Wir werden sie finden.«

Anstelle einer Antwort gähnte er herzhaft.

»Sie sollten mal früher ins Bett gehen«, sagte ich.

»Er geht früh genug ins Bett«, erwiderte Vangelis an seiner Stelle. »Er schläft nur nicht genug.«

»Okay«, gab ich zu. »Die Geschichte ist nicht vollkommen schlüssig. Aber er war es, ich bin ganz sicher.«

Sie musterte mich erstaunt. »Weshalb sind Sie so sicher?«

»Ein Gefühl«, sagte ich ausweichend. »Warten Sie es ab.«

Sie betrachtete den Stift in ihrer Hand. »Gefühle sind nicht so mein Ding.«

»Der Verdacht ist mir auch schon gekommen«, rutschte es mir heraus.

Ihr Blick hätte einen Elefanten schockgefrostet.

»Wie läuft die Vernehmung?«, fragte ich Balke. »Geht's voran?«

»Überhaupt nicht. Er bleibt eisern bei seiner Version.«

Sonja Walldorf führte wie üblich mit der Zunge im Mundwinkel Protokoll. Ich bat sie, den Kombi in unserem Bericht an die Staatsanwaltschaft nicht zu erwähnen. Den würden wir in Reserve halten, damit wir auch morgen einen Erfolg zu melden hatten.

Am späten Nachmittag knöpfte ich mir Gardener noch einmal alleine vor. Ich hatte ihm zwei Stunden Pause gegönnt in der Hoffnung, er würde über seine Situation nachdenken und die richtigen Schlüsse ziehen. Ich versuchte es zur Abwechslung mit der Bullennummer.

»Ich hoffe, Sie haben mir was zu sagen? Oder wollen Sie immer noch bei Ihrer blödsinnigen Räuberpistole bleiben?«

Er hatte sich in der Zwischenzeit Gedanken gemacht. Leider die falschen.

»Ich war's nicht. Wir können hier noch tagelang rumquatschen. Ich war's nicht. Ich will einen Anwalt.«

»Kriegen Sie, keine Sorge.« Ich fixierte ihn. »Hören Sie, Gardener, ich bin ja ein geselliger Mensch und unterhalte mich gerne mit Menschen, vor allem, wenn sie so viel Phantasie haben wie Sie. Aber jetzt hab ich langsam die Schnauze voll. Entweder Sie packen jetzt aus, oder ich knöpfe mir Ihre Mutter vor. Die wird ja wohl das eine oder andere wissen. Hat sie übrigens eine Ahnung, woher das Geld stammt, von dem sie lebt?«

Er hielt meinem Blick stand. Selbst die Drohung mit der Mutter machte heute keinen Eindruck auf ihn. »Ich sag kein Wort mehr ohne Anwalt.«

Ich lehnte mich zurück, nahm meinen Stift in die Hand und spielte damit herum. »Wissen Sie, Gardener«, sagte ich nach einer Weile, »ich hab im Lauf meiner Karriere eine interessante Erfahrung gemacht. All die Typen, die unbedingt einen Anwalt brauchen, haben was ausgefressen.«

»Ist mir scheißegal. Sie wollen mich da in was reinreiten. Ich seh das doch, bin doch nicht beknackt!«

»Sie kriegen natürlich Ihren Anwalt. Ist Ihr gutes Recht. Aber das wird nichts ändern. Sie sitzen hier ja nicht nur wegen Mordverdacht, sondern auch, weil Sie eine Menge Einbrüche auf der Latte haben. Die Beweise sind völlig eindeutig, Ihre Fingerabdrücke sind überall auf der Beute. Der Haftbefehl liegt oben auf meinem Schreibtisch. Auch der beste Anwalt wird Sie da nicht rausholen.«

»Mir egal. Ich will einen Anwalt. Ich hab ein Recht auf einen Anwalt.«

Ich schaltete das Mikro aus. »Ich krieg Sie, Gardener«, sagte ich sehr leise. »Früher oder später kriege ich Sie. Die Frage ist nur, wie und wann. Sie können es auf die harte Tour haben, wir können hier noch wochenlang Märchenstunden veranstalten. Ich koche Sie weich, bis Sie nicht mehr können. Jeden Tag, sieben Tage die Woche, wenn Sie unbedingt wollen, auch nachts. Ich hab noch jeden kleingekriegt, der hier gesessen hat. Ich hab genug Material gegen Sie, um Sie ein halbes Jahr in U-Haft zu halten. Oder Sie können Ihre Ruhe haben, wenn Sie es sich von der Seele reden. Früher oder später tun Sie es sowieso. Warum also nicht gleich.«

»Ich will einen Anwalt.«

So ging das eine gute Stunde, dann schickte ich ihn in seine Zelle zurück, ließ den Pflichtverteidiger rufen, der ihm zustand, und schloss mein Büro ab.

Zu Hause angekommen, stauchte ich die Zwillinge wegen irgendeiner Kleinigkeit zusammen, warf mich mit einer Flasche Rotwein in die Badewanne und fühlte mich auch nach einer Stunde immer noch schmutzig und einsam. Anschließend machte ich einen langen Spaziergang über die dunkler werdenden Wiesen, beobachtete Kaninchen und beruhigte mich allmählich. Als ich zurückkehrte, waren die Mädchen in ihrem Zimmer und schmollten immer noch.

Ich setzte mich ins Wohnzimmer, trank den Rest aus der Weinflasche, hörte Musik und versuchte, Dorian Gray zu lesen. Aber meine Gedanken irrten ab. Inzwischen hatte ich doch massive Zweifel an Gardeners Schuld. Sollte es diesen geheimnisvollen Unbekannten tatsächlich geben, der ihn niedergeschlagen und dann alles so gedreht hatte, dass der Verdacht auf ihn fallen musste? Aber seine Geschichte war einfach zu absurd. Ich hatte doch alles, die Tatwaffe, jede Menge Spuren, Zeugenaussagen. Zur Not würde es schon jetzt für einen Indizienprozess reichen. Nur das Motiv fehlte mir noch.

Später dachte ich an Marianne und die Frau mit der Perlenkette. Überlegte, ob man gleichzeitig in zwei Frauen verliebt sein kann. Ich warf das Buch auf den Tisch zurück und legte mir die Fragen zurecht, die ich Gardener morgen früh stellen würde. Malte mir aus, wie er zusammenbrechen würde. Wie alle würde er irgendwann seinen Widerstand aufgeben und nur noch gestehen, sich die Last von der Seele reden, endlich diesem unerträglichen Druck nachgeben.

Auch er würde früher oder später weich werden. So weich, dass er weinen würde, wenn er das Geständnis unterschrieb. Ich hatte schon härtere Gesellen weinen sehen. Morgen war Freitag. Am Wochenende wollte ich nicht mehr über den Fall Grotheer nachdenken müssen.

Als die Platte fast zu Ende war, ging die Tür, und eine meiner Töchter kam barfuß und im Nachthemd hereingeschlichen. Sie setzte sich und kuschelte sich an mich.

»Warum dürfen wir denn nicht in die Disco, Paps? Alle dürfen. Nur wir nicht.«

»War's denn schön? Hat sich der Stress wenigstens gelohnt?«

Verträumt murmelte sie etwas von süßen Jungs.

»Ihr seid einfach noch zu jung für so was.«

»Man ist viel zu lange zu jung für alles.«

Eine Weile saßen wir nebeneinander und hörten Nils Landgren und Anders Eljas zu, einer wunderbar entspannenden Musik, bei der man in fünf Minuten allen Stress dieser Erde vergessen kann. Sie zuckte mit ihren kleinen Zehen im Takt. Vielleicht kamen die Mädchen langsam in ein Alter, wo sie mit richtiger Musik etwas anfangen konnten?

»Paps?«

»Hm.«

»Wir wollen echt nicht nach Heidelberg! Wir kennen da doch gar keinen!«

»Das wird sich ändern. Am Montag fängt die Schule an. Ich wette, in einer Woche habt ihr schon zehn neue Freundinnen. Und kennt hundert süße Jungs.«

»Wie viele Einwohner hat das denn?«, fragte sie misstrauisch.

Ich konnte keine Narbe an der Stirn entdecken. Es musste also Louise sein.

»Weiß nicht genau. Mehr als hunderttausend auf jeden Fall. Und ein weltberühmtes Schloss und eine uralte, noch viel berühmtere Universität.«

»Na, toll«, erwiderte sie schaudernd.

»Weißt du, was ich ganz schlimm finde?«, flüsterte sie nach einer langen, nachdenklichen Pause.

»Hm?«

»Wir können uns kaum noch an Mama erinnern. Und dabei ist sie doch erst ... ein paar Monate ...«

Ich drückte sie an mich.

»Wie war sie denn so?«, fragte sie mit erstickter Stimme.

»Sie war die tollste Frau der Welt«, sagte ich fest. »Und manchmal war sie eine ganz grauenhafte Hexe.«

Sie weinte mir ein bisschen das Hemd nass. Dann ging sie wieder. In der Tür wandte sie sich noch einmal um.

»Und Paps ...«

»Hm?«

»Diese Musik, also, so alt bist du doch noch gar nicht.«

Louise sei immer schon die weichere von beiden gewesen, hatte Vera behauptet.

Am Freitagmorgen verschlief ich und kam eine halbe Stunde später als gewöhnlich ins Büro. Aber ich fühlte mich gut und tatendurstig. Genau die richtige Stimmung, um Gardeners Widerstand zu brechen.

Sonja Walldorf war in Aufruhr. Klara Vangelis habe schon mehrfach nach mir verlangt, erklärte sie mir aufgeregt. Das Revier Schriesheim hatte am frühen Morgen Kripo angefordert, wegen irgendeines Unfalls, und jetzt sei sie dort draußen und rufe alle fünf Minuten an. Und dann habe sich auch Liebekind schon nach dem Stand der Dinge erkundigt.

»Wie weit sind Sie mit Ihrem Verdächtigen?«, fragte mein Chef wenig später. »Sein Verteidiger hat mich Punkt acht angerufen und macht mächtig Druck.«

»Wir sind kurz vor dem Ende. Ich knöpfe ihn mir gleich nochmal vor. Und außerdem soll sich sein Rechtsverdreher nicht so haben. Wir können Gardener wegen der Einbrüche beliebig lange festhalten.«

»Sagten Sie eben, Sie knöpfen sich den Mann vor?«, fragte er erstaunt.

»Ja. Warum nicht?«

Sein Ton wurde amtlich: »Herr Gerlach, wer leitet eigentlich diese Sonderkommission?«

»Na ja ... Ich.«

Er schnaufte. »Wir sollten uns vielleicht später mal zusammensetzen, lieber Herr Gerlach. Das geht so nicht. Sie sind Leiter unserer Kripo und nicht irgendein mittlerer Beamter. Ihr Platz ist hier in der Zentrale und nicht draußen auf der Straße!«

»Die Vernehmung findet ja im Haus statt«, versuchte ich mich zu verteidigen. »Und meine Leute sind alle im Einsatz.«

Er brummte irgendwas und legte auf. Der Tag fing ja gut an.

Ich versuchte es bei Vangelis, aber ihr Handy war besetzt. Das Frühstück verschob ich auf später. Ich ließ Gardener vorführen.

Auch er schien leider gut geschlafen zu haben.

»Wo ist Herr Schönauer?«, lautete seine erste Frage.

»Wer soll das sein?«

»Mein Anwalt.« Er legte einen Zettel mit einer Telefonnummer auf den Tisch und verschränkte die Arme vor der Brust.

Ich zückte mein Handy. Es klopfte. Meine Sekretärin sah herein.

»Frau Vangelis ist schon wieder am Telefon, Herr Kriminalrat. Es ist wirklich sehr, sehr wichtig, sagt sie.«

Leise fluchend folgte ich ihr die Treppe hinauf. Sie hatte Recht. Es war wichtig. Sylvia Grotheer war tot. Ermordet, in der vergangenen Nacht.

14

Zwanzig Minuten später war ich draußen, am Rande der B 3 südlich von Dossenheim. Am Straßenrand standen Streifenwagen mit zuckenden Blaulichtern, ein Gerätewagen der

Feuerwehr und jede Menge aufgeregtes Volk mit Kameras. Ein kleiner, babyblauer Mazda, dessen Front bis zur Windschutzscheibe eingedrückt war, klebte zerquetscht an der Leitplanke, welche die Fahrbahn von den Gleisen der S-Bahn trennte. Ein blutverschmierter Airbag, der bei der Wucht des Aufpralls nichts mehr genützt hatte, hing schlaff vom Lenkrad. Der Leichenwagen war bereits weg, aber noch immer war die Straße halbseitig gesperrt, was kilometerlange Staus verursachte. Ein unangenehm kühler Wind wehte von Westen her. Es roch nach Landwirtschaft und ausgelaufenem Benzin. Ich fror.

Klara Vangelis klärte mich im Schnelldurchgang auf: »Sie wohnt mit einer Freundin zusammen in Ladenburg, haben wir inzwischen herausgefunden. Anscheinend war sie auf dem Weg dorthin. Muss kurz nach vier gewesen sein. Bis dahin hatte sie in der Klinik gearbeitet. Irgendwelche Experimente, die man nicht unterbrechen kann, haben sie mir erklärt. Wir haben einen Zeugen, der ist hier Punkt vier vorbeigekommen, und da war noch nichts. Um sieben Minuten nach vier kam dann die Unfallmeldung.«

»Was ist passiert?«

»Ein Lkw. Ist in der letzten Nacht von einer Straßen-Baustelle nördlich von Schriesheim gestohlen worden. Er muss sie frontal gerammt haben.« Sie wies auf die Straße. »Sehen Sie da, die Spuren: Sie hat gebremst, er nicht. Er hatte so viel Schwung, dass er sie achtzehn Meter rückwärts geschoben hat.«

Ein Mähdrescher dröhnte vorbei. Dann wurde es wieder ruhiger.

»Aber wie kommen Sie auf Mord? Der Fahrer kann eingeschlafen sein. Um diese Uhrzeit ...«

Sie nickte zerstreut und schüttelte im nächsten Moment den Kopf. »Dann wäre er ja wohl kaum weitergefahren. Das war ganz eindeutig Absicht. Der Lkw steht nur einen Kilometer von hier an der Bushaltestelle am Ortseingang von Handschuhsheim. Die Spurensicherung ist schon dran. Er hat genau gewusst, wann sie nach Hause fährt. Hat sie vielleicht schon ein paar Tage beobachtet. Dann hat er den Laster gestohlen, irgendwo gewartet, bis sie kommt, und sie mit voller Absicht gerammt.«

»Warum soll es kein Unfall gewesen sein?« Ich wusste selbst nicht, wen ich eigentlich überzeugen wollte. »Nur weil ihr Bruder ermordet wurde, muss es hier ja nicht auch Mord sein. Ein unglückliches Zusammentreffen. Junge Burschen vielleicht, die zum Spaß einen Laster klauen und eine kleine Spritztour machen? So was passiert doch immer wieder mal. Es geht schief, sie lassen die Kiste irgendwo stehen und verduften.«

Es war offensichtlich, dass sie nicht an meine Theorie glaubte. »Ja, schon. Das habe ich natürlich auch schon überlegt. Aber trotzdem, ich werde einfach das Gefühl nicht los ...«

»Ich dachte, Gefühle sind nicht so Ihr Ding.«

Mit einem wütenden Schnauben wandte sie sich ab. Eine Weile standen wir stumm nebeneinander und beobachteten die uniformierten Kollegen, die immer noch Fotos machten, Bremsspuren ausmaßen und den Verkehr regelten. Mit blinkenden gelben Lichtern kam der Abschleppwagen und rangierte sich vor den Mazda. Ich beschloss, mir den Lkw anzusehen.

Die Spurensicherer waren natürlich noch nicht fertig, aber so viel konnten sie schon jetzt sagen: Klara Vangelis hatte Recht, Sylvia Grotheer war nicht einem Unfall zum Opfer gefallen. In dem gelb lackierten Lkw fand sich nicht die geringste Spur vom Fahrer. Er war fachmännisch geknackt und von einem Menschen gefahren worden, der Handschuhe trug und vermutlich einen dieser fusselfreien Overalls, wie sie auch die Männer übergezogen hatten, die das Fahrzeug jetzt Millimeter für Millimeter absuchten.

Am Lkw fand sich kaum eine Beschädigung. Es handelte sich um ein schweres dreiachsiges Baustellenfahrzeug, an dem lediglich wenig Lack von der Stoßstange geblättert war:

einige Kratzer, babyblaue Farbspuren. Mehr gab es nicht zu sehen.

Ich fuhr zurück. Mein Magen rumorte nicht nur, weil ihm das Frühstück fehlte. Es sprach eine Menge dafür, dass ich es mit demselben Täter zu tun hatte wie beim ersten Mord. Das professionelle Vorgehen, das völlige Fehlen von Spuren, die ungewöhnliche Kaltblütigkeit. Aber für diesen zweiten Mord hatte Fitzgerald Gardener leider das beste Alibi, das ein Mensch haben kann. Wir konnten also wieder von vorne anfangen.

Oder sollten wir es doch mit einem zweiten Täter zu tun haben? Vielleicht irgendein Irrer, der in der Zeitung vom Mord an Patrick gelesen hatte? Hatten die Morde vielleicht gar nichts miteinander zu tun? Alles war möglich. Nichts war wahrscheinlich.

»Wie hat er das gemacht?«, fragte Vangelis, nachdem alle Platz genommen hatten. Wir waren zu acht, der Rest war im Einsatz. »Ich habe mich erkundigt, Mitte September wird es erst nach fünf Uhr hell. Im Dunkeln einen Wagen zu identifizieren, der einem mit eingeschalteten Scheinwerfern entgegenkommt, ist nicht so einfach. Er muss Helfer gehabt haben.«

»Oder ein Nachtsichtgerät«, warf Runkel ein, ohne den Blick von seinen ausgetretenen Wildlederschuhen zu heben. »Er könnte am Ortsausgang von Dossenheim gewartet haben, bis er sie gesehen hat, und dann ...«

Vangelis nickte nachdenklich. »Wir müssen die Anwohner fragen. Vielleicht hat jemand was gehört. So ein schwerer Diesel ist ja ziemlich laut.«

»Aber wer hat schon ein Nachtsichtgerät?«, fragte ich entnervt.

»Wer hat einen solchen fusselfreien Overall, wie er ihn getragen hat? Wer kann fachmännisch einen Lkw aufbrechen und anlassen? Wer kann so ein Ding überhaupt fahren? Wer kann einem Menschen die Pulsadern so aufschneiden, dass er zwei Stunden lang verblutet? Und bei all dem nicht die geringste Spur hinterlassen?«

Gequält schloss ich die Augen. »Machen Sie mir keine Angst!«

»Ich habe jetzt schon Angst«, fauchte Vangelis. »Das ist kein Junkie, das ist kein normaler Irrer. Der hier ist ein Killer, ein hoch professioneller Irrer!«

»Und er verfolgt einen Plan«, warf ein junger Kollege ein, dessen Namen mir entfallen war. »Das ist ja kein Zufall, erst der Bruder, dann die Schwester. Das hat doch System.«

»Noch besteht eine Chance, dass die Morde gar nichts miteinander zu tun haben«, warf ich ein. »Dass es eben doch nur ein unglaublicher Zufall ist.«

»Will nicht hoffen, dass einer es sich zur Lebensaufgabe gemacht hat, die ganze Familie um die Ecke zu bringen«, maulte Balke.

»Die Familie eines Heiligen?«

»Ob der Mann ein Heiliger ist, muss erst noch bewiesen werden.«

»Sie mögen die Leute nicht besonders, was?«

»Man hat schon Pferde kotzen gesehen«, brummte Balke.

»Vorurteile sind nicht gut in unserem Job«, ermahnte ich Balke.

»Manchmal sind sie unverzichtbar«, erwiderte er und ballte die Fäuste.

»Mit ein wenig Glück haben wir einen brauchbaren Zeugen.« Vangelis brachte uns wieder zum Thema zurück. »Ich weiß noch nicht, ob er was taugt, er war ziemlich betrunken. Aber er will einen älteren Mann gesehen haben, in der Nähe der Baustelle, wo der Lkw gestohlen wurde. Etwa um drei Uhr nachts.« Sie sah in ihr Büchlein. »Ein Meter fünfundsiebzig bis einsachtzig groß, zwischen fünfzig und fünfundsechzig Jahre.«

»Reden Sie nochmal mit dem Mann, sobald er wieder nüchtern ist«, sagte ich, als es nichts mehr zu besprechen gab. »Ansonsten warten wir, was sich im Lauf des Tages noch an Zeugen meldet. So ein schwerer Baustellen-Lkw, der nachts durch einen ruhigen Ort donnert, muss ja dem einen oder anderen aufgefallen sein.«

Als sie gegangen waren, sank ich in meinen Sessel und schloss die Augen. Ich war so müde.

Nach ein paar stillen Minuten zwang ich mich aufzustehen. Ich ging in den Keller hinunter, ließ mich mit Fitz in seiner Zelle einschließen und berichtete ihm noch im Stehen von Sylvia Grotheers Tod. Erblassend sank er auf seine Pritsche.

»Sylvi? Nee, oder? Sylvi?«

Ich lehnte mich an die Wand und steckte die Hände in die Taschen. »Nehmen wir mal an, ich würde Ihnen Ihre Geschichte glauben. Nehmen wir mal an, es war alles so, wie Sie erzählt haben. Hätten Sie dann eine Idee für mich, irgendeine noch so vage Idee, wer dahinterstecken könnte?«

Er senkte den Blick und überlegte lange. Dann schüttelte er den Kopf. »Wer macht denn so was? Pat, okay, der war ein Arschloch, und es wird genug Typen geben, die ein Fass aufgemacht haben, als sie von seinem Tod gehört haben. Aber Sylvi, die war doch ein Seelchen, die hat doch keiner Mücke jemals und ...«

Seine Stimme versagte. Auf einmal war mir der Bursche fast sympathisch.

»Wir haben jede Menge Hehlerware bei Ihnen gefunden. Ich kann Sie nicht einfach laufen lassen«, sagte ich, nachdem sein Atem sich wieder beruhigt hatte. »Aber jetzt muss ich mich wohl bei Ihnen entschuldigen.«

Mit geschlossenen Augen schüttelte er den Kopf. »Ehrlich, ich hätt mir meine Geschichte ja auch nicht geglaubt.«

»Was ist eigentlich mit Ihrem Bein? Warum hinken Sie?«

Er knurrte böse. Erst nach der zweiten Nachfrage verstand ich, dass er bei einem der letzten Einbrüche im Institut für Romanistik über einen Papierkorb gestolpert war. »Und dabei haben die da überhaupt keine Laptops gehabt! Siebenfünfzig in der Kaffeekasse, das war alles!«

»Eine letzte Frage hätte ich noch. Nur aus Neugierde: Wovon lebt eigentlich Ihre Mutter? Sind Sie es, der sie ernährt?«

»Lassen Sie Mom aus dem Spiel«, murmelte er. »Wir können reden, über was Sie wollen. Aber nicht über Mom.«

Ich wusste, wie lange er sein Schweigen durchhalten konnte, und wechselte das Thema.

»Was wollten Sie an dem Abend bei Patrik Grotheer?«

»Er hat mich angerufen. Es ging um 'nen Job.«

»Was für einen Job?«

»Weiß nicht genau. Sei nicht ganz koscher, aber richtig gefährlich auch nicht, und ich solle einfach mal vorbeikommen. Erst wollte ich nicht, aber er wollte 'ne Menge Kohle abdrücken dafür. War wohl ziemlich wichtig für ihn.«

»Worum es bei diesem Job ging, wissen Sie nicht?«

»Ob ich ein Schloss knacken könnte, wollte er wissen. Ein Sicherheitsschloss.«

»Und? Können Sie das?«

»Kann das nicht jeder?«, fragte er gequält grinsend zurück.

»Wo dieses Schloss war, hat er nicht gesagt?«

Er schüttelte den Kopf. Ich sah auf die Uhr. Zeit für meine zweite Pressekonferenz. Als ich schon fast draußen war, schob ich die Tür noch einmal auf.

»Was hat er eigentlich damals gerufen?«

Er musterte mich fragend.

»Patrick. Was hat Patrick Ihrem Bruder zugerufen, damals, unmittelbar vor diesem Unfall?«

»Meine Fresse, Sie haben vielleicht feine Ohren«, meinte er anerkennend. Ich musste einige Sekunden auf die Antwort warten. »Feigling«, sagte er dann leise. »Feigling hat er gerufen, weil Will gebremst hat. Das Wort hat er gerne benutzt. Feigling.«

»Und der Professor?«

»Der hat weiter vorne auf uns gewartet. Der hat gar nichts mitgekriegt von allem.«

Mein Telefon schien schon eine ganze Weile zu klingeln, als ich ins Büro zurückkam. Ich hatte es bereits auf der Treppe gehört. Sonja Walldorf war offenbar im Haus unterwegs.

Ein Mann vom LKA namens Baldwin war in der Leitung.

»Herr Gerlach«, dröhnte er in vorwurfsvollem Ton. »Was wollen Sie zuerst hören: die schlechte oder die schlechte Nachricht?«

»Am liebsten keine von beiden.«

»Okay ...« Er räusperte sich ausgiebig, um mich noch ein wenig leiden zu lassen. »Wir haben nichts gefunden. Aber auch gar nichts.«

»Wo haben Sie nichts gefunden?«

»Ach so, ja.« Offenbar zählte er zu den beneidenswerten Menschen, die über ihre eigene Dummheit lachen können. »An den Asservaten von diesem Herrn – wie heißt er noch gleich – Gardener. Keine Blutspuren des Opfers, keine passenden Textilfasern. Nichts. Niente. Nada.«

»Kann man nichts machen«, sagte ich müde.

Die Chefin der Staatsanwaltschaft starrte mich nicht ganz so grimmig an wie bei der letzten Pressekonferenz. Liebekind sah wie üblich besorgt aus.

Die Fragen waren wie erwartet.

»Sehen Sie einen Zusammenhang zwischen den beiden Morden?«

»Es ist leider noch zu früh.«

»Sie haben einen Tatverdächtigen festgenommen? Was wird jetzt mit dem?«

»Der scheint unschuldig zu sein, soweit wir das bisher beurteilen können.«

»Haben Sie schon neue Verdächtige?«

»Aus ermittlungstaktischen Gründen können wir leider ...«

Ich sah schon die Schlagzeilen des nächsten Tages vor mir: »Der Schlächter von Heidelberg hat wieder zugeschlagen«, »Wird Familie von weltberühmtem Professor ausgerottet?«

Das schüchterne Fräulein von der RNZ meldete sich zaghaft zu Wort.

»Was haben die Opfer Ihrer Meinung nach gemeinsam, außer dass sie Geschwister sind?«

»Das ist die Frage, die uns derzeit am meisten beschäftigt.«

»Haben Sie eine Theorie zum Motiv?«

»Nein. Wir wissen nichts.«

Ich war froh, als es vorbei war.

Liebekind hielt mich am Ärmel fest, als ich mich zusammen mit den anderen verdrücken wollte. Er hatte das angedrohte Gespräch leider nicht vergessen.

»Ich hab einfach zu wenig Leute«, kam ich ihm zuvor. »Ich würde ja liebend gerne im Büro bleiben, aber es muss doch vorangehen. Akten aufarbeiten kann ich auch noch, wenn wir den Mörder haben.«

Das wirkte. Er entließ mich ohne das befürchtete Donnerwetter. Aber mein Stern war im Sinkflug.

Anschließend fuhr ich ins Klinikum hinaus, diesmal, ohne einen Termin zu haben. Dennoch wurde ich sofort vorgelassen. Grotheer war blass und sehr nervös.

»Wer sollte das sein?«, fragte er unglücklich, nahm seine feine Goldrandbrille ab und legte sie auf den beneidenswert aufgeräumten Schreibtisch. »Wer sollte denn etwas gegen meine Kinder haben, um Himmels Willen?«

Ich erinnerte ihn an William Gardeners Tod.

»Ja, ich entsinne mich. Natürlich entsinne ich mich. Meine Kinder haben damals unter dieser entsetzlichen Geschichte sehr gelitten. Wir alle. Vor allem aber Sylvia. Aber Patrick auch, nicht dass Sie denken ...«

»Fallen Ihnen andere Ereignisse ähnlicher Tragweite ein?«

Erschöpft schüttelte er den schmalen Kopf, setzte die Brille auf und wieder ab. »Nein. Beim besten Willen, nein. Seit Jahren gehen ... gingen die Kinder ohnehin eigene Wege.«

Marianne Schmitz bekam ich an diesem Tag nicht zu Gesicht, obwohl ich sogar einen kleinen Umweg machte, um an ihrem Büro vorbeizukommen. Es war leer, und nach ihr zu fragen, traute ich mich nicht. Ich wusste nicht, welche Begründung ich für mein Interesse hätte nennen sollen.

Auch das Gespräch mit der Mutter brachte nichts. Frau Grotheer stand unter dem Einfluss starker Beruhigungsmittel und war nicht ansprechbar. Eine aus der Klinik abkommandierte Schwester achtete mit strenger Miene darauf, dass ich zügig wieder verschwand, nachdem ich die Sinnlosigkeit meines Versuchs eingesehen hatte.

15

Am Wochenende gab ich mir frei. Wir begannen zu packen. Mehrmals fuhr ich mit den Mädchen im voll geladenen Peugeot nach Heidelberg, um erste Dinge hinzubringen. Der Makler hatte mir Schlüssel besorgt, obwohl die Wohnung mir noch gar nicht gehörte. Um meinen guten Willen zu demonstrieren, gehörte der alte Schrank aus dem Keller, an dem die Herzen meiner Töchter hingen und der aufgrund einer alten Geschichte den Namen »Amerika« trug, zu den ersten Sachen, die in Heidelberg ankamen.

Am Samstagabend spielten wir Monopoly, und die Zwillinge gewannen erwartungsgemäß haushoch. Auch das hob ihre Laune nicht. Zwischendurch erstatteten meine Leute regelmäßig per Handy Bericht. Aber es gab nicht viel Neues. Ein Anwohner meinte tatsächlich, in der Nacht auf Freitag am südlichen Ortsrand von Dossenheim das Anlassen eines schweren Dieselmotors gehört zu haben. Ein paar andere Zeugen glaubten ebenfalls, dies und jenes beobachtet oder erlauscht zu haben. Über den Fahrer nichts. Es stand nicht einmal fest, ob es sich um einen Mann handelte. Das meiste war ohnehin nur der übliche Unfug.

Natürlich mochten die Zwillinge die Wohnung nicht. »Hier ist ja alles im selben Stockwerk! Das ist doof!«

»Das kann aber auch ein Vorteil sein.«

»Und wir haben nur ein Bad!«

»Ihr benutzt eures ja sowieso nie. Und dafür habt ihr jetzt getrennte Zimmer.«

Sie wollten keine getrennten Zimmer.

Am Nachmittag versuchte ich sie zu einem Spaziergang zum Schloss hinauf zu überreden. Sie erklärten mich für verrückt. Ich versuchte, ihnen die Sache schmackhaft zu machen, indem ich fragte, was sie wohl meinten, warum die Fürsten damals ihre Wohnsitze auf den Berg verlegt hatten und nicht wie gewöhnliche Leute am Fluss wohnen wollten.

»Weil sie blöd waren«, bekam ich zu hören.

Am Montag standen wir gemeinsam um sieben auf, frühstückten eilig, und eine Stunde später lud ich meine Töchter vor ihrer neuen Schule gegenüber dem Heidelberger Bergfriedhof ab.

»Du kommst aber mit rein, ja?«, fragten sie im Chor.

»Eine Schultüte braucht ihr aber nicht? Ihr werdet demnächst vierzehn, Kinder!«

»Wir sind keine Kinder. Und du kommst trotzdem mit rein! Wir kennen doch da überhaupt keinen.«

Sie hatten wirklich Angst. So zierte ich mich noch ein wenig, gab schließlich nach und begleitete sie in die neue Klasse. Geduldig wartete ich mit ihnen auf die Klassenlehrerin, eine schlanke Dame in den Fünfzigern, die sie freundlich in Empfang nahm. Ich versprach, sie nach der fünften Stunde abzuholen und mit ins Büro zu nehmen. In die Wohnung wollten sie auf keinen Fall alleine. Nun hatte ich nicht nur miserable Laune, sondern auch noch ein schlechtes Gewissen.

Wieder einmal erwarteten mich Neuigkeiten. Heute ausnahmsweise gute. Anhand der Spuren an Patrick Grotheers Kombi war es gelungen, die Gegend einzugrenzen, wo sein Drogenlabor liegen musste, und es schließlich ausfindig zu machen. Balke und Runkel waren schon draußen.

Balke war am Telefon hörbar bester Laune.

»Chef, das müssen Sie sich einfach ansehen«, prustete er. »Sie werden sich nicht mehr einkriegen!«

Hartnäckig weigerte er sich, nähere Auskünfte zu geben. Ich solle kommen, und es mir ansehen. Ich gab mich rasch geschlagen. So erledigte ich noch ein paar Routinesachen, die Frau Walldorf mir vorlegte, frühstückte nebenbei, wofür sie mich tadelte, nahm meine tägliche Vitamin-A-Tablette mit dem letzten Schluck Kaffee und stieg wieder in meinen Peugeot. So kam ich aus dem Büro und lief nicht Gefahr, Liebekind unter die Augen zu geraten.

Auf dem Weg nach Hüttenthal, einem Nest, von dem ich nur wusste, dass er irgendwo hinter Michelbach lag, verfuhr ich mich viermal. Zu meinem Ärger musste ich mehrfach Balke telefonisch um Hilfe bitten. Unterwegs begann es wieder zu regnen.

Endlich hatte ich das unscheinbare Häuschen gefunden. Es stand einen halben Kilometer östlich des Orts leicht erhöht am Waldrand und war offenbar vor langer Zeit als bescheidenes Wochenendhaus errichtet worden. Der Blick ins flache Tal ging über abgemähte Wiesen. Irgendwo in der Nähe gurgelte ein Bächlein. Durch eine hohe, undurchdringliche Hecke und ein übermannshohes Tor aus massiven Holzplanken war das Haus gegen neugierige Blicke geschützt. Das Grundstück war hoffnungslos verwahrlost.

Balke erwartete mich mit einem breiten Grinsen im Gesicht vor der Tür und führte mich hinein. Durch einen dunklen Windfang betraten wir den einzigen Raum, der zugleich Wohn- und Schlafraum, Küche und Chemielabor war. An der Seitenwand stand ein rostiges Feldbett, vermutlich für den Notfall. Daneben ein Kocher, zwei Töpfe und ein wenig Geschirr für den kleinen Hunger zwischendurch, ein kleiner, abgewetzter Holztisch, ein einziger, ungepolsterter Stuhl. Der Wert des wenig beeindruckenden Labors stand in keinem Verhältnis zu den Summen, die hier vermutlich verdient wurden. Unter der gekachelten Arbeitsplatte befanden sich ein paar weiße und blaue Kunststoffkanister, darauf einige nicht sonderlich saubere Gerätschaften aus Glas, ein Küchenwecker, ein billiger Elektrokocher. Auf einem Regal einige kantige braune Flaschen mit verschiedenen Pulvern. Man brauchte erschreckend wenig, um mit Designerdrogen reich zu werden. Es roch nach Ammoniak und schimmeligen Socken.

»Und jetzt raten Sie mal, was hier hergestellt wurde.« Balke konnte gar nicht aufhören zu grinsen.

Aber mir war nicht nach Späßen zumute. Er wartete noch einige Sekunden auf eine Reaktion von mir, dann erlosch sein Lächeln.

»Viagra.«

»Viagra?«

»So was Ähnliches zumindest.« Er zeigte mir eine Büchse voller hellblauer Pillen. »Die Dinger sind gefaked. Ich habe mir mal seine Rohstoffe angeguckt. Viel Koffein scheint drin zu sein, und eine Menge Puderzucker, Farbstoff und noch ein paar andere Sachen.«

»Aber die Wirkung?«

»Rein psychodynamisch. Okay, das Koffein vielleicht.«

Ich zog mir den Stuhl heran. Er machte ein markerschütterndes Geräusch, als er über den groben Dielenboden schrammte.

»Kein Ecstasy?« Wieder eine Spur weniger.

»Vermute, er hat umfirmiert. Das hier ist viel ungefährlicher. Null Konkurrenz. Und die Gewinnspanne dürfte ähnlich sein, wenn nicht sogar höher.«

»Fälschung von Medikamenten ist ja wohl auch strafbar?«

»Finden Sie mal einen, der ihn anzeigt.«

»Das hat was für sich.« Ich legte das Gesicht in die Hände und atmete einige Male tief ein und aus. Aber es half nichts. Das Gefühl blieb, dass um mich herum alles zusammenbrach.

»Wenn die Dinger helfen, ist der Kunde glücklich und hat keinen Grund zu meckern«, sagte Balke fröhlich.

»Und wenn sie nicht helfen, beschwert er sich zweimal nicht, aus Angst vor der Blamage«, ergänzte ich.

Balke lachte. »Wir haben eine Menge Fingerspuren gefunden. Ein paar Telefonnummern, ein Adressbuch. Da drüben neben dem Laptop liegt auch das Handy mit der hohen Rechnung. Er hat von hier aus den Verkauf abgewickelt. Übers Internet, per Handy, das ganze Equipment vom Feinsten. Ich hab schon mal ein bisschen geguckt, aber der Laptop ist passwortgeschützt. Wird dauern, bis wir die Daten haben.«

Schnaufend kam Runkel hereingestolpert, der sich draußen umgesehen hatte, begrüßte mich erschrocken und wischte sich die Regentropfen aus dem Gesicht. Hinter ihm trat ein uniformierter, klapperdürrer Kollege ein, der uns, wie ich erfuhr, auf die richtige Spur gebracht hatte. Er hatte Grotheers Kombi einige Male gesehen und sich sicherheitshalber die Nummer notiert, weil Autos mit fremden Nummern in dieser Gegend offenbar grundsätzlich verdächtig waren.

Als ich halb verhungert und gänzlich frustriert mein Büro wieder betrat, erwarteten mich zwei vor Zorn glühende Teenager mit blitzenden Augen und zweistimmigem Gezeter. Meine Sekretärin stand mit betretener Miene dabei und rang die Hände.

Ich hatte sie vergessen. Meine Töchter. In ihrer neuen Schule. Ich, ihr »leibhaftiger« Vater, hatte meine Kinder vergessen. Sie meinten natürlich ihren »leiblichen« Vater. Ich würde darüber nachdenken müssen, was das bedeutete. Meine Kinder vergessen. In der Fremde. Ganz allein. Unter lauter unbekannten Menschen. Ich hasste diesen Tag.

Ungefragt erfuhr ich, dass sie eine halbe Stunde auf mich gewartet hatten, vor dem Grabstein-Geschäft, wie wir es verabredet hatten. Schließlich hatten sie einen Streifenwagen angehalten und den verdutzten Jungs erklärt, sie seien die Töchter des neuen Polizeipräsidenten und wünschten, ins

Büro ihres berühmten Vaters chauffiert zu werden. Nach einigen Telefonaten hatten die Kollegen ihnen den Gefallen getan und sie in die Obhut meiner braven Sekretärin übergeben. Inzwischen hatten sie viel Fürsorge genossen, reichlich gegessen, unter anderem je drei Portionen Karamellpudding, und konnten sich voll und ganz auf ihre Empörung konzentrieren.

Wieder einmal fiel mir auf, wie gut sie aufeinander eingespielt waren. Ihre Gehirne arbeiteten vollkommen synchron. Sie waren imstande, sich beim Sprechen mitten im Satz abzulösen, ohne dass man den Wechsel überhaupt bemerkte. Dadurch entfiel bei ihnen jede Atempause. Ich hatte nicht die geringste Chance, zu Wort zu kommen.

Seufzend spendierte ich ihnen schließlich einen Zwanziger und die Erlaubnis, sich dafür zu kaufen, was sie wollten. Beim Anblick des Geldscheins beruhigten sie sich fast augenblicklich. Dennoch hatten sie unverkennbar mit mehr gerechnet.

Dann trommelte ich meine Leute zusammen und ließ mir Bericht erstatten. Wir waren keinen Schritt weitergekommen.

Vangelis hatte noch einmal mit dem Zeugen gesprochen, der in der Nacht auf Freitag den älteren Mann in der Nähe der Baustelle gesehen haben wollte. »Viel ist ihm nicht eingefallen, auch nachdem er wieder nüchtern war. Einsfünfundsiebzig bis einsachtzig soll er groß gewesen sein, fünfzig bis fünfundsechzig Jahre. Und graue Haare, lange graue Haare hat er gehabt. Dann meint der Zeuge noch, der Mann könnte ein wenig gehinkt haben. Aber da ist er nicht sicher. Es war ja stockdunkel. Ich habe mir die Beleuchtung bei Nacht angesehen. Viel sieht man da wirklich nicht.«

»Wie glaubwürdig ist dieser Zeuge?«

Sie hob die Schultern. »Er ist kein Spinner. Aber er war in der fraglichen Nacht eben ziemlich blau.«

Mangels besserer Ideen beauftragte ich Runkel, ein wenig in Helen Gardeners Vorgeschichte herumzustöbern und herauszufinden, womit sie früher ihr Geld verdient hatte und wovon sie heute lebte. Die merkwürdige Reaktion ihres Sohnes auf diese einfachen Fragen ging mir nicht aus dem Kopf.

Vermutlich war ich einfach zu frustriert und wütend, um schnell zu schalten. So waren sie schon in der Tür, als ich endlich zu mir kam. Ich rief Vangelis zurück und berichtete ihr von Balkes Theorie, dass auch Patrick Grotheers Mörder ein Bein nachgezogen hatte. Sie setzte sich und sah mich lange an.

»Er hat lange graue Haare, er hinkt ...«, flüsterte sie, während ihre Augen größer und größer wurden.

Schließlich nickten wir beide völlig gleichzeitig, und ich griff zum Telefon. Sekunden später hatte ich die Stationsschwester am Apparat.

»Unser Hausmeister? Der ist verschwunden, das stimmt. Seit letzten Dienstag schon. Tausendmal haben wir bei dem Kerl angerufen, aber er nimmt nicht ab. Wenn der sich nicht bald meldet, und zwar mit einer superguten Ausrede, dann wird er gefeuert, dafür werde ich persönlich sorgen.«

»Seit wann arbeitet er bei Ihnen?«

»Warten Sie ... seit März. Im Februar ist der alte Pelzer in Rente gegangen. Und am ersten März hat der Simon bei uns angefangen. Eigentlich sind wir ganz zufrieden mit ihm. Hat nicht rumgequatscht, nicht mit den Hilfsschwestern geschäkert, sondern seine Arbeit gemacht. Immer pünktlich, nie krank, so einen können wir brauchen. Weiß der Teufel, was auf einmal in den Mann gefahren ist.«

»Wie war der Name?«

»Simon. Georg Simon.«

Ich notierte mir seine Adresse und legte auf. Vangelis hatte mitgehört.

»Es wird in der Stadt Tausende geben, die ein Bein nachziehen«, meinte sie nachdenklich.

»Wenn wir die Hälfte abziehen, die weiblichen Geschlechts ist, und all die, bei denen das Alter nicht passt ...«

»Dennoch«, beharrte sie. »Andererseits …« Sie sprang auf und setzte sich gleich wieder.

»Andererseits?«

»Haben die in so einer Klinik nicht auch Überschuhe aus Plastikfolie? Und solche Overalls?«

Ich drückte die Wahlwiederholung. Diesmal dauerte es eine Weile, bis jemand abnahm. »Klar«, sagte der junge Mann schließlich, dessen Stimme ich sofort wiedererkannte. Er hatte uns anonym vom Streit zwischen Marianne Schmitz und Patrick Grotheer berichtet. »In den Labors haben wir solche Sachen, wenn mit Viren gearbeitet wird, zum Beispiel. Und dann auf manchen Stationen, wo es hoch steril sein muss.«

Lange sahen wir uns schweigend an. In Vangelis' Gesicht arbeitete es. Ich stellte fest, dass sie beeindruckend dunkle Augen hatte. Heute trug sie einen Hosenanzug, der nach meiner Einschätzung von einem italienischen Schneider stammte.

»Haben Sie schon gegessen?«, fragte ich schließlich.

Sie erhob sich sofort. »In der Kantine gibt's jetzt nichts mehr. Gehen wir doch ins Merlin.«

Das Lokal lag nur wenige Meter vom Eingang der Polizeidirektion an einer Ecke und gefiel mir sofort. Bei besserem Wetter konnte man sogar draußen sitzen. Ich bestellte mir einen Salat mit Hähnchenbruststreifen. Vangelis wählte Spaghetti mit Muscheln. Wir aßen schweigend.

»Wie machen Sie das eigentlich mit Ihren Kleidern?«, fragte ich und schob den Teller von mir. »Das muss doch alles unvorstellbar teuer sein, was Sie tragen. Und ich weiß ja, was man hier verdient. Ich hab gesehen, dass Sie sogar die Etiketten raustrennen, damit es niemand merkt. Aber mich können Sie nicht täuschen.«

Sie lachte! Klara Vangelis lachte wie ein Mädchen. »Ich schneidere sie selbst«, erklärte sie mit sichtlichem Stolz. »Ich gehe in eine gute Boutique, suche mir was Schönes aus von Dior oder Yves Saint Laurent oder Laura Biagotti, probiere es gründlich an, studiere den Schnitt und mache mir manchmal noch heimlich kleine Skizzen in der Umkleidekabine. Der Rest ist dann gar nicht so schwer. Wenn man es kann.«

»Und ich dachte, Sie schneiden die Etiketten heraus, damit nicht auffällt, wie sehr Sie über Ihre Verhältnisse leben.«

Als wir uns im Treppenhaus verabschiedeten, war ihr Lächeln schon wieder verschwunden.

»Ich will alles über diesen verschwundenen Hausmeister wissen«, sagte ich. »Ich werde heute noch mit Grotheer reden. Vielleicht hat's ja Streit gegeben mit dem Mann.«

»Simon, sagen Sie?«, fragte Marianne Schmitz ratlos. »Und der soll Hausmeister bei uns sein? Die wechseln öfter mal. Man kann sich das nicht alles merken, sorry.«

»Fallen Ihnen irgendwelche Ereignisse ein, wo er sich vielleicht schlecht behandelt gefühlt hat? Gab es Beschwerden? Vielleicht auch völlig aus der Luft gegriffene?«

»Ehrlich, ich kenne den Mann nicht. Wie sieht er denn aus?«

Ich beschrieb Georg Simon, soweit es mir möglich war.

Sie griff zum Hörer und telefonierte mit drei verschiedenen Untergebenen. Niemand konnte sich daran erinnern, dass es mit Georg Simon jemals Ärger gegeben hätte. Zum Abschied drückte sie mir die Hand und lächelte traurig.

Im Büro erwartete mich Vangelis. Mit dem Blick eines Raubtiers vor dem Sprung tigerte sie vor meinem Schreibtisch auf und ab.

»Dieser Hausmeister ist heiß! Absolut heiß!«, begann sie, noch bevor ich mich gesetzt hatte. »Er hat sich in Luft aufgelöst. Er hat eine kleine möblierte Wohnung in Eppelheim draußen, aber da ist er seit Wochen nicht mehr gewesen. Kein Nachbar kann sich daran erinnern, den Mann je gesehen zu haben.« Fieberhaft blätterte sie in ihrem Notizbuch. »Laut Melderegister ist er im Frühjahr aus Wuppertal zugezogen, was aber definitiv nicht stimmt. Jedenfalls war er dort nie gemeldet. Die Wohnung hat er über einen Makler gemietet, der ihn ein einziges Mal gesehen hat. Er kann sich mit Mühe daran erinnern, dass es ein Mann war, mehr nicht. Die Miete wurde per Dauerauftrag bezahlt, und zwar von dem Konto, auf das die Klinik das Gehalt überwies.« Sie klappte ihr Notizbuch zu und sah auf. »Sein Briefkasten ist vor sechs Wochen zuletzt geleert worden. Wir haben es anhand der Prospekte rekonstruieren können, die drin steckten. Post scheint er überhaupt keine bekommen zu haben.«

Jetzt hatte ich ebenfalls Mühe, meine Erregung zu unterdrücken. »Wir brauchen Bilder. Vielleicht gibt's in der Klinik Fotos, wo er drauf ist? Geburtstagsfeiern, Betriebsausflüge, es wird doch immer und überall fotografiert.«

»Ist schon in Arbeit. Vier Leute sind im Klinikum draußen und löchern jeden, der ihn kennt. Außerdem habe ich alle, die regelmäßig mit ihm zu tun hatten, zum Erkennungsdienst gebeten. Vielleicht kriegen wir ja auf diesem Weg wenigstens ein brauchbares Phantombild. Und seine Fingerabdrücke müssten dort ja auch irgendwo zu finden sein.«

Wir sollten uns täuschen. Das einzige Bild, auf dem Georg Simon zu sehen war, war das unscharfe Automatenfoto in seiner Bewerbungsmappe. Auch Fingerabdrücke fanden sich weder in seinem kleinen Dienstzimmer im Keller der Klinik, noch in der Wohnung in Eppelheim. Wer immer dieser Mann war, er wusste beängstigend genau, was er tat.

16

Gegen halb sechs erschienen meine Töchter wieder und erklärten mir empört, dieses Heidelberg sei wirklich der allerletzte Scheiß. Zwar gebe es coole Geschäfte, okay, und schon auch süße Jungs hie und da. Aber dieses Schloss, zum Beispiel, das sei ja ganz kaputt. Kein Vergleich mit dem Karlsruher Schloss. Und dann dieser lächerliche Neckar, ein Witz, ein Bach, gemessen am Rhein! Und schließlich – echt voll die

Katastrophe – dieser Dialekt, den die Leute hier sprachen, sogar manche Lehrer! Von der Schule wollten sie ansonsten gar nicht erst anfangen. Und außerdem hätten sie in dieser ganzen jämmerlichen Stadt bisher sage und schreibe einen einzigen McDonald's gefunden.

Ultimativ verlangten sie, ich solle den Verkauf unseres Hauses rückgängig machen und sie wieder an ihrer alten Schule anmelden. Als ich ihnen erklärte, dies sei beim besten Willen nicht möglich, brachen sie in Tränen aus. In echte, diesmal.

In Gedanken versunken und aus unterschiedlichen Gründen schlechter Laune fuhren wir bald darauf nach Karlsruhe. Die Mädchen verweigerten die Nahrungsaufnahme und verschwanden sofort in ihrem Zimmer. Trotzig packte ich ein paar Kartons und fuhr sie nach Heidelberg.

In zwei Wochen würden wir umziehen, meine jeder Aufgabe gewachsene Sekretärin hatte inzwischen einen Spediteur engagiert. Damit würden wir endgültig die Vergangenheit hinter uns lassen. Ich meine Ehe, die Zwillinge ihre Kindheit. Das war hart für sie, ich verstand sie ja. Aber sie würden sich eingewöhnen, da war ich mir sicher.

Natürlich war mir bewusst, dass meine Beschäftigung vollkommen sinnlos war. Aber ich musste einfach etwas tun, irgendwas mit den Händen, wovon man später etwas sehen würde. Was mir das Gefühl gab, nützlich zu sein, etwas bewegt zu haben, an diesem unseligen Tag nicht nur im Kreis herumgerannt zu sein. Der Stapel im Keller, der zum Sperrmüll sollte, war inzwischen fast bis unter die Decke angewachsen.

In der Kleinschmidtstraße parkte ich den Peugeot in der zweiten Reihe, schaltete die Warnblinkleuchten ein und begann lustlos, meine Kisten in den Keller zu schleppen. Wozu sollte ich mich beeilen? Zu Hause erwartete mich ein bis auf zwei übellaunige Teenager menschenleeres Haus. Auf Musik hatte ich keine Lust. Wein wollte ich mir heute nicht erlauben. Ich wusste, wie es endete, wenn ich in meiner jetzigen

Verfassung eine Flasche öffnete. Aber all diese Gründe waren vorgeschoben. In Wirklichkeit wollte ich nur Zeit verstreichen lassen – in der Hoffnung, jemanden zu treffen.

Sie kam ungefähr zur selben Zeit wie letztes Mal. Plötzlich stand sie da. Im selben Rock wie letzte Woche, mit derselben großen Handtasche über der Schulter, mit demselben Lächeln im Gesicht. Ich wollte sie umarmen und wusste nicht, ob ich es durfte. Wollte sie küssen und war sicher, dass sie das in der Öffentlichkeit nicht wollte. So reichte ich ihr die Hand und redete irgendeinen Unsinn.

»Hallo«, sagte sie leise. »Wirklich ein schönes Haus.«

»Ja, nicht wahr?«, stammelte ich.

»Haben Sie ein wenig Zeit?«

»Aber klar. Klar doch. Muss nur eben den Wagen ...«

»Wir könnten ein bisschen spazieren gehen. Haben Sie Lust?«

»Gerne. Klar. Gerne.«

Ich fand einen Parkplatz in einer Seitenstraße, inzwischen verfügte ich ja dank meiner tapferen Sekretärin über eine offizielle Parkerlaubnis, schloss mit feuchten Fingern ab, lief zurück und fürchtete, sie könnte verschwunden sein. Aber sie stand noch an derselben Stelle und lächelte ihr wissendes Lächeln.

Schweigend gingen wir nebeneinander her, überquerten die immer noch stark befahrene Rohrbacher Straße. Bald ging es eine Steigung hinauf. Der Weg war anstrengend, und ich geriet außer Atem. Ein letztes Haus mit taubenblauen Fensterläden blieb zurück, der Weg führte weiter ansteigend in den Wald. Außer vereinzelten späten Joggern trafen wir niemanden. Meine Aufregung war verschwunden. Ich fühlte mich wohl neben dieser Frau. Immer noch schwiegen wir.

Plötzlich öffnete sich der Wald, und ein Blick auf die erleuchtete Altstadt hinunter tat sich auf.

»Schön.« Ich blieb stehen.

»Nicht wahr?«, sagte sie leise und ergriff meine Hand. So standen wir in der heraufziehenden Dämmerung, ich weiß nicht, wie lange, lauschten auf die Geräusche der Stadt, ihr Summen und Sausen, hie und da das Hupen eines Autos, das Heulen eines Motorrads. Beleuchtete Kirchtürme stachen in den im Osten schon dunklen Himmel, die alte Steinbrücke, ganz rechts am Hang das angestrahlte rote Schloss. Im Westen wand sich das silberfarbene Band des Neckars in die Ebene hinaus, in der Ferne die Lichter Mannheims. Der letzte Widerschein von Sonnenlicht lag über dem Rheintal. Und das Merkwürdige war: Ich dachte die ganze Zeit nichts. Weder an Sex noch an meinen restlos verfahrenen Fall oder an meine bockigen Töchter. Ich fühlte mich frei wie selten mit einem Menschen. Da schwebten keine Erwartungen, lastete kein Zwang. Einfach nur eine schöne Aussicht und neben mir ein Mensch, dem ich vertraute, ohne im Geringsten zu wissen, aus welchem Grund.

»Und jeden blickt's wie seine Heimat an«, flüsterte sie.

»Das dürfte nicht von Oscar Wilde sein.«

»Eichendorff.« Ich glaubte zu hören, dass sie lächelte.

Ich nahm sie in die Arme und küsste sie ganz leicht. Auf den Mund, auf die geschlossenen großen Augen. Ich strich über ihr volles Haar. Dann machten wir kehrt und schlenderten zurück.

»Würden Sie mir erzählen, wie sie gestorben ist?«, fragte sie nach langem Schweigen mit verhaltener Stimme, und ich wusste sofort, dass sie nicht Sylvia Grotheer meinte. Inzwischen war es Nacht geworden, wir gingen langsamer und setzten unsere Schritte vorsichtig.

Ich musste mehrmals schlucken, bevor ich antworten konnte. »Sie hatte Zahnschmerzen. Seit Tagen schon. Ein Weisheitszahn, sollte schon lange raus, aber wie das so ist – sie hat es immer wieder hinausgeschoben. Irgendwann ging's dann einfach nicht mehr. Sie ist morgens in die Stadt gefahren, mit der Bahn. Hat sich den Zahn ziehen lassen und später noch ein bisschen gebummelt. Ein Kleid gekauft, das sie sich schon lange wünschte. Als Belohnung vielleicht, für ihre Tapferkeit. Dann ist sie nach Hause gefahren, kurz vor elf. Die S 1 geht um zehn Uhr achtundfünfzig am Europa-platz, da ist sie eingestiegen, ich habe den Stempel auf ihrer Fahrkarte gesehen. An der Endhaltestelle wollte der Fahrer sie wecken. Hat gedacht, sie ist vielleicht betrunken.«

»Danke«, sagte sie und nahm wieder meine Hand.

Der Wald blieb zurück, es wurde wieder ein wenig heller.

»Ein Blutgerinnsel im Gehirn, hat ein Arzt mir später er-klärt. Man weiß nicht mal, ob es was mit dem Zahn zu tun hatte.« Eine Weile hing ich meinen Gedanken nach. Sie schwieg. Aber es gab noch etwas, was ich loswerden musste. »Wir hatten uns an diesem Morgen gestritten. Fürchterlich gestritten. Ich war so wütend auf sie, so unglaublich wütend, als ich wegging ...« Ich blieb stehen, sie sah mir ins Gesicht. »Ich habe mir gewünscht, ich wäre sie los. Sie wäre weg. Ein-fach nicht mehr da, wenn ich abends heimkomme, und ich hätte endlich meinen Frieden.«

»Danke«, sagte sie wieder und drückte meine Hand fester. Wir gingen weiter.

»Ich glaube, ich bin es, der danke sagen muss«, hörte ich mich zu meiner Verwunderung sagen.

Als wieder Häuser in Sicht kamen, ließ sie meine Hand los. Den Rest des Weges gingen wir schweigend. Zum Ab-schied strich sie mir übers Haar wie einem Kind, das sich wehgetan hat.

»Was haben Sie mit dem Kleid gemacht?«, fragte sie.

»Es ist das einzige, das ich nicht weggegeben habe.«

Sie nickte, als hätte sie mit genau dieser Antwort gerech-net und ging.

Während der Rückfahrt fühlte ich mich leicht. Es war das erste Mal, dass ich mit jemandem über Veras Tod gespro-chen hatte. Ich hatte erwartet, dass mich das traurig stim-men würde. Aber es war nicht so.

Die Zwillinge schliefen längst, als ich nach Hause kam.

Am nächsten Morgen erwachte ich mit dem schönen Gefühl, angenehm geträumt zu haben, ohne mich an irgendetwas erinnern zu können. Erst auf der Fahrt nach Heidelberg mit zwei verstockt schweigenden Mädchen auf der Rückbank begann ich darüber nachzudenken, woher die Frau wohl von Veras Tod wusste. Sie schien alles über mich zu wissen. Woher nur?

Sonja Walldorf war sichtlich bedrückt. Wie üblich hatte sie auf einem der Besucherstühle Platz genommen, um sich ein wenig über private Belanglosigkeiten mit mir zu unterhalten und mir beim Frühstück Gesellschaft zu leisten. Heute war sie auffallend wortkarg. So klagte ich ihr wieder einmal mein Leid als allein erziehender Vater, ließ mir von ihr bestätigen, dass man Kindern im Alter meiner Töchter einen Umzug durchaus zumuten könne, aber nicht einmal dieses Thema schien sie heute zu interessieren. Schließlich gab sie sich einen deutlich sichtbaren Ruck.

Ohne aufzusehen, begann sie mit kläglicher Stimme: »Ihr Vorgänger, Herr Kriminalrat, also ...«

»Seifried?«

Sie sah hartnäckig auf die Spitzen ihrer cremeweißen Pumps. »Wissen Sie, also ... wie der mich immer genannt hat, der Herr Seifried?«

Ich legte das angebissene Croissant auf den Teller zurück, verschränkte die Hände im Genick und wartete. Ihr ohnehin rosiges Gesicht nahm eine Besorgnis erregende Farbe an.

»Also ... Es ist nämlich ...«

Eine Sekunde fürchtete ich, sie würde in Tränen ausbrechen oder einfach davonlaufen. Dann brachte sie es endlich über sich.

»Sönnchen hat er mich immer genannt, der Herr Seifried.«

»Sönnchen?«

»Weil ... von Sonja ...« Sie nickte mit einer Miene, als hätte sie etwas wirklich Schreckliches angestellt.

»Und Sie möchten ...?«

»Es würde mich sehr freuen«, wisperte sie und hielt den Blick standhaft gesenkt.

Ich beugte mich vor und reichte ihr die Hand.

»Okay, dann also Sönnchen. Ich heiße Alexander.«

Sie sah mir erschrocken ins Gesicht. »Ich weiß, Herr Kriminalrat«, flüsterte sie verwirrt, ergriff meine Hand und ließ sie sofort wieder los.

»Nicht Kriminalrat. Alexander.«

»Alexander.« Sie sprang auf und floh. Bis zu diesem Zeitpunkt hatte ich keine Vorstellung davon gehabt, wie tief ein Mensch erröten kann.

Kurz nach neun erschien Balke mit einer Akte in der Hand, die nur ein einziges Blatt enthielt. Er war wütend wie noch selten.

»Diese Marvenport and Partners, ich finde einfach nicht raus, was die treiben.«

Ich war mit meinen Gedanken nicht bei der Sache. »Marvenport und wer?«

»Diese Firma auf Guernsey, die die Wohnung neben dem jungen Grotheer angemietet hat. Ungefähr tausend Mal hab ich da angerufen. Aber es geht keiner ran, nicht mal ein Anrufbeantworter. Sie haben keine Website, die Internet-Suchmaschinen haben den Namen nie gehört. Irgendwie ist das, als ob die überhaupt nicht existieren.«

»Was sagen die dortigen Kollegen dazu?«

»Wenig bis gar nichts. Das sei eine Ingenieurfirma, heißt es, die machen Projekt-Management, Projekte im Ausland, weltweit. Mehr verraten sie mir nicht.«

»Irgendwelche Namen? Die müssen doch wissen, wie der Geschäftsführer heißt.«

»Darauf warte ich noch. Aber es ist verdammt schwierig. England ist nicht zuständig, und die lokale Verwaltung dort auf der Insel ist nicht sonderlich gesprächig.«

»Bleiben Sie dran. Die Chancen sind nicht groß, dass es was bringt, aber bleiben Sie mal dran«, entschied ich. »Wir haben ja sonst nicht viel.«

»Wie geht's Ihren Mädchen in der neuen Schule?«

»Immerhin sind sie heute wieder hingegangen. Das muss man als Erfolg werten«, seufzte ich.

»Süße Hüpferchen, die beiden. Aus denen wird noch was.«

»Falls Sie nicht die Finger von ihnen lassen, Herr Balke, dann werde ich mich persönlich dafür einsetzen, dass Sie nach Badisch Sibirien versetzt werden und bis an Ihr Lebensende die Grenze nach Schwaben bewachen.« Natürlich fühlte ich mich geschmeichelt. Aber ich hätte es niemals zugegeben.

Mit einem Grinsen im unrasierten Gesicht verschwand er.

Fünf Minuten später läutete das Telefon. Balke war heiser vor Aufregung. »Ein Hammer, Chef. Ein absoluter Hammer. Kann ich mal kurz kommen?«

Augenblicke später stand er schwer atmend vor meinem Schreibtisch.

»Eben ist das Fax gekommen von den Kollegen auf Guernsey. Geschäftsführer dieser Firma ist ein gewisser Raoul de Falconet, ein Franzose.« Er fiel auf einen Stuhl. »Ich hab den Namen dann spaßeshalber mal bei Google eingegeben. Und was finde ich?« Er warf mir einen Computer-Ausdruck auf den Tisch. »Ein Foto von einer gewissen Geraldine de Falconet. Aufgenommen bei der Einweihung einer Klinik in Somalia im vorletzten Jahr. Und daneben steht ein Kerl ...« Er hämmerte mit der Spitze seines Zeigefingers auf das Bild. »Und dieser Kerl hat verteufelte Ähnlichkeit mit unserem Professor, finden Sie nicht?«

Ich sah mir das Foto lange und genau an. »Weiß nicht«, sagte ich schließlich. »Kann sein, kann nicht sein.«

»Hat die Tochter nicht erzählt, er unterstützt humanitäre Projekte? Da stand irgendwas von einer Stiftung, die das Krankenhaus finanziert hat. In Lausanne sitzen die.«

»Schon, ja.« Ich schob ihm das Blatt zurück. »Aber so selten wird dieser Name vielleicht gar nicht sein, und ob das da wirklich Grotheer ist? Das Bild ist ja nicht besonders scharf.«

»Vielleicht sponsert er diese Stiftung mit der Kohle, die er für mildtätige Zwecke abdrückt? Ist wahrscheinlich für die Steuer günstig, wenn das über die Schweiz läuft.«

»Warum sollte das für die Steuer günstig sein?«

»Chef, wenn Geld in der Schweiz verschwindet, dann kringeln sich bei mir sofort die Zehnägel! Ich meine, die Schweiz, das weiß doch jeder ...«

»Sie haben ein bisschen viel Phantasie, lieber Herr Balke. Und vielleicht auch zu viele Vorurteile. In der Schweiz sitzt eine Menge solcher Institutionen. Das Rote Kreuz, Terre des Hommes. Und wir können Grotheer wohl kaum vorschreiben, wie er sein Geld unter die Menschheit bringt. Ich finde das jedenfalls sehr bemerkenswert, dass er es nicht in Immobilien anlegt oder im Casino oder an der Börse, sondern zusieht, dass auch andere was abkriegen von dem Segen. Menschen, die es nötiger haben als er und wir!«

Ohne es zu wollen, war ich bei den letzten Worten heftig geworden. Balke schwieg betreten. Ich hatte das Gefühl, ihm etwas Gutes tun zu müssen.

»Lassen Sie uns nochmal zu diesem Hochhaus im Emmertsgrund hinausfahren. Vielleicht werden wir ja dort schlauer.«

17

Der bärtige Hausmeister begleitete Vangelis, Balke und mich verwundert in die Tiefgarage. Wir besichtigten die Stelle, an der Fitzgerald Gardener niedergeschlagen worden war, falls seine Aussage der Wahrheit entsprach. Natürlich gab es nichts zu sehen.

»Ist hier inzwischen geputzt worden?«, fragte ich.

»Hier wird nicht so oft geputzt«, antwortete der Hausmeister misstrauisch.

»Da hinten könnte er gewartet haben«, meinte Balke und wies auf eine dunkle Ecke hinter dem Fahrstuhl. »Da sollte was zu finden sein, wenn er da gestanden hat. Fußspuren zumindest.«

»Fingerabdrücke wären mir lieber«, sagte ich nachdenklich. »Aber das ist ja alles rauer Beton hier. Da kann einer stundenlang dran rumgrapschen, ohne dass man was findet.«

Vangelis telefonierte nach der Spurensicherung.

»Er stellt seine Maschine dort ab«, überlegte Balke mit raumgreifenden Gesten. »Unser Täter weiß vielleicht aus irgendwelchen Gründen, dass er kommt, vielleicht, weil er sein Opfer schon länger beobachtet hat. Er schlägt Gardener von hinten nieder, schleift ihn in die Ecke da drüben ...«

»Hier sind Schleifspuren«, fiel Vangelis ihm ins Wort, ging in die Hocke und inspizierte den staubigen Boden.

»Er nimmt ihm die Schlüssel ab, schließt das Aufbewahrungsfach der Maschine auf«, griff ich Balkes Gedankengang auf. »So was haben die doch?«

Balke nickte. »Unterm Sitz. Hab mich erkundigt. Unterm Sitz.«

»Er findet diesen Lappen ...« Ich ließ die Hände sinken. »Aber wozu der ganze Zirkus? Warum nimmt er nicht einen anderen Knebel? Warum kauft er sich nicht irgendwo ein Messer? Warum nimmt er dieses Risiko auf sich?«

»Um Gardener reinzureiten?«, schlug Balke vor.

»Vielleicht will er es für uns ein bisschen spannend machen?«, sagte Vangelis.

Wir stiegen in den Lift, und der Hausmeister drückte den obersten Knopf. Vor Patrick Grotheers versiegelter Wohnungstür machten wir Halt und sahen uns um. Links führte eine hellgraue Stahltür ins Treppenhaus, an der schon hie und da der Lack abgeblättert war. An dem grünen Schild, das den Fluchtweg anzeigte, fehlte eine Ecke. Hinter uns die mit einem vergitterten Fensterchen versehene Fahrstuhltür, zwei Meter daneben der Eingang zur Wohnung der Marvenport and Partners. Irgendwo im Haus kochte jemand Sauerkraut.

»Wohin geht's da?«, fragte ich den Hausmeister und wies auf eine schmale Stahltür, die mir bisher nicht aufgefallen war.

»Aufs Dach.«

»Steht die offen?«

Er schüttelte den Kopf. »Muss immer abgeschlossen sein. Aus Sicherheitsgründen.«

Demonstrativ drückte er die Klinke. Die Tür war unverschlossen. Wir warfen einen Blick auf die dahinter liegende Treppe. Aber auch dort gab es nichts zu sehen als Staub und ein wenig Herbstlaub vom vorigen Jahr.

»Warum hat er ihn reingelassen?«, fragte Vangelis sich selbst. »Die Tür hat einen Spion. Warum hat er den nicht benutzt?«

»Er wird ihn gekannt haben«, meinte Balke achselzuckend.

»Gardener sagt, er sei mit ihm verabredet gewesen. Grotheer hat also Besuch erwartet und keine Notwendigkeit gesehen, zu überprüfen, ob der Richtige vor der Tür steht.« Ich versuchte, durch den Spion nach innen zu sehen, was natürlich nicht gelang. »Er hat sich nicht bedroht gefühlt.«

»Das Telefon«, murmelte Vangelis. »Was, wenn er das Telefon abgehört hat? Dann wusste er, dass Grotheer Besuch bekommt.«

Irgendwo im Haus tobte eine Horde Kinder einen Flur entlang. Der Lift verschwand summend in der Tiefe.

Mir fiel auf, dass der Hausmeister ständig Abstand zur gegenüberliegenden Wohnungstür hielt und niemals dort hinsah. So, als wollte er sie nicht unnötig in Erinnerung bringen.

»Wir dürfen uns doch da drin mal ein bisschen umsehen?«, fragte ich in einem Ton, als wäre es die selbstverständlichste Sache der Welt.

Augenblicklich schüttelte er den Kopf. »Nicht, solange Sie keinen Durchsuchungsbeschluss haben.«

Es war offensichtlich, dass er die Antwort schon parat gehabt hatte. Ich bat die beiden anderen, unten beim Wagen auf die Spurentruppe zu warten, die jeden Moment kommen musste. Nachdem sie weg waren, wandte mich an den Hausmeister.

»Nehmen wir mal an, das Dach wäre undicht geworden,

und Sie müssten die oberen Appartements kontrollieren, ob es reingeregnet hat. Das dürften Sie doch, nicht wahr?«

»Das Dach ist nicht undicht. Das ist vor zwei Jahren erst gemacht worden.« Seine Miene wurde unruhig, er begann den Braten zu riechen. »Es hat auch nicht so viel geregnet, die letzten Wochen.«

»Ein Gewitter. Stellen Sie sich vor, es hätte letzte Nacht einen Wolkenbruch gegeben. Dann wäre es doch Ihre Pflicht nachzuprüfen, ob alles in Ordnung ist. Vor allem bei Wohnungen, die leer stehen, natürlich.«

Ich zauberte einen Fünfziger aus der Tasche meines Jacketts. Seine Hand bewegte sich darauf zu wie von einem Magneten angezogen. Mit deutlichem Widerwillen nahm er den Schein an sich, um ein Haar hätte er geseufzt über die Schlechtigkeit der Welt. Er fummelte seinen Schlüsselbund aus den Tiefen der Hosentasche, nestelte noch eine Weile unschlüssig daran herum.

»Die Heizung«, sagte er dann entschlossen und wandte sich zur Tür. »Vorgestern haben wir 'nen Rohrbruch gehabt, unten im dritten Stock. Und da sollte ich schon mal gucken, wie's hier oben aussieht. Ich geh aber mit rein, okay? Und falls wer kommt, dann ...« Er schloss auf.

»Dann bin ich der Klempner«, ergänzte ich beruhigend. Beim Eintreten sah ich mir das Türschloss genauer an. Winzige Kratzer glitzerten, wenn man die Tür im richtigen Winkel zum Licht drehte. So, als ob jemand daran herumgebastelt hätte. Jemand, der kein Profi war im Knacken von Sicherheitsschlössern.

Man erkannte auf den ersten Blick, dass die Geschäfte der Firma gut gingen. Ich hatte eine zweckmäßige, vielleicht sogar karge Einrichtung erwartet. Aber die Wohnung machte auf mich den Eindruck, als ob eine Frau sie mit Liebe und Geschmack eingerichtet hätte. Warme Rot- und Brauntöne herrschten vor. Große moderne Gemälde an den Wänden harmonierten bestens mit den gemusterten Bezugsstoffen der Sitzgruppe. Hier liebte jemand die Toskana. Auch das Schlafzimmer sah nicht aus, als sollte es nur durchreisenden Mitarbeitern eine praktische Übernachtungsmöglichkeit bieten. Der Schnitt der Wohnung war genau spiegelbildlich zur gegenüberliegenden.

»Und hier ist wirklich die meiste Zeit kein Mensch?«, fragte ich nach einem ersten flüchtigen Rundgang. »Eine Schande, was?«

Er wich meinem Blick aus.

»Falls doch mal jemand kommt, was sind das für Leute, die hier wohnen?«

»Ich seh die ja praktisch nie«, erklärte er mit Leidensmiene. »Verstehen Sie, die fahren in die Tiefgarage und mit dem Lift rauf, und ...«

»Und falls Sie doch mal, rein zufällig natürlich, jemanden zu Gesicht bekommen?«

»Also ...« Er senkte den Blick. Er war ein schlechter Lügner. »Eigentlich ...«

»Wir sind unter uns. Ich bin verschwiegen wie ein Grab.«

Er quälte sich. Aber er schwieg. Ich wechselte die Vernehmungstaktik. Einfache Fragen, die man mit einfachen Kopfbewegungen beantworten konnte.

»Sind es immer dieselben?«

Er nickte traurig.

»Männer?«

Er wiegte den Kopf.

»Frauen?«

Der Kopf wackelte immer noch.

»Männer und Frauen?« Endlich begriff ich. »Ein Mann und eine Frau?«

Sein Nicken war kaum merklich. Der Bursche war wirklich ungeheuer verschwiegen.

»Das hier ist ein Liebesnest, was? Entschuldigen Sie, ich bin heute ein wenig schwer von Begriff.«

Dieses Mal nickte er heftiger.

Ich gönnte ihm eine Pause. »Könnte ja sein, dass bei dem Rohrbruch da drin was nass geworden ist, nicht wahr?«

Ich öffnete die verspiegelten Türen der Schlafzimmerschränke. Die Fächer waren so gut wie leer. Zwei Garnituren Damenunterwäsche von der raffinierten und teuren Sorte, fünf ungeöffnete Packungen Strümpfe zum Wechseln. Stapelweise flauschige Handtücher. Zwei edle Bademäntel, nach dem Emblem auf der Brust zu schließen, im Plaza in New York geklaut. Diese Leute hatten Geschmack, kein Zweifel.

Im Bad nur das Nötigste. Ein Damen-Parfüm von Gucci, ein Herren-Duft und ein After-Shave von Dolce & Gabbana. Der übliche Kram, den eine Frau braucht, die auf sich hält. Ein elektrischer Rasierapparat.

In der Küche eine dieser vollautomatischen italienischen Kaffeemaschinen, die einem die gewünschte Stärke des Espresso von der Stellung der Augenlider abliest. Eine silberne Thermoskanne, sechs Tassen, Teller, Besteck, von allem nur so viel, wie man für einen kurzen Urlaub benötigt, für ein, zwei Übernachtungen. Der Kühlschrank enthielt einige Portionspackungen Kondensmilch, eine Tafel Lindt-Schokolade und vier Flaschen Veuve Clicquot. In den Hängeschränken ein angebrochenes, schon leicht muffig riechendes Päckchen Segafredo Casa, daneben eine Teedose. Ich öffnete sie und schnupperte daran. Der Geruch kam mir bekannt vor, irgendwas Parfümiertes. Vera hatte immer viel Tee getrunken. Ich dagegen bin Kaffeetrinker.

Im Wohnraum neben der italienischen Landhaus-Sitzgruppe ein Marmortisch, Carrara, wenn ich mich nicht irrte, und eine sündhaft teure Anlage von Bang & Olufsen. Die CDs waren nicht mein Geschmack. Ein wenig Mozart und Vivaldi, ein bisschen Kuschelrock und der unvermeidliche Bolero von Ravel, zu dem es vermutlich jedes halbwegs kultivierte Paar der westlichen Welt schon getrieben hat.

»Wie oft sind die Leute hier?«, fragte ich, nachdem ich meinen zweiten Rundgang beendet hatte.

Die Frage war natürlich falsch gestellt. »Jede Woche?«

Er schüttelte den Kopf.

»Öfter?«

Wieder Kopfschütteln.

»Einmal im Monat?«

Kopfwackeln. Zaghaftes Nicken.

»Und sie bleiben dann für eine Nacht?«

Kopfwackeln.

»Auch mal zwei? Ein Wochenende hin und wieder?«

Nicken. Jetzt kamen die Fragen, die ich mir mit gutem Grund bis zum Schluss aufgehoben hatte.

»Wann waren sie das letzte Mal hier?«

Er sah mich beunruhigt an und kämpfte lange mit seinem Gewissen. Schließlich hob er eine Hand und malte die Zahl fünfzehn an die Wand. Er hatte geschworen, den Mund zu halten, und brach sein Versprechen nicht.

»Vor fünfzehn Wochen?«

Er nickte.

»Früher kamen sie öfter?«

Sehr gequältes Nicken. Mein Fünfziger war abgearbeitet. Vor fünfzehn Wochen, das musste Mitte Mai gewesen sein.

»Allerletzte Frage: Kennen Sie die Leute?«

Empörtes Kopfschütteln. Er kannte sie also. Aber sie hatten ihn geschmiert. Und zwar mit mehr Geld, als ich in der Tasche trug.

Vangelis und Balke standen schäkernd neben dem BMW, als ich hinunterkam. Das Licht der Sonne blendete mich.

»Und?«, fragten sie im Chor. »Hat er Sie reingelassen?«

Ich wusste selbst nicht, was mich an der Frage ärgerte. »Sind die von der Spurensicherung denn immer noch nicht da?«

Erstaunt über meinen pampigen Ton wies Vangelis auf den wohl bekannten grauen Passat-Kombi, der nicht weit entfernt parkte. »Sie sind schon unten in der Tiefgarage.«

»Die Jungs sollen sich nachher auch gleich die Wohnungstür oben ansehen.«

»Sie meinen, jemand hat versucht einzubrechen?«, fragte Balke, als wir abfuhren.

»Vorläufig meine ich noch gar nichts«, erwiderte ich mürrisch. »Wenn ich den Verdacht habe, dass einer an dem Schloss rumgemacht hat, dann will ich eben, dass das untersucht wird.« Ich wandte mich an Vangelis: »Und ich fände es angenehm, wenn Sie sich an die Verkehrsregeln halten würden. Zumindest, solange wir nicht unter Blaulicht fahren.«

Sie warf mir einen interessierten Seitenblick zu und ging bereitwillig vom Gas. Ich fühlte mich wie ein Versuchstier unter Beobachtung und ärgerte mich noch mehr.

»Wissen Sie, was mich beruhigt?«, fragte Balke aufgekratzt von hinten. »Dass unser Professor nicht noch mehr Kinder hat, das beruhigt mich ganz kolossal.«

»Ich finde das überhaupt nicht witzig«, blaffte ich ihn an.

Schon auf dem Parkplatz der Polizeidirektion erfuhren wir die erlösende Nachricht: Georg Simon war verhaftet worden. Eine Streife hatte ihn festgenommen, mitten in der Stadt, vor dem Eingang der Heilig-Geist-Kirche. Er hatte im Alkohol-Delirium randaliert, und als er den Schupos seinen Ausweis zeigte, hatten sie ihm ohne Zögern Handschellen angelegt. Leider war der Mann so betrunken, dass an eine Vernehmung vorläufig nicht zu denken war. So ließ ich ihn in eine Ausnüchterungszelle sperren und beschloss, ihn mir gegen Abend vorzuknöpfen. Die beiden Uniformierten, die ihn abgeliefert hatten, berichteten stolz, er habe keinerlei Widerstand geleistet und die beiden Morde bereits gestanden.

Sonja Walldorf, Sönnchen, hatte inzwischen dafür gesorgt, dass meine Töchter standesgemäß im Streifenwagen von der Schule abgeholt wurden. Plötzlich war die Welt wieder schön. Der Druck war weg. Sogar Vangelis strahlte, und beim Essen hätten wir am liebsten im Chor gesungen. Selbst die Laune der Zwillinge schien sich aufgehellt zu haben.

Das Ende des Nachmittags konnte ich kaum abwarten. Irgendwann meldeten sich die Spurensicherer vom Emmertsgrund zurück. Es hatte sich gelohnt: An der Tür der geheimnisvollen Wohnung hatte tatsächlich jemand ebenso dilettantisch wie erfolglos herumgebastelt, der Anschlusskasten der Telekom im Keller war kürzlich geöffnet worden, an den Drähten, die zu Grotheers Telefon gehörten, fanden sich winzige Kratzspuren, die darauf hindeuteten, dass jemand den Anschluss angezapft hatte. Und das Schönste war, in der Ecke hinter dem Aufzug, wo der Mörder auf Gardener gewartet hatte, hatten sie zwei kurze graue Haare gefunden. Die DNA-Analyse war bereits in Arbeit. Plötzlich ging es an allen Fronten voran. Endlich.

Um halb sechs ließ ich Georg Simon wecken und auf den Stuhl im Vernehmungszimmer setzen, gleichgültig, wie betrunken er noch war. Heute waren wir zu viert: Vangelis, Balke und ich würden die Vernehmung führen, Runkel musste die Technik bewachen.

Simon sah erschöpft aus, roch wie eine Whiskybrennerei, machte aber ansonsten einen nicht ungepflegten Eindruck. Er mochte zwischen vierzig und fünfzig Jahre alt sein. Die langen grauen Haare hatte er im Nacken mit einem Gummiband zu einem Schwänzchen zusammengebunden. Stoppeln im faltigen Gesicht verrieten, dass die letzte Rasur schon einige Tage zurücklag. In der Zwischenzeit hatte Balke den Personalausweis unseres Verdächtigen mit den Kopien verglichen, die der Bank und dem Makler vorlagen. Es gab keinen Zweifel, Georg Simon war der verschwundene Hausmeister aus der Klinik. Georg Simon war unser Mann.

Asthmatisch schnaufend hockte er vor uns und stierte uns aus kleinen grauen Augen neugierig an. Er sah nicht so aus, wie ich mir den Mörder von Professor Grotheers Kindern vorgestellt hatte. Aber welcher Mörder sieht schon so aus, wie man es erwartet hat?

Ich ließ ihm einen Kaffee bringen und begann mit den üblichen Fragen zur Person. Er war nicht gerade gesprächig, tischte mir aber auch keine Märchen auf. Sein Ton klang gelangweilt, fast routiniert. Dies schien nicht die erste Vernehmung seines Lebens zu sein.

Zu meiner Erheiterung behauptete er, Student zu sein, und präsentierte zum Beweis einen abgewetzten Studentenausweis sowie eine Chipkarte für die Mensa. Nach seiner eigenen Schätzung war er im fünfunddreißigsten Semester.

Ich kam zur Sache. »Seit Anfang März haben Sie im chirurgischen Uni-Klinikum als Hausmeister gearbeitet, richtig?«

Er musterte mich misstrauisch und schwieg.

»Aber die letzten zehn Tagen sind Sie nicht mehr zur Arbeit erschienen. Warum?«

Er schwieg immer noch. Das fing ja gut an.

»Herr Simon, Sie verstehen meine Fragen?«

Er hustete und zog die Nase hoch. Dann öffnete er endlich den Mund.

»Wat soll'n dett jetzt?«, maulte er. »Ick hör immer nur Hausmeister! Wat soll'n dett, Mann? Seh ick etwa aus wie'n Hausmeister? Student bin ick, habt ihr dett nicht jeschnallt?«

»Andere Frage: Sie wohnen in einer Dreizimmer-Wohnung in Eppelheim ...«, ich suchte die Adresse, »in der Carl-Benz-Straße, richtig?«

»Ick hör immer nur Wohnung! Eppelheim? Seh ick etwa aus wie einer, der 'ne Wohnung in Eppelheim hat, Mann?«

Seufzend fiel ich zurück. »Herr Simon, machen Sie die Sache doch nicht komplizierter, als sie ist.«

»Wat soll'n der ganze Stress bloß? Okay, ick hab jesoffen. Büschen Krakeel gemacht, auch okay. Eure Jungs ham mich hopsgenommen, von mir aus, ist ja ihr Job. Aber jetzt bin ick doch wieder klar, jetzt könnt ihr mir doch wieder loofen lassen, Leute! So wie wir dett sonst auch immer machen. Ick mach auch keinen Stress mehr, versprochen. Wegen paar Bierchen müsst ihr einen doch nicht gleich hier ... mit Verhaftung und Vernehmung und großem Tamtam! Macht ihr doch sonst nicht so!«

Wir wechselten Blicke. Simon verlegte sich aufs Betteln:

»Ick werd auch ganz brav sein, okay? Ist doch jar nischt passiert, oder? Wenn ick 'n Knöllchen bezahlen soll, okay, zahl ick dett eben. Morgen früh hab ick 'n Hauptseminar in altägyptischer Mythologie, und dett is verdammt wichtig, da brauch ick 'n Schein! Und ihr werdet doch 'n anständigen Bürger und Student nicht in seiner Berufsausbildung und Persönlichkeitsentfaltung behindern wollen? Wollt ihr doch nicht, oder?«

»Wenn Sie nicht in Eppelheim wohnen, wo schlafen Sie denn dann?«, fragte Vangelis sachlich. »In Ihrer Wohnung sind Sie in den letzten sechs Wochen nicht gewesen.«

»Wat is'n dett bloß für 'ne Geschichte mit dieser Scheißwohnung? Woher soll ick denn jetzt auf einmal 'ne Wohnung haben? Seit zwölf Jahren wohn ick nu schon in der WG in der Semmelsgasse und ...«

Ich bremste Balke, der schon aufspringen wollte, mit einem Blick. »Versuchen wir es andersherum. Erzählen Sie doch einfach mal«, sagte ich. »Wovon leben Sie? Woher haben Sie das Geld für Ihr Studium? Was haben Sie getrieben, die letzten Jahre? Woher stammen die fast dreihundert Euro, die wir in Ihren Taschen gefunden haben?«

»Ja also ...« Er musste eine Weile nachdenken, um den richtigen Anfang zu finden. Dann begann er mühsam, und immer wieder in seiner Erinnerung nach den richtigen Teilen suchend, seine Geschichte zu erzählen. Geboren war er in Chemnitz, seine Jugend hatte er aber in Ostberlin verbracht. Bereits zu DDR-Zeiten hatte er ein Studium begonnen und nach der Wende sein Glück im Westen versucht. Irgendwie hatte er dann jedoch den Absprung von der Uni verpasst, war in Heidelberg hängen geblieben. Eine Oma in Hamburg hatte ihm ein wenig Geld vererbt. Den Namen Grotheer hatte er noch nie im Leben gehört.

Ich beschloss, ihn härter anzupacken. Wir nahmen ihn ins Kreuzverhör. Aber auch nach einer halben Stunde wollte er weder von einer Wohnung in Eppelheim noch von einem

Hausmeisterjob in einer Klinik oder von einem Konto bei der Volksbank etwas wissen.

»Ick bin bei der Sparkasse, Mann! Warum glaubt ihr dett denn nicht? Sparkasse, versteht ihr? Sparkasse! Sparkas-se!«

»Herr Simon, stehen Sie doch bitte mal auf und gehen Sie ein paar Schritte hin und her«, sagte Vangelis sanft.

Er glotzte uns der Reihe nach verständnislos an und gehorchte. Sein Gang war schlurfend, aber gleichmäßig.

Vangelis zückte ihr Handy und ging hinaus. Ich gönnte Simon einen zweiten Kaffee und uns eine Viertelstunde Pause.

Pünktlich nach Ablauf der Zeit kam Vangelis wieder, begleitet von einer Krankenschwester, die ich im Klinikum schon gesehen hatte. Eine aufgeregte, winzig kleine Asiatin mit pickeligem Gesicht. Mit angstweiten Augen betrachtete sie Simon und schüttelte dann empört den Kopf.

»Oh no, no«, stieß sie hervor. »Wrong man! Falsche Mann! This not Mista Simon!«

Vangelis brachte sie hinaus.

»Herr Simon«, begann ich wieder, nachdem ich mich gesammelt hatte. »Haben Sie vielleicht mal Ihren Ausweis verliehen? Nur so, ohne sich was dabei zu denken, natürlich? Gegen ein kleines Taschengeld vielleicht? An einen Kumpel, um ihm einen Gefallen zu tun?«

Wieder und wieder schüttelte er den Kopf, dass das graue Schwänzchen im Nacken nur so flog. »Dett is doch verboten, Mann! Ihr wollt mir hier wat anhängen! Dett merk ick doch! Aber nich mit mir! Nicht mit Georg Simon!«

»Niemand will Ihnen irgendwas anhängen«, widersprach ich kraftlos. »Wir suchen nur den Kerl, der Ihren Ausweis ausgeliehen hat. Von Ihnen wollen wir nichts.«

Sein Kopfschütteln wurde noch heftiger. »Nein! Nie! So wat mach ick nich! Nie illegale Sachen, nie!«

Ich brauchte noch eine knappe Viertelstunde, dann erinnerte er sich plötzlich. »Mal, um Weihnachten rum, okay, da ...«, murmelte er mit kläglichem Blick.

»Was war da?«

»Da ... da ist er mal weg gewesen.«

»Ihr Ausweis?«

»Wir hatten uns einen geknallt, und am nächsten Morgen, da war das Teil weg. Sonst ist alles noch da gewesen. Nur der Ausweis, der war weg. Hab mir erst nüscht jedacht dabei. Man verlegt ja mal was. Und dann, zwei Wochen später, watt soll ick sagen ...«

»Da haben Sie ihn auf einmal wieder gefunden.«

»In der Manteltasche. Aber ick bin sicher, dass der da vorher nicht drin war. Hab doch alles auf'n Kopf gestellt.«

»Mit wem zusammen haben Sie denn damals getrunken?«

Traurig hob er die Schultern. »Eine große Party. Eine von der WG hat Examen gemacht, die Wiebke. Tausend Leute, mindestens.«

»Und mit wem waren Sie zusammen, bevor der Ausweis plötzlich wieder da war?«

»Keinen Schimmer. War nach 'nem Vortrag von so 'nem echt weltberühmten amerikanischen Ägyptologen. Namen hab ick vergessen. War aber interessant irgendwie, Isis und Osiris und die alten Pharaonen und ihre Totenstädte und der ganze Kram. Später sind wir dann in der Destille versackt.«

»Und haben einen gehoben.«

Simon musterte mich misstrauisch. »Ist doch nicht verboten? Bisschen Stimmungsaufheller? Ist doch nicht verboten, oder?«

»Nein, das ist nicht verboten, solange es im Rahmen bleibt und man seine Mitmenschen nicht belästigt. Wer waren die beiden, mit denen zusammen Sie versackt sind?«

Simon musste nachdenken. »Frieder und Ricky, glaub ick. Aber später sind dann noch mehr gekommen. Irgendwie trifft man sich ja am Ende immer.«

An mehr konnte er sich nicht erinnern. Den Mantel hatte er in jener Nacht über die Stuhllehne gelegt. Jeder im Lokal hätte ihm den Ausweis zustecken können. Ich gab ihm ein paar Ermahnungen mit auf den Weg, schärfte ihm ein, er solle sich melden, falls ihm noch etwas einfiele, und schickte ihn weg.

18

Sönnchen war natürlich längst nach Hause gegangen. Meine Töchter hockten in meinem Büro vor einer Familientüte Gummibärchen und taten, als würden sie Hausaufgaben machen. Ihr Getuschel erstarb, als ich die Tür öffnete. Auf mein Kommando hin packten sie freudig zusammen.

Ich versuchte, meinen Frust nicht an ihnen auszulassen, aber es gelang mir schlecht. Als sie endlich in ihrem Zimmer verschwunden waren, legte ich Keith Jarrett auf, »The Köln-Concert«, eine Musik, die normalerweise gegen alles hilft. Aber selbst die ging mir auf die Nerven. Ich blätterte in meinem »Dorian Gray«, ohne etwas zu lesen. Ich versuchte es mit der Zeitung, konnte mich aber nicht konzentrieren. Ich legte Norah Jones auf. Bei »Come away with me« hätte ich um ein Haar angefangen zu heulen.

Schließlich beschloss ich, es Georg Simon gleichzutun, und holte mir eine Flasche Wein aus der Küche. Ich nahm den billigen, roten. Den Unterschied hätte ich ohnehin nicht bemerkt. Mit Flasche und Zeitung legte ich mich in die Badewanne. Als ich wieder erwachte, war die Zeitung ertrunken, der Wein fast leer und das Wasser kalt.

Wieder einmal begannen wir von vorne. Sönnchens Bericht an die Staatsanwaltschaft fiel beängstigend kurz aus. Liebekinds Anrufe wurden immer häufiger, seine Worte von Mal zu Mal besorgter. Die Stimmung meiner Sonderkommission war miserabel. Die eingehenden Hinweise der Bevölkerung waren so zahlreich wie sinnlos. Wir häuften Papier an und wussten längst nicht mehr, wozu. An diesem Vormittag verschreckte ich Sönnchen mehrmals so mit Unbeherrschtheiten, dass ich mich am Ende bei ihr entschuldigen musste, damit sie wenigstens wieder mit mir sprach. Als meine Töchter mittags kamen und meine Laune bemerkten, zogen sie es vor, in die Stadt zu flüchten.

Ich hasste den Fall. Ich hasste meinen Job. Ich hasste mich selbst. Und vor allem hasste ich die bohrenden Kopfschmerzen, die mich seit dem Aufstehen plagten. Ich hätte gestern Abend doch einen teureren Stimmungsaufheller wählen sollen.

Es wurde Nachmittag, es wurde Abend, und noch immer waren wir keinen Schritt weiter. Unser namenloser Mörder blieb verschwunden. Nicht ein glaubwürdiger Zeuge wusste etwas über ihn zu berichten. Niemand kannte den Mann, dessen Phantombild heute auf der ersten Seite der Zeitung prangte, dessen Beschreibung nahezu stündlich im Radio kam, dessen Bild inzwischen jede Streifenwagenbesatzung der Stadt bei sich trug.

Schon im Lauf des Tages hatte ich mir vorgenommen, abends wieder Sachen nach Heidelberg zu bringen. Um irgendetwas Sinnvolles zu tun. Um mich nicht wieder zu betrinken. Und natürlich auch, um vielleicht die Frau wiederzusehen, die zurzeit mein einziger wirklicher Gesprächspartner war.

Zum ersten Mal stellte ich fest, wie verdammt einsam man sein kann als Chef.

Ich traf sie tatsächlich wieder. Ich war noch nicht einmal mit dem Ausladen fertig, da stand sie vor mir. Dieses Mal lächelte sie nicht, sondern war sehr ernst. Wie an unserem ersten Abend. Wir gingen auch nicht spazieren, sondern auf direktem Weg zur Wohnung ihrer Freundin. Sie fiel über mich her, als hätte sie seit Monaten an nichts anderes denken können.

Später rauchte sie wieder. Sie lag auf dem Rücken, und ich streichelte sie noch ein wenig. Mehr aus Neugierde, um ihren Körper kennen zu lernen, als aus Lust oder Zärtlichkeit. Sie sah zur Decke.

»Wer treu ist, kennt nur die triviale Seite der Liebe«, sagte ich.

»Die Treulosen kennen auch die Tragödien der Liebe«, ergänzte sie das Zitat ohne Zögern und lächelte zum ersten Mal an diesem Abend. »Sie haben es gelesen?«

Ich umkreiste ihre linke Brustwarze mit der Spitze meines Zeigefingers. Ein Rest des Lächelns blieb auf ihrem Gesicht, als sie den Blick abwandte.

»Ich habe Sie im Fernsehen gesehen«, sagte sie nach einer Weile und drückte ihre Zigarette in dem grünen gläsernen Aschenbecher aus, der auf ihrem Bauch stand. »Es läuft nicht gut mit Ihrem Fall?«

»Es läuft absolut beschissen.«

»Das dürfte Bukowski gewesen sein«, meinte sie lachend. »Wirklich eine merkwürdige Geschichte«, fuhr sie fort, stellte den Aschenbecher auf den Fußboden und erhob sich. Nackt ging sie in die Küche und kam mit Gläsern, einer Flasche Weißwein und dem Korkenzieher im Mund zurück. Ich setzte mich auf und öffnete die Flasche. Es war ein trockener Riesling aus der Nähe von Wiesloch. Ich versuchte, das Kleingedruckte zu entziffern.

»Sie werden vielleicht bald eine Brille brauchen«, sagte sie warm, zog mich an sich und küsste zum Trost meine Augenlider.

Sie hielt mir die hohen Gläser hin, ich schenkte ein, ihr Ehering glänzte im Kerzenlicht.

Sie bemerkte meinen Blick. »Das einzige Ziel des Lebens ist die Selbstentfaltung«, meinte sie mit dem satten Lächeln einer befriedigten Frau. Wir stießen an.

»Kennen Sie Ihren Dorian Gray eigentlich auswendig?«

»Nur die wichtigsten Stellen«, erwiderte sie mit einem Blitzen in den Augen.

Plötzlich war sie wieder ernst. »Eine wirklich merkwürdige Geschichte«, wiederholte sie in Gedanken. »Erst der Sohn, bald darauf die Tochter. Es muss schrecklich sein für die Eltern.«

»Sie haben Kinder?«, fragte ich.

Sie lächelte versonnen und schmiegte sich an mich. Ich legte den Arm um sie und hielt sie fest. Sie summte eine leise Melodie und hielt die Augen geschlossen. Sie fühlte sich wohl, und das tat mir gut. Auf einmal verstummte sie.

»Was ist?«

»Nein.« Sie schüttelte den Kopf. »Mir war nur etwas in den Sinn gekommen. Aber ... nein, es ist nichts.«

»Ich würde es trotzdem gerne wissen.«

Sie blickte in ihr Glas, nippte daran. »Es muss zehn oder zwölf Jahre her sein. Genau weiß ich es nicht mehr. Damals ist etwas Ähnliches geschehen. Eine Familie hat erst den Sohn und nur wenige Tage später die Tochter verloren. Ich meine mich auch an einen Unfall zu erinnern. Einen Verkehrsunfall.«

»Das Schicksal kann so grausam sein«, sagte ich und fühlte mich sofort durch die Banalität meines Satzes blamiert. »Können Sie sich an Einzelheiten erinnern?«

Sie hatte die Augen wieder geschlossen. »Es ist so lange her.«

»Wurden sie ebenfalls ermordet?«

»Nein. Das wohl nicht ...«

»Wie alt waren die Kinder, als sie starben?«

Aber sie war mit ihren Gedanken längst woanders. Sie hatte die Augen wieder geöffnet und blickte an mir herunter.

»Alexander der Große«, murmelte sie anerkennend, nahm mir mein Glas aus der Hand und stellte es auf den Boden. Dann warf sie sich mit einem Jauchzer auf mich, riss mich um und begann mich zu küssen wie im Fieber. Unser Atem wurde lauter und lauter.

Ihr Mann musste vollkommen impotent oder ein unerträglicher Langweiler sein.

»Eines ist mir noch eingefallen«, sagte sie später beim Abschied. »Der Vater, der war Polizist wie Sie.«

»Der Vater dieser Kinder, die damals ums Leben kamen?«

Sie gab mir einen letzten, glühenden Kuss.

Hätte Balke am nächsten Morgen nicht Runkel mitge-schleppt, die Sache wäre mit Sicherheit in Vergessenheit ge-raten. Ich wusste nicht einmal, warum dieser maulfaule Runkel an jenem Morgen dabei war, denn er saß die ganze Zeit nur da und glotzte auf seine nicht besonders sauberen Schuhe.

Vangelis berichtete in gewohnt knapper Form, die Drogen-fahnder hätten aufgrund von Notizen und Telefonnummern, die wir in Grotheers Labor gefunden hatten, zwei Kleindea-ler festgenommen. Immerhin ein gewisser Erfolg, mit dem wir Staatsanwaltschaft und Presse bei Laune halten konnten. Die neuen Spuren aus dem Emmertsgrund bestätigten Gar-deners Version des Tathergangs voll und ganz. Nach Georg Simons Doppelgänger wurde nach wie vor mit Hochdruck gefahndet, die DNA-Analysen waren immer noch nicht fer-tig. Gardener und seine Kumpane waren gestern gegen Auf-lagen aus der U-Haft entlassen worden, und Balke hatte in-zwischen den Namen der Stiftung in Lausanne ermittelt.

»Fondation pour la Santé per tous les hommes«, las er mühsam und mit komplett falscher Aussprache von seinem Zettel ab. Das brachte uns auch nicht weiter. Ob es sich hier-bei wirklich um die Stiftung handelte, an die Grotheer sein Geld überwies, hatte er bisher nicht herausfinden können.

Wir saßen noch einige Minuten zusammen und versuch-ten erfolglos, neue Strategien zu entwickeln. Dann schickte ich die anderen an die Arbeit.

»Was macht der Nachwuchs, Rübe?«, fragte Balke seinen Kollegen beim Weggehen und klopfte ihm auf die Schulter.

»Vier Wochen noch«, meinte Runkel.

»Und wie soll es diesmal heißen?«

»Edwin, haben wir gedacht. Wird endlich mal wieder 'n Junge.«

»Wollt ihr das ganze Alphabet durchbuchstabieren?« An mich gewandt, fügte er hinzu: »Seine Kids heißen nämlich Albert, Beatrix, Cäcilie, Dorothea, und jetzt kommt Ed-win.«

In genau diesem Moment fiel mir die Geschichte wieder ein. Ich fragte, ob jemand sich daran erinnerte. Vangelis und Balke zogen lange Gesichter und sahen Runkel an.

»Du bist doch seit der Stadtgründung im Amt, Rübe«, meinte Balke. »Du musst doch davon gehört haben.«

»Klar erinnere ich mich. Der Krahl war das, Volker Krahl. Hab ihn gut gekannt. Das muss aber vor über zehn Jahren gewesen sein.«

Mit schleppender Stimme und umständlichen Formulierungen erzählte er, dieser Krahl habe damals tatsächlich erst seinen Sohn verloren, irgendwie krank sei der gewesen, und ungefähr eine Woche später die Tochter. Bei einem Autounfall. Da war er sich sicher.

»Bei der Kripo ist er gewesen, der Krahl. Hauptkommissar bei der Kripo.«

»Was ist später aus ihm geworden?«

Runkel senkte den Blick. »Der hat dann irgendwie durchgedreht. Mit dem gab es nur noch Stress. War einfach zu nichts mehr zu gebrauchen. Mit allen und jedem hat der am Ende Krach gehabt. Später ist er dann versetzt worden. Wohin, weiß ich nicht.«

Als die drei gegangen waren, erschien Sönnchen mit meinem Frühstück und einigen Papieren, die ich gestern zu unterschreiben versäumt hatte. Heute trug sie ein besonders hübsches Kleid. Ich machte ihr ein Kompliment, und sie errötete dankbar. Dann erkundigte ich mich nach einem guten Augenarzt, und selbstverständlich kannte sie mehrere. Ich bat sie, beim besten von allen einen Termin für mich zu machen.

»Heute ist die Beerdigung von den Kindern des Professors«, sagte sie mit vorsichtig tastendem Blick. »Gehen Sie hin?«

Entsetzt schüttelte ich den Kopf.

»Hab ich mir gedacht«, meinte sie voller Verständnis. »Für mich ist das auch nichts. Beerdigungen von so jungen Leuten, das ist immer so furchtbar traurig.«

Dann berichtete sie mir von der silbernen Hochzeit ihres älteren Bruders, dessen Frau sie auf den Tod nicht leiden könne. Aber es gelang mir nicht recht, mich auf das Gespräch zu konzentrieren. Ich machte unpassende Bemerkungen an den falschen Stellen. Schließlich verstummte sie mit fragendem Blick, und ich erzählte ihr die merkwürdige Geschichte des ehemaligen Kollegen, dessen Kinder so rasch nacheinander den Tod gefunden hatten.

»Soll ich mal die Personalakte besorgen?«, fragte sie beim Abräumen. »Die von diesem Krahl?«

»Wozu sollte das gut sein?«

Sie zog es vor, meine miese Laune nicht zu bemerken.

»Muss nachher sowieso ins Archiv runter. Da red ich mal mit der Gerda. Die müsste sich eigentlich noch an den erinnern. Die hat nämlich ein Gedächtnis wie ein Computer.«

Überraschend schnell war sie zurück. Ein wenig außer Atem von den Treppen stand sie vor meinem Schreibtisch und teilte mir mit, Volker Krahls Personalakte sei unauffindbar.

»So was gibt's schon mal, dass was falsch abgelegt wird. Ist aber schon komisch, finden Sie nicht auch?«

Ich fand das Verschwinden der Akte nur halb komisch.

»Aber die Gerda, die hat sich wirklich noch gut an die Sache erinnert.« Sie setzte sich. »Der Sohn von dem Krahl, der muss so achtzehn oder neunzehn gewesen sein, und der ist im Krankenhaus gestorben. Es sei da nicht ganz mit rechten Dingen zugegangen, und drum hat der Krahl dann später den Arzt verklagt, der seiner Meinung nach schuld war. Und ein paar Tage nachdem der Sohn tot war, ist dann auch noch die Tochter verunglückt, mit dem Auto. Die Gerda meint, das eine und das andere hätte sogar irgendwie miteinander zu tun gehabt. Weil sie so geschockt gewesen ist, oder so. Jedenfalls hat er dann auf einmal gar keine Kinder mehr gehabt, der arme Mann.«

Nun erwartete sie eine Reaktion von mir. Ich nickte aufmunternd, obwohl ich mich immer noch weigerte, in dieser alten Geschichte eine ernst zu nehmende Spur zu sehen.

»Jahrelang sei das gegangen mit den Prozessen, sagt die Gerda. Richtig verrückt sei der geworden. Und drum ist er dann auch versetzt worden. Weil einfach nichts mehr anzufangen war mit ihm.«

»Wohin?«

Sönnchen hob die Schultern. »Dafür bräuchten wir jetzt halt die Personalakte, gell?«

Ich stützte den Kopf in die Fäuste. Wie viele Menschen hatten wohl in den letzten Jahren und Jahrzehnten Kinder verloren, ohne deshalb irgendwann Amok zu laufen? Konnte eine Geschichte, die so lange zurücklag, ein Motiv für zwei Morde sein? Und vor allem, wo war der Zusammenhang?

»Ach ja, das hätt ich ja beinah vergessen«, fuhr sie fort. »Dieser Arzt, mit dem der Krahl damals so lange rumgestritten hat, der hat Grotheer geheißen. Komisch, nicht? Meinen Sie, es gibt noch mehr Ärzte, die Grotheer heißen?«

Ich griff zum Hörer.

»Wen rufen Sie an?«, fragte sie.

»Jemand muss mir sofort alles an Material zusammentragen, was aufzutreiben ist. Presseartikel, Prozessakten, alles.«

»Darf ich das machen?« Sie war schon auf den Beinen. »Ich kenn da nämlich den Ferdi, der schafft bei der Zeitung. Wir sind im gleichen Tennisverein. Manchmal spiel ich gemischtes Doppel mit dem. Wir verlieren zwar immer, aber der hilft mir sicher trotzdem.«

»Wie lange werden Sie brauchen?«

»Bis Mittag. Der Ferdi, der ist ein Fuchs.«

Ich legte den Hörer wieder auf.

19

Wie versprochen, erschien meine Sekretärin nach dem Mittagessen mit einem Packen Papier unterm Arm. Bei ihrem Strahlen wurde mir klar, dass mein Vorgänger sie nicht nur wegen ihres Vornamens Sönnchen genannt hatte. Sie breitete alles vor mir aus.

»Also«, begann sie. »Das ist damals nämlich so gewesen.«

Alles hatte mit einem Fußballspiel begonnen. Uwe Krahl, damals erster Torwart des FC Ladenburg, war mit einem gegnerischen Stürmer zusammengeprallt und dabei so unglücklich gestützt, dass er sich einen Leberriss zuzog. Nach einer Notoperation in der chirurgischen Universitätsklinik schien er schon wieder über den Berg zu sein. Aber in der dritten Nacht nach dem Eingriff war er unter nie ganz geklärten Umständen überraschend verstorben, obwohl man ihn bereits wieder von der Intensivstation in ein normales Krankenzimmer verlegt hatte.

Volker Krahl beschuldigte von Anfang an den Oberarzt Franz Grotheer, der in jener Nacht für die Station zuständig gewesen war. Es hatte wüste Szenen gegeben und schließlich einen Prozess, den Krahl durch drei Instanzen gezogen und immer wieder verloren hatte. Sönnchen zeigte mir alte Zeitungsartikel mit Fotos. Innerhalb weniger Jahre war aus einem sportlichen, vielleicht ein wenig verbissen dreinschauenden Enddreißiger ein alter Mann geworden, nahezu völlig ergraut, mit scharfen Gesichtszügen und missgünstigen Augen. Einer von denen, die sich von der ganzen Welt verraten fühlen.

Zwei Jahre nach dem Tod seines Sohnes war er zum Polizeiposten Mosbach versetzt worden. Daraufhin hatte er seinen ehemaligen Vorgesetzten verklagt und war schließlich aus dem Polizeidienst ausgeschieden. Auf eigenen Wunsch, wie es in solchen Fällen heißt.

Und während seines langsamen Absturzes hatte sein Widersacher Grotheer ebenso unaufhaltsam Karriere gemacht.

»Wo wohnt er jetzt?«, fragte ich.

»Das ist ja das Komische, das weiß keiner. In der Stadt jedenfalls nicht. Also, offiziell gemeldet ist er hier nicht.«

»Das haben Sie auch schon überprüft?«, fragte ich verdutzt.

»Ich kenn doch die Valerie im Meldeamt. Wir sind im gleichen Turnverein.«

Diese kleineren Städte boten offenbar auch aus fahndungstechnischer Sicht allerhand Vorteile.

»Ihr Termin beim Augenarzt, der ist übrigens morgen Abend um sechs. Das ist Ihnen doch recht?«

»Sind Sie eigentlich verheiratet, Sönnchen?«, fragte ich.

Sie schüttelte den Kopf und verschwand eilig. Ich trat ans Fenster und schob die Hände in die Taschen. Wie sollte es nun weitergehen? Ich konnte Krahl wohl kaum zur Fahndung ausschreiben lassen, nur weil er vor Jahren gegen Grotheer prozessiert hatte. Finden und befragen musste ich ihn dennoch. Aber wie? Sollte ich das BKA mit der Sache behelligen und mich womöglich lächerlich machen? Die Meldeämter sämtlicher Gemeinden in der Umgebung abklappern in der Hoffnung, dass er nicht allzu weit weggezogen war?

Später kam Vangelis. Ich erzählte ihr die Geschichte.

Mit gerunzelter Stirn betrachtete sie die Zeitungs-Fotos. »Warum nehmen wir nicht diese Bilder und fahren in die Klinik damit?«, schlug sie vor. »Dann wissen wir immerhin, ob es sich überhaupt lohnt, ihn zu suchen.«

Es ist nicht besonders schön, als Chef vor einer Untergebenen wie ein Trottel dazustehen.

Auf der Treppe traf ich meine Töchter in Begleitung zweier junger und sichtlich blendend aufgelegter uniformierter Kollegen. Sie unterhielten sich angeregt und grüßten mich kaum.

Unsere Zeugen waren geteilter Meinung. Genau die Hälfte der acht Personen, denen wir in der Klinik die Zeitungsausschnitte vorlegten, war absolut sicher, in Volker Krahl den verschwundenen Hausmeister wiederzuerkennen. Die andere Hälfte war sich ebenso sicher, dass er es nicht war.

»Reden wir doch noch ein paar Takte mit dem Professor, wo wir schon mal hier sind. Würde mich interessieren, was er von der Geschichte hält«, entschied ich.

Aber Professor Grotheer war wieder einmal nicht im Haus. Er war zur Beerdigung seiner Kinder, die ich schon wieder vergessen hatte, auf dem Handschuhsheimer Friedhof. Und anschließend würde er verreisen, erfuhr ich von seiner Sekretärin, zu einem sehr wichtigen Kongress, in Budapest diesmal.

»Frau Doktor Schmitz wäre im Haus. Könnte die Ihnen vielleicht weiterhelfen?«

Ich schickte Vangelis los, um noch möglichst vielen weiteren Angestellten der Klinik unsere Bilder zu zeigen. Sie verschwand kommentarlos, aber ich glaubte ihrem Rücken anzusehen, dass sie grinste.

Dieses Mal setzten wir uns in Marianne Schmitz' Büro an den runden Tisch, der heute leer war. Offensichtlich hatte sie aufgeräumt.

»Alle paar Wochen packt mich der Koller«, sagte sie mit müdem Lächeln. »Dann wird eine Nacht lang Papier sortiert und abgeheftet und das meiste weggeschmissen. Anders geht das bei mir nicht. Ich bin eine Quartals-Aufräumerin, wenn Sie so wollen. Einfach so Ordnung halten ist nicht mein Ding.«

Wir hatten so unglaublich viel gemeinsam.

Sie ließ mir einen Kaffee bringen und füllte ihren Becher mit dem unvermeidlichen Tee.

Einmal mehr erzählte ich Krahls Geschichte. Sie hörte aufmerksam zu und sah mir über ihren Becher hinweg unentwegt in die Augen, während sie in vorsichtigen Schlucken ihren heißen Tee schlürfte.

Es fiel mir schwer, mich zu konzentrieren. Als ich geendet hatte, griff sie zum Telefon und verlangte Uwe Krahls Krankenakte.

»So lange heben Sie so was auf?« Ich nippte an meinem Kaffee. »Wir haben nicht mal mehr seine Personalakte gefunden.«

»Wir sind eine Forschungseinrichtung«, antwortete sie. »Patientenakten sind für uns Erfahrungsschätze, auf die man immer wieder zurückgreifen kann. Die Amerikaner untersuchen zurzeit Gewebeproben von Soldaten, die im Ersten Weltkrieg an der Spanischen Grippe gestorben sind.«

Mein Kaffee war alle, sie ließ mir neuen bringen.

»Nicht übermäßig viel zu tun, heute?«, fragte ich, um die Zeit zu überbrücken.

»Seien Sie froh«, erwiderte sie matt. »Wenn wir viel zu tun haben, dann sind immer so schrecklich viele Menschen unglücklich.«

Endlich kam die Schwester und legte Marianne einen über die Jahre verblassten gelben Schnellhefter hin. Sie schlug ihn auf, schob die Brille auf die Nase und las schnell und konzentriert.

»Okay.« Sie ließ die Brille wieder vor der Brust baumeln. »Was genau wollen Sie wissen?«

»Könnte es sein, dass Krahl Recht hatte? Dass Ihren Chef tatsächlich eine Schuld am Tod seines Sohnes trifft?«

»Schuld?«, fragte sie irritiert. »Sagten Sie Schuld?«

»Wenn ein Mensch stirbt, und jemand trägt die Verantwortung dafür, dann ist Schuld schon der passende Begriff, finden Sie nicht?«

Lange sah sie in ihren Tee. »Schuld und Verantwortung, das sind für uns zwei verschiedene Dinge«, sagte sie schließlich. »Erinnern Sie sich an den Tag, als Sie zum ersten Mal hier waren?«

Und wie, hätte ich fast gesagt.

»Erinnern Sie sich auch an die Frau, die aus dem Fenster gestürzt war und uns einen OP blockierte, als die Schwerverletzten von der Autobahn hereinkamen?«

Sie stellte ihren Becher ab und rieb sich mit beiden Händen die Augen. Dann sah sie auf.

»Diese Frau ist uns dann ein paar Stunden später gestorben.«

»Ich weiß. Hab's später im Radio gehört.«

»Und ich«, sie legte eine Hand auf ihre Brust. »Ich, Marianne Schmitz, trage die Verantwortung dafür. Ich war damals Stationsärztin, wie heute auch. Ich habe die Entscheidungen getroffen. Aber bin ich deshalb schuldig?«

»Das verstehe ich nicht.«

Sie schenkte sich Tee nach. Stellte die Kanne sorgfältig ab. Fast, als wollte sie Zeit gewinnen.

»Eine simple Rechenaufgabe. Wir brauchten vier OPs und hatten nur drei. Die Frau hatte eine Überlebenswahrscheinlichkeit von vielleicht zehn Prozent, wenn wir weiter operiert hätten. Der schwerste Fall von den anderen vier hatte eine deutlich höhere. Und deshalb habe ich beschlossen, diese Frau sterben zu lassen, verstehen Sie? Ich habe sie in den Tod geschickt. Mit Absicht und im vollen Besitz meiner geistigen Kräfte. Um einen anderen zu retten, der größere Chancen hatte als sie. Vielleicht, mit ganz viel Glück hätte sie überlebt. Aber der andere hatte die Statistik auf seiner Seite, die höhere Wahrscheinlichkeit.« Sie schwieg lange. Vom Flur hörte ich gedämpfte Stimmen, eilige, weiche Schritte, rollende Geräusche, von einem Krankenbett vielleicht. »Natürlich weiß das niemand außerhalb. Die Angehörigen werden bis in alle Ewigkeit glauben, dass wir alles für die arme Frau getan haben. Haben wir aber nicht. Ich musste mich entscheiden, und ich habe es getan. Ich habe mich gegen sie entschieden. Und jetzt können Sie mich wegen unterlassener Hilfeleistung verhaften. Oder wegen Totschlags meinetwegen. Oder ist das Mord? Wollen Sie es Mord nennen?«

Ich wusste nichts zu antworten.

»Man fühlt sich nicht so toll nach einer solchen Sache, das können Sie mir glauben. Wir machen das weiß Gott nicht gerne. Aber wir machen es ständig. Spielen uns auf zu Herren über Leben und Tod. Die Triage. Der Fluch der Notfall-Mediziner.«

»Triage?«

Wieder nahm sie einen Schluck aus ihrem Becher. »Wenn Sie als Arzt zu einem großen Unfall kommen, einem Flugzeugabsturz zum Beispiel, mit Toten und zig Verletzten, dann machen Sie die Triage. Sie teilen die Verletzten in drei Gruppen ein. Die erste, das sind die Leichtverletzten. Die können sich selbst oder gegenseitig helfen, um die kümmern Sie sich nicht. Die dritte Gruppe, die sind so schwer verletzt, dass ihnen vermutlich sowieso niemand helfen könnte. Die lassen Sie ebenfalls liegen. Aber die mittlere Gruppe, da können Sie helfen. Da können Sie Leben retten. Die anderen, die schweren, die lässt man sterben, weil man muss. Weil einem gar nichts anderes übrig bleibt. Vielleicht könnten Sie unter Einsatz aller Kräfte einen oder zwei von ihnen retten. Aber in der Zwischenzeit würden Ihnen fünf oder zehn der mittleren Gruppe wegsterben, denen Sie problemlos hätten helfen können. Sind Sie deshalb schuldig am Tod dieser anderen, denen Sie nicht geholfen haben? Sind Sie deshalb ein Mörder?«

»Natürlich nicht«, erwiderte ich heiser.

»Man fühlt sich hinterher aber so. Das ist die – entschuldigen Sie – Scheiße an unserem Job. Ein paar wenige können wir retten. Zu viele bleiben auf der Strecke.«

»Und was war nun mit Krahls Sohn?«

Sie legte ihre schmale, kräftige Hand auf die Akte.

»Er war frisch operiert und lag auf der Intensivstation zur Überwachung. Das ist normal. Zwei, drei Tage legen wir sie nach so einem schweren Eingriff auf Intensiv. Aber dann wurde es auf einmal eng. Grotheer brauchte ein Intensivbett für einen kritischen Fall. Er hat Krahl auf die Station verlegen lassen, weil es ihm von den Intensivpatienten am besten ging. Irgendwann in der Nacht haben dann innere Blutungen eingesetzt, so was passiert manchmal nach Leberoperationen. Er ist verblutet, im Schlaf. Ganz langsam. Er ist vermutlich nicht mehr aufgewacht.« Mit flammendem Blick sah sie auf. »Natürlich hat die Station gepennt! Natürlich hätte das nicht passieren dürfen. Aber er hat richtig gehandelt, verstehen Sie? Ich hätte es genauso gemacht, jeder vernünftige Arzt dieser Welt hätte dasselbe getan, verstehen Sie?«

Sie schwieg lange. »Schuld!«, stieß sie dann hervor. Und wiederholte das Wort, wie um sich an den Klang zu gewöhnen: »Schuld.«

20

Ich diktierte meine Anweisungen: Wo hatte Krahl damals gewohnt? Gab es ehemalige Nachbarn, die sich noch an ihn erinnerten? Lebten irgendwo Verwandte, die etwas über seinen derzeitigen Aufenthaltsort wussten? Wo hatte er später gelebt, nach seinem Ausscheiden aus dem Polizeidienst? Wann und wo verlor sich seine Spur?

Balke blieb zurück, als die anderen gingen. Er hielt einen kleinen Block in der Hand. »Chef, ich hab da was.«

Ich wies auf einen Stuhl, er setzte sich wieder.

»Sie erinnern sich doch an diese Stiftung in Lausanne? Diese Fontation pour irgendwas?«

Ich nickte fragend.

»Der Geschäftsführer von Marvenport and Partners und die Präsidentin des Stiftungsrats, die tragen nicht zufällig den gleichen Namen, die sind verheiratet!«

»Und was schließen wir daraus?«

Mit kläglicher Miene hob er die Schultern. »Wenn ich das wüsste. Hab nur gedacht, ich muss Ihnen das sagen.«

Er begann mir auf die Nerven zu gehen. »Hat das irgendwas mit unserem Fall zu tun? Unterstellen Sie Grotheer illegale Geschäfte? Oder wozu erzählen Sie mir das?«

»Ich werd einfach das Gefühl nicht los, dass …«

Ich beugte mich vor. »Herr Balke, wir kümmern uns hier um Tatsachen. Ihre Gefühle sollten Sie sich für die Freizeit aufheben.« Er verschwand beleidigt. Aber für solchen Unsinn hatte ich jetzt wirklich keine Zeit.

Als ich mich zu wundern begann, wo meine Töchter blieben, hörte ich, sie seien in einem Streifenwagen in der Stadt unterwegs.

»Bisschen spazieren fahren. So lernen sie auch gleich die Gegend kennen, nicht wahr?«, erklärte mir Sönnchen gut gelaunt.

Ich ordnete an, dass die Mädchen künftig von einem Team abzuholen waren, dessen Mitglieder verheiratet und über fünfzig oder noch besser weiblichen Geschlechts zu sein hatten. Sönnchen war verstimmt und vergaß vermutlich mit Vorsatz meinen Nachmittagskaffee.

Im Lauf der folgenden Stunden sammelten sich die Fakten auf meinem Schreibtisch. Nach seinem Ausscheiden aus dem Polizeidienst war Volker Krahl mehrfach umgezogen. Einige Jahre hatte er in Sinsheim als Wachmann beim Technik-Museum gearbeitet, später eine Zeit lang als glückloser Privatdetektiv in Eberbach. Nur wenige seiner wechselnden Nachbarn erinnerten sich an ihn, und diese wenigen taten es ungern. Verschlossen sei der Herr Krahl gewesen, um nicht zu sagen feindselig. Zur Arbeit sei er gegangen, irgendwann wieder heimgekommen und in seiner Wohnung verschwunden. Oft sei er laufen gewesen, lange Strecken, und immer allein. Die Eltern waren tot, irgendwo schien es noch einen Bruder zu geben, weitere Verwandte waren nicht aufzutreiben.

Zuletzt hatte er anderthalb Jahre in Neckargemünd gewohnt und eine offenbar nicht schlecht gehende Firma für Sicherheitsdienstleistungen mit drei Angestellten betrieben. Seine ehemaligen Mitarbeiter sagten aus, er habe das linke Bein ein wenig nachgezogen.

Irgendwann vor dieser Zeit musste er also einen Unfall gehabt haben. Oder eine beginnende Arthritis. Ich wies Runkel an, Krahls damaligen Arzt aufzutreiben und vor allem den Bruder ausfindig zu machen.

Und dann, im November vor zwei Jahren, verlor sich plötzlich Krahls Spur. Er verkaufte die Firma, kündigte seine Wohnung, zeigte den Umzug aber dem Meldeamt nicht an. Ich vermutete, dass er zu diesem Zeitpunkt begann, seine Rache vorzubereiten.

Nikola Krahl war neun Tage nach dem Tod ihres geliebten jüngeren Bruders auf der Bundesstraße zwischen Eberbach und Beerfelden ungebremst gegen einen Baum gerast. Ob ein Zusammenhang zwischen den beiden Todesfällen bestand, wusste niemand. Ich glaubte zu ahnen, wie Krahl sich damals gefühlt hatte.

»Neun Tage?« Balke blieb das Gähnen im Hals stecken.

Ich wühlte in meinem Papierberg. »Uwe Krahl – zehnter September, Nikola am neunzehnten.«

»Patrick Grotheer, das war am siebenundzwanzigsten August, Sylvia am sechsten September«, sagte Balke sehr langsam. »Wenn ich richtig rechne, dann sind das auch neun Tage!«

»Was ist eigentlich mit seiner Frau?«, fragte Vangelis.

»Was soll mit ihr sein?«, fragte ich zurück. Aber in der nächsten Sekunde verstand ich, was sie meinte. Ich sah Runkel an.

Der wusste nichts Genaues. »Ist dann auch irgendwann gestorben, glaub ich. Irgendwann später.«

Ich drückte den Rufknopf, aber Sönnchen meldete sich nicht. Offenbar war sie mir immer noch böse. Schließlich fand ich im Telefonverzeichnis die Nummer des Archivs, und Sekunden später hatte ich die Mitarbeiterin am Apparat, die mit Vornamen Gerda hieß.

»Die Frau?«, fragte sie gedehnt. »Stimmt, die ist auch gestorben.«

»Wann?«

»Ziemlich bald, nachdem das mit den Kindern war. Das Leben genommen hat sie sich, die arme Frau. Ist ja auch kein Wunder, nach so einer schlimmen Geschichte, gell?«

»Was heißt das, ziemlich bald? Ein Jahr, zwei?«

»So genau weiß ich das nicht mehr. Eine Woche, würd ich sagen. Ja, eine Woche später vielleicht.«

Mir war, als würde mir jemand einen Eimer Eiswasser über den Rücken schütten. Die anderen hatten mitgehört. Vangelis wurde blass und biss die Zähne zusammen.

»Dass die nicht mehr lebt, das wussten wir doch schon«, meinte Balke, der offenbar noch nichts begriffen hatte. »Dass sie so bald nach der Tochter gestorben ist, okay, das natürlich nicht, aber ...« Endlich fiel auch bei ihm der Groschen. »Das ist nicht wahr, oder? Das darf doch nicht wahr sein!«

Ich hielt schon wieder den Hörer in der Hand und verfluchte meine bockige Sekretärin, die mich immer noch hängen ließ. Während ich mich von einem Amt ans nächste weiterreichen ließ, hatte Klara Vangelis das Handy am Ohr und telefonierte ebenfalls. Die Verwaltung des Bergfriedhofs konnte mir endlich Auskunft geben.

»Sabine Krahl ist am achtundzwanzigsten September gestorben. Eineinhalb Wochen nach der Tochter.«

»Ich glaub, ich muss kotzen«, stöhnte Balke.

Vangelis klappte ihr Handy zu. »Laut Autopsiebericht war die Todesursache eine Überdosis Schlaftabletten. Sie war offenbar schon vorher depressiv. Seit Jahren in Therapie. Es war nicht ihr erster Suizidversuch.«

Am meisten ärgerte mich, dass sie nicht einmal versuchte, ihren Triumph auszukosten.

»Muss ja nicht unbedingt was zu bedeuten haben«, sagte ich. »Das muss ja nicht heißen, dass Krahl deshalb die ganze Familie abschlachtet.«

»Krahls Sohn ist verblutet, Grotheers Sohn auch. Krahls Tochter ist bei einem Verkehrsunfall gestorben, Grotheers Tochter ebenfalls«, sagte Balke mit schmalen Augen.

»Und er wird dem Professor auch am Tod seiner Frau die Schuld geben«, sagte Vangelis leise, aber bestimmt. »Und ganz und gar Unrecht hat er nicht damit, oder was denken Sie?«

»Die Frage ist nicht, was wir denken, sondern, was Krahl denkt«, fuhr ich sie an. Sie musterte mich erstaunt.

»Wir müssen die Frau unter Personenschutz stellen.« Balke kratzte sich aufgeregt an der unrasierten Backe. »Wenn das mit den Zeiten kein Zufall ist, dann wäre sie in der Nacht von Sonntag auf Montag fällig. Heute ist Donnerstag. Wir haben noch ein paar Tage Ruhe. Ich schlage vor, wir fangen am Sonntagmorgen damit an.«

»Und wenn er sich nicht an die Zeiten hält?«, fragte ich.

Liebekind musterte mich wie einen plötzlich renitent gewordenen Musterschüler. »Sie wollen was?«, fragte er, jedes Wort betonend. »Wiederholen Sie das nochmal, bitte?«

»Frau Grotheer unter Personenschutz stellen. Am besten aus ihrem Haus wegschaffen. Irgendwohin, in ein Hotel, zu Verwandten. Nur weg aus diesem Haus.«

»Herr Gerlach«, sagte er sehr langsam. »Ich habe bisher eine Menge Vermutungen gehört. Kommen wir mal kurz zu den Indizien?«

»Ich habe keine. Noch keine. Mein erster wirklicher Beweis könnte eine tote Frau sein.«

Ernst wie noch nie sah er mir ins Gesicht. »Sie sind der Kripochef. Tun Sie, was Sie für richtig halten. Aber erwarten Sie bitte nicht, dass ich Ihr Händchen halte, wenn die Presse Sie dann zum Schafott schleppt.«

Er lehnte sich zurück, nahm eine seiner Zigarren aus einer Schublade, betrachtete sie sorgenvoll und schnupperte daran.

»Meine Besatzung reicht aber nicht aus, um eine ordentliche Bewachung zu organisieren. Ich brauche Unterstützung von der Schutzpolizei. Und wenn die nicht können, müssen wir Leute aus Mannheim anfordern!«

Sein Blick blieb kalt. »Den Schuh ziehe ich mir nicht an. Es sei denn, Sie schaffen mir ordentliche Beweise her.«

Wie oft hatte ich es verflucht, wegen jeder Kleinigkeit irgendwen um Erlaubnis fragen oder ein Formular ausfüllen zu müssen. Jetzt erst merkte ich, dass auch diese Medaille zwei Seiten hatte.

Zärtlich lächelnd drehte er die fast schwarze Zigarre zwischen den Fingern. »Das ist eine Romeo y Julietta aus Cuba. Eine der besten überhaupt«, erklärte er mir, als ich mich erhob. Wieder schnüffelte er daran. »Ein Märchen, kann ich Ihnen sagen. Eine Symphonie, ein Kunstwerk!«

»Aber Sie rauchen doch gar nicht.«

Traurig sah er auf. »Wissen Sie, Herr Gerlach. In den ersten achtzehn Jahren verbieten uns die Eltern alles, was ein bisschen Freude macht. Dann kommt die Ehefrau, und wenn man denkt, man hat sich endlich emanzipiert, dann fangen die Ärzte an.«

Schweren Herzens ordnete ich die Observation von Grotheers Haus an. Rund um die Uhr. Ich hatte Mitleid mit den betroffenen Kollegen, denn das bedeutete acht Stunden Langeweile im Wechsel mit acht Stunden Pause zuzeiten, zu denen man todsicher nicht müde war. Sie würden mich verfluchen für den Job.

Mit Sönnchen zusammen, die immerhin wieder mit mir sprach, ging ich die Liste meiner Leute durch. Ich beschloss, einen Bankraub vorübergehend ruhen zu lassen. So konnte ich meine Soko wieder um zwei Personen verstärken.

Dann fuhr ich nach Neuenheim hinaus. Frau Grotheer bat mich ins Wohnzimmer, das ich inzwischen gut kannte, reichte mir eine kalte Hand und brauchte eine Weile, um zu verstehen, was ich ihr zu erklären versuchte. Ich hatte mir nicht vorstellen können, dass sie noch blasser werden konnte als bei unserem ersten Zusammentreffen.

»Natürlich ist das vorläufig alles nur graue Theorie, Frau Professor. Vermutungen, Befürchtungen. Aber ich möchte den letzten Beweis nicht abwarten.«

Auf meinen Vorschlag umzuziehen, sich irgendwo zu verstecken, möglichst weit weg, ging sie nicht ein.

»Wie ist sie gestorben?«, fragte sie stattdessen.

»Tabletten.«

Sie nickte, als wäre dies die erwartete Antwort gewesen. »Ja, das ist wohl das Einfachste«, sagte sie leise.

»Frau Professor, wir ... Ich möchte Sie wirklich bitten ...«

Mit einem weisen Lächeln schüttelte sie den Kopf. »Machen Sie sich um mich keine Sorgen.«

»Ich werde ab sofort ständig einen Wagen mit zwei Beamten vor Ihrer Tür haben. Wenn irgendwas ist, wenn Sie sich unsicher fühlen, wenn Sie den leisesten Verdacht haben, etwas könnte nicht so sein, wie es sein sollte, dann wählen Sie entweder die eins-eins-null, oder noch besser, Sie springen vor die Tür und rufen um Hilfe. Fünf Sekunden später werden Sie nicht mehr allein sein. Sie brauchen also wirklich keine Angst zu haben.«

»Machen Sie sich um mich mal keine Sorgen«, wiederholte sie ruhig. Nun lächelte sie wirklich, zum ersten Mal in meinem Beisein. Es war das traurigste Lächeln, das ich je gesehen hatte. »Und wovor sollte ich jetzt noch Angst haben?«

»Was schenken Sie eigentlich Ihren Töchtern?«, fragte mich Sönnchen kühl bei meiner Rückkehr.

»Wieso soll ich ihnen was schenken?«

»Übermorgen haben sie Geburtstag. Da sollten Sie ihnen vielleicht eine Kleinigkeit schenken.«

Ich sank in meinen Sessel. Geburtstag! Übermorgen! Und was, um Gottes Willen, schenkt man pubertierenden Mädchen? Was wusste ich schon von ihnen? Über die Musik, die sie mochten, wusste ich nur, dass viel Rhythmus drin war und in den Texten merkwürdig häufig Worte wie »Motherfucker« vorkamen. Ich kannte nicht ihre Vorlieben bei Schmuck oder Kosmetika, nicht mal ihre Kleidergrößen. All diese Dinge hatte Vera immer erledigt. Mit traumwandlerischer Sicherheit hatte sie das gefunden, was die Zwillinge sich gerade am meisten wünschten. Oft, bevor sie es selbst wussten. Drei Dinge würde es nicht geben, das stand schon fest: Genehmigungen für Tattoos, Piercings und Haustiere.

»Sönnchen«, fragte ich kleinlaut. »Sie wären nicht vielleicht so lieb und …?«

Schweigend stolzierte sie davon und schloss die Tür geräuschvoll hinter sich. Ich würde wohl noch ein paar Tage zu tun haben, um sie wieder milde zu stimmen. Und irgendwann würde ich auch herausfinden, was ich mir hatte zuschulden kommen lassen.

Grotheer erreichte ich nach vielen Versuchen schließlich in seinem Hotel in Budapest. Seine Stimme klang gehetzt, und ich musste ihm meine Theorie dreimal erklären.

»Natürlich erinnere ich mich an diese dumme Sache damals«, sagte er schließlich aufgebracht. »Und jetzt glauben Sie ...?«

»Der Verdacht ist leider nicht von der Hand zu weisen. Diese Parallelität der Todesarten, selbst der Zeitabstand, das müsste schon ein unglaublicher Zufall sein.«

Für Sekunden schwieg er. Aus dem Hintergrund hörte ich Straßengeräusche. »Das ist ja schrecklich.« Zum ersten Mal glaubte ich, Betroffenheit in seiner Stimme zu hören. »Sie werden gut auf meine Frau aufpassen?«

»Mit allem, was wir haben. Aber ich würde sie dennoch lieber an einen sicheren Ort schaffen. Könnten Sie ihr nicht gut zureden?«

»Damit würden wir seinen Zeitplan zunichte machen, ihn aber wohl kaum von seinem Ziel abbringen.«

»Wir würden Zeit gewinnen, um ihn zu fassen. Das würde mir fürs Erste reichen.«

»Ich will es versuchen«, sagte er schließlich mutlos. »Aber meine Frau kann recht dickköpfig sein.« Ich hörte seinen ruhigen Atem. »Ich komme zurück, sowie ich kann. Passen Sie gut auf sie auf. Wir haben hier am Sonntag noch zwei Ausschusssitzungen, bei denen ich leider unabkömmlich bin. Am Montag werde ich zurück sein.«

»Mädels, übermorgen habt ihr ja Geburtstag«, rief ich während der Heimfahrt und bemühte mich um einen fröhlichen Ton. »Was sollen wir denn da Schönes machen?«

»Siehst du«, hörte ich jemanden wispern. »Er hat's doch nicht vergessen!«

»McDonald's«, sagte die andere fest. »Wir wollen bei McDonald's essen.«

Ich seufzte. »Warum wollt ihr euch unbedingt schon mit vierzehn das Leben nehmen?«

»Alle essen bei McDonald's. Und keiner stirbt daran.«

»Aber sie werden kugelrund. Guckt euch die Amerikaner an. Wisst ihr nicht, wie amerikanische Kinder aussehen?«

»Wir sind aber keine Amerikaner.«

»Und wir sind auch keine Kinder.«

»Und wir essen öfter bei McDonald's, als du denkst.«

»Und trotzdem sind wir nicht dick. Und außerdem hat Pizza genauso viele Kalorien. Das haben wir in der Schule gelernt.«

Etwas in ihrem Ton ließ mich wissen, dass ich längst verloren hatte.

»Okay. Es ist ja eure Gesundheit. Mittags oder lieber abends? Abends ist besser, dann könnt ihr anschließend gleich ins Bett gehen und euch auskurieren.«

»Mittags und abends«, scholl es im Chor.

»Kommt nicht in die Tüte!« Ich setzte den Blinker und fuhr bei Durlach von der Autobahn ab.

»Das ist aber total unfair!«, behaupteten sie empört.

»Was, bitte schön, ist daran unfair? Das ist Mathematik. Einmal Geburtstag, einmal McDonald's.«

»Wenn Meike Geburtstag hat, dann gehen ihre Eltern mit ihr zu McDonald's. Und wenn ihr kleiner Bruder Geburtstag hat, der Björn, dann gehen sie auch hin.«

»Ja und?«

»Wir haben beide Geburtstag. Mittags gehen wir mit Sarah hin«, erklärte mir Louise.

»Und abends mit Louise«, ergänzte Sarah.

Es gibt eine Art von Logik, gegen die kommt man selbst mit der natürlichen Autorität eines Vaters nicht an.

Am Freitagmorgen servierte mir Sönnchen unter eisigem Schweigen Kaffee und Croissants. Ich bat sie, den Termin beim Augenarzt abzusagen, weil ich jetzt weder Zeit noch Nerven dafür hatte. Sie nickte nur und wich meinem Blick hartnäckig aus. Irgendwas stimmte hier ganz und gar nicht. Aber ich hatte keine Ruhe, mich darum zu kümmern.

Für neun Uhr setzte ich eine Lagebesprechung an.

»Zur Arbeit ist er immer mit dem Fahrrad gefahren«, berichtete Runkel mit dumpfer Stimme und einem Gesicht, als wäre dies eine ungeheuer tragische Nachricht. »Und allein ist er immer gekommen. Eine von den Schwestern hat gesagt, sie hätte mal gesehen, dass er von Handschuhsheim die Berliner Straße runtergeradelt ist. Mit so einem ganz alten schwarzen Herrenrad.«

Ich schrieb mit, weil Sönnchen schon wieder unauffindbar war. »Die große Frage ist, langt es für einen Haftbefehl oder nicht?«, warf ich in die Runde.

»Was haben wir denn?«, fauchte Vangelis. »Nichts als Vermutungen. Kein einziges Indiz. Kein Richter Deutschlands wird Ihnen darauf einen Haftbefehl unterschreiben!«

Dennoch ging ich später schweren Herzens und ohne Hoffnung zur Staatsanwaltschaft hinüber, um Frau Doktor Steinbeißer vielleicht doch davon zu überzeugen, dass Volker Krahl dringend des Mordes an Patrick und Sylvia Grotheer verdächtig war. Mit eisiger Miene frischte sie meine Kenntnisse der deutschen Strafprozessordnung auf.

Als ich in mein Büro zurückkam, wartete Runkel schon auf mich. Ich versuchte, nett zu ihm zu sein.

»Jetzt hab ich endlich diesen Bruder vom Krahl aufgetrieben«, meinte er. »Gar nicht so einfach. Der lebt nämlich jetzt in Vancouver. Hab auch schon ein paar Mal angerufen. Aber der ist nie da.«

»Gut. Bleiben Sie dran.«

»Und dann hab ich doch rausfinden sollen, was diese Frau Gardener geschafft hat, früher. Einen Bus hat die nämlich gefahren, einen Schulbus. Bei den Amerikanern.«

»So einen richtigen großen, dicken Bus, meinen Sie?«

Er nickte. »Da wird sie auch ihren Mann kennen gelernt haben, schätz ich mal. Was sie dann später gemacht hat, weiß ich noch nicht.«

»Wer so einen Bus fahren kann, der kann doch bestimmt auch einen Lastwagen fahren«, sagte ich langsam.

»Klar. Warum nicht?«

»Ob sie vielleicht doch hin und wieder das Haus verlässt?«

»Hab ein bisschen bei den Nachbarn rumgefragt. Gesehen hat sie niemand in den letzten Jahren. Aber die Gärten sind groß, nachts ist es dunkel, die Leute gehen früh ins Bett ...«

»Aber wie Georg Simon sieht sie ja nun beim besten Willen nicht aus.« Mir schoss eine Idee in den Kopf. »Und ihr Mann? Was war der bei der Army?«

»Das ist gar nicht so leicht rauszufinden. Die Amis lachen einen nur aus, wenn man sie fragt. Aber ein früherer Nachbar, der hat gemeint, irgendwas mit Aufklärung, Elektronik und so.«

Den Rest des Vormittags verbrachte ich damit, meine Leute mit Anrufen zu belästigen, um mir immer wieder bestätigen zu lassen, dass es nichts Neues gab. Ständig hatte ich das Bedürfnis, nach Neuenheim hinauszufahren und mich davon zu überzeugen, dass dort alles in Ordnung war. Nebenbei versuchte ich mich an einer Geschenkliste für meine Töchter, aber auch nach einer Stunde war sie noch leer.

Sönnchen brachte mir nicht einmal etwas zum Unterschreiben. Irgendwann, kurz vor Mittag, erschien sie dann doch mit einem einzigen linierten Blatt in der Hand.

»Ich hab da mal eine kleine Liste gemacht.« Sie knallte es vor mich hin. »Hab mir ja gleich gedacht, dass Sie nicht dran denken.«

Ich nahm mir vor, ihr von nun an so lange jeden Morgen Blumen mitzubringen, bis sie wieder normal war.

Neben einigen aktuellen CDs hatte sie zwei Videos mit John Bon Jovi, Tipps zu den Modefarben der Saison sowie den Hinweis notiert, dass man im bald kommenden Herbst Pullover gut brauchen könne.

Es gelang mir gerade noch rechtzeitig, das Blatt verschwinden zu lassen, als meine Töchter lärmend hereinplatzten. Die letzten beiden Stunden seien ausgefallen, erklärten sie mir fröhlich, und nun wüssten sie nichts mit sich anzufangen. In diese langweilige Stadt zu gehen, hatten sie absolut keinen Bock, in der Kantine mit mir und anderen langweiligen Erwachsenen zusammen zu essen, fanden sie so was von uncool, und Hausaufgaben waren sowieso total ätzend.

»Und außerdem, über den Geburtstag haben wir in der alten Schule nie was aufgehabt!«

»Vielleicht ist das in der neuen Schule anders?«

»Das ist uns aber total egal«, fauchte die linke. »Wir machen keine Hausaufgaben. Basta.«

»Und wir wollten ja auch gar nicht in die neue. Wir wären lieber daheim geblieben!«, sekundierte die rechte mit blitzenden Augen. »Du hast uns hier hergeschleppt!«

»Wisst ihr was, Kinder«, sagte ich nach kurzem Überlegen. »Wir ziehen heute Abend um. Was haltet ihr davon?«

»Wie das denn?« Sie waren zu verblüfft von meinem Vorschlag, als dass sie sich hätten weiter empören können.

»Wir packen unsere Campingsachen ein und Zahnbürsten und schlafen auf Isomatten.«

Das fanden sie geil.

»Und morgen früh machen wir dann Bescherung in der neuen Wohnung.«

»Ganz ohne Möbel?«

»Ganz ohne Möbel.«

Das fanden sie megageil.

»Voll krass! Und wir gehen echt zu McDonald's?«

»Mittags und abends«, seufzte ich.

Auf einmal hatten sie doch Lust, in die Stadt zu gehen.

21

Das Mittagessen ließ ich an diesem Tag ausfallen. Ich legte Sönnchen einen Zettel auf den verwaisten Schreibtisch, dass ich für eine Stunde in der Stadt sei. Innerhalb dieser Stunde arbeitete ich ihre Liste weitgehend ab. Die CDs zu finden, war kein Problem. In den Boutiquen hatten die Verkäuferinnen Mitleid mit mir und halfen, wo sie konnten. Jugendliche Kundinnen wurden als Models zweckentfremdet, manches führten sie selbst vor. Aber am Ende war ich dennoch nicht zufrieden. Ich wollte meinen Töchtern etwas schenken, was meine Idee gewesen war. Etwas von mir, nicht von meiner zickigen Sekretärin.

Mit der Suche nach diesem Etwas verbrachte ich eine weitere Stunde, zunehmend geplagt von schlechtem Gewissen, weil ich mich vor der Arbeit drückte, und aufsteigender Panik, weil mir partout nichts einfallen wollte. Am Ende entschied ich mich für zwei Plüschtiere, Koala-Bärchen, eindeutig ebenfalls Zwillinge, die sich eng umklammert aneinander festhielten und gegenseitig vor der Welt beschützten.

Während dieser zwei Stunden traf ich meine Töchter nicht weniger als dreimal auf der Heidelberger Einkaufsmeile, in der »Hauptstraße«. Angestrengt taten sie so, als würden sie sich nicht für den Inhalt meiner Tüten interessieren.

Nach dem Erwerb der Koalas fühlte ich mich besser und war wieder einmal davon überzeugt, dass wir uns mit der Zeit doch in Heidelberg einleben würden. Außerdem war mir eingefallen, dass inzwischen sogar die Stadtbahn nach Karlsruhe fuhr, sodass die Mädchen in Fällen akuten Heimwehs jederzeit problemlos einen Kurztrip an die Orte ihrer Kindheit machen konnten. Und am Ende hatte dann auch mich das Heimweh so gepackt, dass ich um ein Haar noch einmal zurückgegangen wäre, um ein zweites Koala-Pärchen für mich selbst zu kaufen. Aber ich widerstand.

Auf dem eiligen Rückweg stolperte ich vor der alten Universität fast über Georg Simon, der betrunken herumtorkelte und jeden umarmte, der nicht rasch genug zur Seite sprang. Ich zerrte ihn um die Ecke in die Marstallstraße und platzierte ihn auf die Treppe in einem Hauseingang. Dann stellte ich meine Tüten ab und setzte mich neben ihn.

»Gibt's unter Ihren Kumpels eigentlich einen Mann, so Mitte fünfzig, der so lange Haare hat wie Sie?«, fragte ich in die betäubende Alkoholwolke hinein, die mir entgegenschlug.

Bedächtig schüttelte der Kandidat der Ägyptologie das angegraute Haupt. »Nee, mit so ...« Ein heftiger Schluckauf unterbrach den Satz. Plötzlich begann er zu lachen. »Nee, mit so Haaren kenn ick keinen. Dett is denen zu unmodern.«

Eine vorübergehende Dame musterte uns mitfühlend und schien zu überlegen, ob sie uns ein paar Münzen hinwerfen sollte. Aber sie vermisste wohl die dafür vorgesehene Büchse.

»Gibt's dann vielleicht einen, der ein Bein nachzieht? Das linke?«

»Dett is Alfred. Aber der is ja weg.«

»Alfred? Und was heißt das, weg?«

»Ja, wat soll dett wohl heißen? Früher, da is der Alfred da jewesen, und jetzt is er weg.« Er begann, sich leise in den Schlaf zu singen.

»Kennen Sie diesen Alfred schon länger?«, fragte ich hastig. »Und haben Sie eine Ahnung, wo er stecken könnte?«

»Klar kenn ick den schon länger. Wir sind ja schließlich Nachbarn, und da is dett doch kein Wunder, wenn man sich kennt!« Er rülpste empört und nahm sein Lied wieder auf, passenderweise »What shall we do with the drunken Sailor.«

»Nachbarn? Was wollen Sie damit sagen?«

Besorgt stierte er mich an. »Also Nachbarn, so nennt man Menschen, die ganz in der Nähe wohnen. Im selben Haus zum Beispiel, oder gegenüber«, erklärte er mir nachsichtig. »Solche Menschen, die nennt man dann Nachbarn.«

Ich ergriff meine Tüten, packte ihn unterm Oberarm und zog ihn hoch. »Wo wohnen Sie?«

»Na, da!« Vorwurfsvoll wies der in Richtung Stadt. »Da hinten. Semmelsgasse. Aber dett habt ihr doch allet uffjeschrieben!«

Eine halbe Stunde später stand ich mit Vangelis und Balke in Volker Krahls Zweizimmer-Altbauwohnung in der Semmelsgasse. Die Spurensicherer warteten vor der Tür, und Georg Simon hielt sich auf der Toilette der Erdgeschosswohnung auf, von wo man hin und wieder Mitleid erregende Geräusche hörte. Der Name an der Klingel lautete nicht »Krahl«, sondern »Betzner«, aber schon nach dem ersten Blick auf den aufgeräumten Schreibtisch unter dem Fenster zur Straße wussten wir, dass wir hier richtig waren.

Auf Krahls Schreibtisch standen ordentlich aufgereiht drei gerahmte Farbfotos, jedes mit einem schwarzen Trauerband an der rechten oberen Ecke. Eine unscheinbare, dunkelhaarige Frau, deren Lächeln etwas Mühsames hatte, ein verwegen dreinschauender junger Mann im Fußballtrikot, der seinem Vater ähnlich sah, und ein strahlend in die Kamera lachendes Mädchen.

Die Bilder standen nicht an ihrem Platz, als ob jemand sie vergessen hätte. Sie standen da wie eigens für uns hingestellt. In mir keimte zum ersten Mal der Verdacht auf, dass Volker Krahl mit uns spielte. Er hielt uns zum Narren, er führte uns an der Nase herum. Der Programmpunkt, den er uns für heute zugedacht hatte, war die Entdeckung seiner ehemaligen Wohnung, die er seit mindestens zwei Wochen nicht mehr betreten hatte.

Das Fenster ging zur Straße. Mein Blick fiel auf eine hässliche Mauer, auf die eine gute Seele vermutlich zur Verbesserung der Aussicht rührend guckende Pinguine und ein Flugzeug gesprayt hatte.

»Es sind drei Bilder, nicht zwei«, sagte Vangelis leise. »Der hat wirklich noch was vor.«

Wir gingen ins Treppenhaus und schickten die Spezialisten hinein. Nach einer Viertelstunde kam der Teamleiter heraus, ein drahtiger Kerl kurz vor dem Pensionsalter, der offensichtlich schon viel gesehen hatte.

»Da drin hat nicht einer seine Wohnung aufgeräumt«, erklärte er mir mürrisch und steckte sich ein Zigarillo an. »Da hat einer sein Leben aufgeräumt. Es gibt nichts, aber auch wirklich absolut nichts Persönliches. Außer diesen drei Fotos natürlich. Und dann haben wir noch eine Echthaar-Perücke gefunden mit langen grauen Haaren und so 'nen Schutzanzug wie diesen hier.« Er zupfte an seinem Ärmel. »Was das soll, weiß der Teufel.«

»Und ich«, sagte ich. »Ich weiß auch, was das soll. Fingerabdrücke?«

Er schüttelte unwirsch den Kopf.

»Gewebespuren?«

Zu meiner Überraschung nickte er. »Paar Haare unter der Matratze. Paar Hautschuppen in den Parkettritzen. So ordentlich kann einfach kein Mensch putzen, dass nicht irgendwas bleibt, wenn er eine Weile wo gehaust hat. Da müsste er schon mit dem Dampfstrahler durch.«

»Es geht ihm um Zeit«, grübelte Vangelis. »Er will Zeit schinden. Er ist vom Fach, er war bei der Kripo und weiß, dass er uns nicht beliebig lange davonlaufen kann, dass wir ihn irgendwann kriegen werden. Aber er ist verdammt gut, es kann dauern, wenn er so weitermacht.«

»Und er braucht nur noch ein paar Tage«, ergänzte Balke frustriert. »Drei, um genau zu sein.«

»Diese Zeit wird er nicht kriegen.« Ich spielte den Zuversichtlichen. »Er darf sie einfach nicht kriegen. Wir waren noch nie so nah dran. Wir haben ihn ja schon fast!«

»Deshalb auch das Messer und der Lappen.« Vangelis starrte immer noch die Wand an und überlegte laut. »Er hätte die Sachen problemlos verschwinden lassen können. Aber er verwischt systematisch Spuren und legt ständig falsche für uns. Was ist die Spur hier? Was will er uns sagen mit diesen Bildern?«

»Dass wir richtig liegen mit unserem Verdacht«, sagte ich. »Und dass Grotheers Frau sein nächstes Opfer ist.«

»Und dass wir uns keine Hoffnungen machen sollen«, knurrte Balke. »Dass wir ihm nicht das Wasser reichen können.«

»Er führt nicht nur Krieg gegen Grotheer. Er hat auch mit uns eine Rechnung offen«, murmelte Vangelis und starrte mich böse an. »Er hält uns zum Narren. Macht uns lächerlich. Zeigt uns, was er von uns hält.«

»Wenn Sie in seiner Lage wären«, ich sah in die Runde, »wo würden Sie jetzt wohnen?«

»Hotel scheidet aus«, sagte Balke sofort.

»Es sind Semesterferien.« Der Spurensicherer trat seinen Zigarillo auf dem lange nicht gefegten steinernen Treppenabsatz aus. »In der Stadt stehen Tausende Studentenbuden leer. Mancher vermietet sein Zimmer weiter. Mein Sohn, der hat Maschinenbau studiert in München, der hat das auch immer so gemacht.«

Klara Vangelis schloss die Augen und wirkte, als wäre ihr plötzlich schwindlig geworden. Balke stieß schnaufend die Fäuste in die Taschen seiner dunkelbraunen Lederjacke.

»Wenn wir wenigstens ein Indiz hätten. Irgendwas, was uns die Staatsanwaltschaft abkauft, damit wir ihn endlich zur Fahndung ausschreiben können!«, sagte ich zähneknirschend.

»Was ist denn mit den Haaren aus der Tiefgarage im Emmertsgrund draußen?«, fragte Balke nach Sekunden, in denen man nur die würgenden Geräusche aus der Erdgeschosswohnung und hin und wieder die Klospülung hörte. »Wenn die DNA identisch ist mit der, die Sie hier gefunden haben, dann haben wir zwar noch keinen Beweis, aber für einen dringenden Tatverdacht sollte es doch reichen.«

Der Spurensicherer nickte gelangweilt. »Kommt alles sofort ins Labor. Aber das dauert natürlich.«

»Bis wann?«, fragte ich.

»Wir haben Freitag Nachmittag, Herr Kriminalrat.«

»Das ist mir bekannt«, fuhr ich ihn an. »Aber die Kollegen könnten doch vielleicht mal eine Ausnahme machen?«

»Machen sie, machen sie. Aber vor Montag geht da trotzdem nichts. Diese DNA-Sachen brauchen einfach ihre Zeit.«

»Montag?«, fragte ich entsetzt. »Das ist zu spät!«

Er hob die Schultern und ging zurück in Krahls Wohnung. Unten klappte die Klotür.

Ich trug den beiden auf, sich von Simon eine möglichst genaue Beschreibung Krahls geben zu lassen. Zurzeit trug er einen sehr kurzen Bürstenhaarschnitt, so viel hatte ich selbst schon in Erfahrung gebracht. In der Klinik hatte er die Perücke getragen.

Dann verabschiedete ich mich, um in der Direktion nach dem Rechten zu sehen.

»Vergessen Sie Ihre Einkäufe nicht«, sagte Vangelis.

Das Entsetzliche, das, was mich selbst heute noch in dunklen Stunden fast verzweifeln lässt, wenn ich an diese Geschichte zurückdenke, ist, dass ich es gewusst habe. Ich allein habe es gewusst, genauer, hätte es wissen können, wenn ich nur gewollt hätte. Den entscheidenden Hinweis hatte ich ja längst gesehen. Ich. Ich allein.

Manchmal denke ich an Mariannes Worte über Verantwortung und Schuld. Sind wir verantwortlich für Gedanken, die wir nicht denken, weil wir fürchten, sie würden uns Schmerzen bereiten? Können wir schuldig werden durch Wissen, das wir im Unterbewussten verstecken, weil wir es nicht ertragen könnten? Weil die Erkenntnis unseren Stolz verletzen würde? Unsere Gefühle?

Wenn ich den entscheidenden Gedanken zugelassen hätte, wenn ich wirklich hätte wissen wollen, was Krahl plante, dann wäre zumindest einer der Menschen, die im Zuge der weiteren Ereignisse sterben mussten, heute noch am Leben. Bin ich deshalb schuld an seinem Tod? Weil ich nicht sehen wollte, was auf uns zukam, obwohl ich es hätte sehen können?

Die Zwillinge warteten schon ungeduldig auf mich. Sönnchens Schreibtisch war so aufgeräumt, als hätte sie gekündigt. Sie selbst war unauffindbar. Rasch erledigte ich noch ein paar Kleinigkeiten, dann fuhren wir nach Karlsruhe, packten unsere Sachen und kehrten nach Heidelberg zurück, um uns in unserer neuen Wohnung zwar nicht gerade häuslich, aber doch immerhin niederzulassen.

Zum Abendessen ließen wir uns Pizza bringen. Die Mädchen genossen das Abenteuer einer Mahlzeit unter Camping-Bedingungen auf dem glänzenden Parkett einer leeren, hallenden Wohnung unter nackten Glühbirnen. Vor dem Zubettgehen rief ich noch einmal meine Leute an, die vor Grotheers Haus Wache schoben, und schärfte ihnen ein, die Augen offen zu halten. Mein Handy würde die ganze Nacht über eingeschaltet sein, und ich wünschte über die geringste Kleinigkeit informiert zu werden. Neben meinen beiden Beamten war ständig mindestens ein Streifenwagen im westlichen Teil von Neuenheim unterwegs, dessen Besatzung nach einem hageren Mann in den Fünfzigern Ausschau hielt, der ein Bein nachzog.

In dieser Nacht schlief ich unruhig und träumte wieder einmal mein Durcheinander aus Marianne, Perlenkette und Vera. Immer wieder Vera. Bald tat mir alles weh, und es gelang mir nicht mehr, eine Stellung zu finden, die länger als fünf Minuten bequem war. Unseren letzten Camping-Urlaub hatten wir vor Jahren an der französischen Atlantik-Küste verbracht, in der Nähe von La Rochelle. Das Ergebnis war ein ungewöhnlich lange anhaltender Ehekrach gewesen und der Beschluss, künftig entweder im Hotel Ferien zu machen oder überhaupt nicht mehr.

Als ich endlich in Tiefschlaf fiel, war es fünf, und um sieben weckten mich die Zwillinge und verlangten ihre Geschenke. Ich scheuchte sie in ihr Zimmer zurück, duschte, zog mich eilig an und ging los, um wenigstens einen standesgemäßen Geburtstagskuchen zu besorgen. Der Bäcker hatte sogar Kerzen.

Am meisten freuten sie sich über die Koalas. Und das freute wiederum mich. Sie tollten herum und drückten und herzten ihre Bärchen, ich tat fröhlich und wünschte, Vera wäre dabei. Die ganze Zeit trug ich mein Handy herum, aber es klingelte kein einziges Mal. Nebenbei sah ich mir unsere neue Bleibe genauer an. Außer einem bisschen Streichen und ein paar Dübellöchern, die zugeschmiert werden mussten, gab es erfreulich wenig zu tun.

Bevor wir zum ersten Geburtstagsessen aufbrachen, fuhr ich rasch noch in unser Haus zurück, um ein paar Lampen zu holen und meine Matratze.

Das Essen bei McDonalds war wie erwartet. Aber die Mädchen waren glücklich, und ich tat, als wäre ich es auch. Zwischendurch probierte ich mein Handy aus. Es funktionierte einwandfrei.

Nachmittags gab es eine kleine Krise, weil den Mädchen auf einmal bewusst geworden war, dass es kein Geburtstagsfest geben würde. Ich versuchte sie damit zu beruhigen, dass sie mit vierzehn wirklich keine Kinder mehr seien, sondern Jugendliche, und erinnerte sie daran, dass sie vor drei Jahren zuletzt Kindergeburtstag gefeiert hatten und für Vergnügungen wie Topfschlagen vielleicht doch ein wenig zu alt waren. Sie ließen nicht locker. Ich schlug ihnen vor, einige ihrer neuen Klassenkameradinnen zu einer zünftigen Party einzuladen. Doch sie behaupteten, in der neuen Klasse gebe es niemanden, mit dem sie ihre Freizeit verbringen wollten. Sie wollten zurück. Zurück nach Karlsruhe, zurück in ihr Geburtshaus, zurück in ihre Kindheit.

Gemeinsam überlegten wir, was es in Heidelberg gab, woran sie Spaß haben könnten. Aber es fiel uns nichts ein. Was gibt es schon, was für Vierzehnjährige interessant und nicht zugleich verboten ist?

So gingen wir schließlich in ein Kino in der Hauptstraße und sahen uns irgendeine Hollywood-Schnulze mit Julia Roberts an, bei der ich mir mehrfach unauffällig eine Träne von der Backe wischen musste. Dann ging es wieder zu McDonald's, zum zweiten Geburtstagsessen. Mein Handy schwieg hartnäckig. Aber das war natürlich kein Wunder. Wenn wir uns nicht täuschten, dann blieben uns immer noch mindestens vierundzwanzig Stunden, bis es für Frau

Grotheer gefährlich wurde. Falls Krahl uns nicht schon wieder zum Narren hielt. Denn das war meine größte Sorge: Er wusste, dass wir mit dem nächsten Anschlag rechneten. Dass wir unsere Vorkehrungen trafen. Und natürlich würde auch er die seinen treffen. Nach dem Essen war mir übel. Aber das lag nicht nur an den Hamburgern, die ich gegessen hatte.

22

Der Sonntag war grauenhaft. Die Mädchen begannen schon beim Frühstück zu weinen und mich mit Vorwürfen zu überschütten. Ich konnte ihnen versprechen, was ich wollte, konnte ihnen die verlockendsten Zukunftsperspektiven ausmalen. Sie wollten zurück und sonst nichts. Schließlich verzogen sie sich schniefend in ihr Zimmer, um zu lesen, weil wir ja nicht einmal einen Fernseher hatten. Und wozu schenkte man ihnen CDs, wenn ihre Anlage noch in Karlsruhe stand.

Ich hängte Lampen auf, fuhr viermal zum Haus zurück, um den Fernseher und ein paar andere mehr oder weniger sinnlose Dinge zu holen, vor allem aber, um den Kindern aus dem Weg zu gehen.

Mittags kochte ich Spaghetti carbonara.

»Bei Mama haben die viel besser geschmeckt!«, hieß es. »Und den Speck hat sie in Streifen geschnitten und nicht in Würfel!«

Das Schlimmste war, dass sie Recht hatten. Mir schmeckte das Zeug auch nicht. Immerhin gaben sie zu, dass Heidelberger Cola nur unwesentlich schlechter schmeckte als die Karlsruher Version.

Um halb drei rief Balke an. »Chef, entschuldigen Sie, wenn ich am Sonntag, aber ...«

»Kein Problem.«

»Es ist ...« Er druckste herum. »Ich weiß, Sie wollen es

nicht hören, aber … Na ja, hab gedacht, ich muss Ihnen das einfach sagen.«

»Was müssen Sie mir sagen?« Mein Ton war zu schroff. Ich räusperte mich. »Schießen Sie los«, fuhr ich milder fort. »Und wundern Sie sich nicht über meine schlechte Laune.«

»Gut. Ich hab mich nämlich mal ein bisschen schlau gemacht, was diese Stiftung so treibt. Die müssen ja zum Glück Rechenschaft ablegen, was sie machen mit ihrem Geld.«

»Und was machen sie damit?«

»Da gibt's zum Beispiel eine Klinik in Mali, der sie letztes Jahr fünfzigtausend Dollar überwiesen haben.«

»Ist das nicht schön für diese Klinik?«

»Wenn sie das Geld gekriegt hätten, schon. Diese Klinik gibt's nämlich überhaupt nicht. Die ist Anfang der Fünfziger von der Albert-Schweitzer-Stiftung gegründet worden und wurde vor fünf Jahren aufgelöst, weil da in der Gegend kaum noch Menschen leben. Sind alle weggezogen, weil die Sahara sich immer weiter ausbreitet.«

»Könnte das ein Versehen sein? Irgendwer hat sich vielleicht vertippt?«

Balke hustete. »Klar, möglich. Einmal ist keinmal, hab ich auch gedacht. Aber dann gibt's da noch ein Urwaldkrankenhaus im Nordosten von Zaire. Witzigerweise haben die sogar 'ne kleine Website. Ein deutscher Entwicklungshelfer betreibt die, Schorsch heißt der, aus Regensburg. Weiß der Teufel, wie er das technisch macht. Dem hab ich heute Morgen 'ne Mail hingebeamt. Und wissen Sie, was er geantwortet hat?«

»Sie werden es mir bestimmt gleich verraten.«

»Von dieser Stiftung haben sie noch nie was gehört. Geschweige denn, Kohle gekriegt.«

»Wirklich merkwürdig.«

»Und ich hab noch mehr solche Merkwürdigkeiten gefunden. Sie zahlen nicht nur Zuschüsse zu irgendwelchen Hilfsprojekten, sie organisieren auch selbst welche. Bauen mal irgendwo einen kleinen Staudamm oder legen ein paar Quadratkilometer Sumpfland trocken, wegen der Malaria. Und praktisch alle diese Projekte sind in den letzten Jahren über eine ganz bestimmte Firma gelaufen. Und jetzt dürfen Sie dreimal raten, wie die heißt.«

»Marvenport and Partners.«

»Anscheinend haben sie schon das eine oder andere getan für die Menschheit, zumindest in der Vergangenheit. Aber ich vermute, eine ziemliche Menge von der vielen hübschen Kohle, die unser guter Prof so fein steuerbegünstigt an die überweist, gerät in ganz falsche Kanäle.«

»Ob er davon weiß?«

»Wollen wir wetten?«

Ich wettete lieber nicht. Als Balke auflegen wollte, fiel mir noch etwas ein.

»Herr Balke, Sie wissen ja wirklich eine Menge. Wissen Sie zufällig auch, was mit meiner Sekretärin los ist? Seit Donnerstag redet sie kein vernünftiges Wort mehr mit mir. Hab ich irgendwas falsch gemacht?«

Er lachte auf. »Die ganze Direktion redet von nichts anderem mehr. Vermute, das Innenministerium hat inzwischen einen Krisenstab eingerichtet.«

»Was ist denn, um Himmels Willen?«

»Sie hat am Donnerstag Geburtstag gehabt.«

»Ach, du lieber Gott!«

»Sie können Liebekind sämtliche Zigarren klauen oder unserer guten Oberstaatsanwältin Knallfrösche unter den Rock werfen. Aber den Geburtstag Ihrer Sekretärin verbummeln, das ist tödlich.«

»Und jetzt?«

»Jetzt hilft nur noch: auf Knien nach Canossa, ein Megastrauß für mindestens fünfzig Mücken und ein selbst gebackener Kuchen.«

»Wenn ich der armen Frau auch noch einen Kuchen backe, dann wird sie kündigen, falls sie den Genuss überlebt. Und ich weiß ja nicht mal, wo sie wohnt!«

»Das find ich raus für Sie. Und wegen des Kuchens machen Sie sich keine Sorgen. Kommen Sie in einer guten Stunde bei mir vorbei.«

Ich besorgte eine Flasche Ihringer Spätburgunder bei Frau Brenneisen und einen riesigen Strauß lachsfarbener Rosen beim Blumenladen am Bergfriedhof und fuhr nach Neckargemünd hinaus. Balke wohnte in einer Etagenwohnung im Neubauviertel. Das ganze Haus duftete schon nach seinem Kuchen.

»Möchten Sie was trinken?«, fragte er zur Begrüßung.

Er war im Bademantel, und durch die angelehnte Schlafzimmertür erhaschte ich einen Blick auf schlanke Frauenzehen, die unter der Bettdecke hervorlugten. Ich schüttelte den Kopf.

»Ich möchte nicht länger stören als unbedingt nötig.«

»Sie könnten unter achtzehn Sorten Cola wählen. Seit kurzem hab ich endlich auch eine Abfüllung aus Oldenburg. Sagenhaft, sag ich Ihnen. Die müssen da oben ein Wasser haben ...« Genießerisch schnalzte er mit der Zunge.

»Nun sagen Sie bloß, die schmeckt nicht überall gleich!«

»Schmeckt Wein überall gleich? Da sind auch nur Trauben drin. Die Zutaten sind immer dieselben. Aber das Wasser, das macht den Unterschied für Kenner.«

Seine Einrichtung erinnerte mich an die von Patrick Grotheers. Viel Weiß, klare Formen, alles augenscheinlich nicht billig. Aber im Gegensatz zu Grotheer hatte er Geschmack.

»Ein andermal gerne. Aber heute ...«

Er erklärte mir, er habe einen Rotweinkuchen nach Art seiner Großmutter väterlicherseits gebacken, und ließ mich das Rezept auswendig lernen.

»Eines überlege ich die ganze Zeit«, sagte er, als ich schon vor der Tür stand. »Wie will Krahl das anstellen? Wenn er bei seinem System bleibt, dann muss er die Frau ja vergiften. Wie soll das funktionieren? Es müsste doch mit dem Teufel zugehen, wenn der ungesehen in das Haus kommt. Er müsste einen Tunnel graben oder so was.«

Mit guten Ratschlägen, der Adresse meiner Sekretärin und den besten Wünschen verabschiedete er mich.

Sönnchen hatte Besuch und freute sich wie verrückt, obwohl sie von Rotwein regelmäßig Migräne bekam, wie ich im Lauf der nächsten zwei Stunden aufschnappte, und lachsfarbene Blumen eigentlich nicht ausstehen konnte. Ich wurde nicht weniger als acht Freundinnen vorgestellt als der nette neue Chef, musste mich bestaunen lassen wie ein frisch gekauftes Pferd, und drei Tassen mörderisch starken Kaffee sowie vier Stück Torte zu mir nehmen, drei davon mit Sahne. Mein Rotweinkuchen wurde sehr gelobt, und natürlich musste ich das Rezept zum Besten geben. Ich hoffte, dass ich nichts vergessen hatte. Dann war mir schlecht, und sie ließen mich endlich gehen. Niemals wieder würde ich den Geburtstag einer Sekretärin vergessen.

»Herr Kriminalrat«, erklärte sie mir an der Tür mit betretener Miene. »Ich glaub, ich hab was angestellt.«

»Egal, was es ist, es ist schon vergeben«, sagte ich erschöpft.

»Ich glaub aber, es ist ziemlich schlimm.«

»Es kann auf keinen Fall so schlimm sein wie das, was ich mir geleistet habe.«

»Freitagmittag hat ein junger Mann angerufen. Der hat Sie sprechen wollen. Sie sind aber in der Stadt gewesen ...«

»Ein junger Mann?«

»Dieser Fitz, Sie wissen schon.«

»Und was hat er gewollt?«

»Das hat er nicht gesagt. Ich hab ihm versprochen, dass Sie gleich zurückrufen, wenn Sie wieder da sind, aber ... ich glaub fast, den Zettel hab ich dann später in den Papierkorb geschmissen. Aus ... aus Versehen, natürlich.«

Ich überlegte. »Ich hab eine Idee, Sönnchen, wie Sie es wieder gutmachen können. Wenn Ihr Besuch gegangen ist, dann hängen Sie sich ans Telefon und sehen zu, dass Sie den Kerl erreichen. Seine Handynummer muss in unseren Akten stehen.«

Ich diktierte ihr meine Handy-Nummer, die sie auf einem karierten Blöckchen notierte, das neben ihrem Telefon lag.

Sönnchens Kaffee verursachte mir Herzrasen, die Torten Bauchgrimmen. In mir brodelte eine fiebrige Unruhe. Keine Sekunde konnte ich mehr stillsitzen. Am Abend fuhr ich aus purer Nervosität noch ein letztes Mal für diesen Tag nach Karlsruhe, um die kleine Stereoanlage der Mädchen zu holen, damit sie endlich ihre neuen CDs hören konnten und sich so vielleicht beruhigten, sowie ein Küchenschränkchen und ein Regal, in dem ich meinen bescheidenen Hausrat verstauen konnte.

Später versuchte ich, zur Wiedergutmachung eine Runde Monopoly mit ihnen zu spielen. Aber ich konnte mich nicht konzentrieren, hätte bereits nach einer Stunde wegen Konkursverschleppung angezeigt werden müssen und saß die meiste Zeit im Gefängnis.

Endlich klingelte mein Handy. Es war Fitzgerald Gardener.

»Es gibt da eine Sache, die Sie vielleicht wissen sollten«, sagte er. Ich hörte an seinen ersten Worten, wie unwohl er sich fühlte. »Ich weiß ja nicht, warum das so wichtig ist, aber Sie haben mich immer wieder danach gefragt und ... Es geht um Mom. Es ist ... Fuck, ich mach das jetzt echt nicht gern!«

Ich fürchtete, er würde auflegen. »Schießen Sie los«, sagte ich schnell. »Was immer es ist, es bleibt unter uns.«

»Sie darf auf keinen Fall erfahren, dass ich ... Sie hat ja nicht mal 'ne Ahnung, dass ich davon weiß. Aus irgendeinem Grund macht sie ein Riesengeschiss um das Ganze.«

Ich versprach nochmals absolute Diskretion.

»Sie kriegt Geld. Irgendwer überweist ihr Geld. Jeden Monat.«

»Wer?«

»Es kommt von einer Firma.«

»Von einer Firma?«

»Einer Firma auf Jersey oder Guernsey. Den Namen hab ich vergessen.«

»Vielleicht Marvenport and Partners?«

»Könnte sein. Doch, das könnte sein.«

Ich legte das Handy auf den Tisch und erklärte meine Kapitulation. Die Mädchen räumten enttäuscht das Spiel weg und verschwanden in ihrem Zimmer. Sekunden später wummerte Gangsta Rap durch die geschlossene Tür.

Mein Kopf schwirrte, im Bauch schlug die Sahnetorte Purzelbäume. Überlegungen wirbelten haltlos durch mein Hirn. Hypothesen verflogen so rasch, wie sie aufgetaucht waren. Alles wurde immer wirrer statt klarer. Was hatte nun wieder Helen Gardener mit dieser Firma zu tun?

Die Zwillinge gingen mir auf die Nerven. Alle fünf Minuten kamen sie mit einer Frage oder einer Beschwerde. Um elf schickte ich sie auf ihre Isomatten und begann, Runden durch die Küche zu drehen, die inzwischen zum wohnlichsten Ort unserer neuen Behausung geworden war.

Krahls Frau war nachts gegen zwei Uhr gestorben, hatte ich in den Akten gelesen. Er selbst hatte Nachtdienst gehabt und sie erst am nächsten Morgen gefunden. Wenn er sich an seinen Zeitplan hielt, dann blieben noch zwei Stunden, bis es Ernst wurde. Ich musste mich zwingen, meine Wachttruppen nicht alle zehn Minuten anzurufen. Wenn er sich an seinen Plan hielt. Balkes Überlegung fiel mir wieder ein, wie Krahl sein Vorhaben wohl praktisch umsetzen könnte. Wie er Frau Grotheer dazu bringen wollte, das Gift zu sich zu nehmen, falls es ihm überhaupt gelang, unbemerkt in das Haus einzudringen.

Das Handy klingelte. Es war Vangelis, die mir nur mitteilte, dass sie in Neuenheim spazieren ging und sich langweilte. Sie war gar nicht zur Wache eingeteilt, hielt aber die Warterei ebenso wenig aus wie ich. Ich widerstand dem Impuls, ihr Gesellschaft zu leisten. Zu viel Betrieb auf den nächtlichen Straßen rund um das Haus der Familie Grotheer würde auffallen.

So streunte ich weiter durch die Wohnung, räumte in der Küche herum, hängte das kleine Glas-Regal auf, das ich am Nachmittag geholt hatte, und stellte die Dinge hinein, die schon zu Hause darin gestanden hatten. Nutzloser Kram, der sich im Lauf vieler Ehejahre angesammelt hatte. Ein Mörser aus Marmor, den man zu nichts anderem brauchen konnte als dazu, ihn hin und wieder abzustauben, angestoßene Tassen vom Trödelmarkt in Arles, ein Miniatursaxophon aus New Orleans, ein getrockneter Krebs von der französischen Atlantikküste. Schließlich beschwerten sich die Mädchen, dass sie wegen meines Radaus nicht schlafen konnten.

Wie hing das alles zusammen? Was hatte Grotheer mit dieser geheimnisvollen Firma zu tun? Und warum bezahlte die Unterhalt an Helen Gardener? Und sollte Balke am Ende Recht haben, hinterzog er tatsächlich Steuern? Professor Franz Grotheer, der Wohltäter der Menschheit, das leuchtende Vorbild, die weithin bewunderte moralische Autorität, eines der letzten Bollwerke gegen den endgültigen Verfall der Sitten? Und zwar nicht nur ein paar Tausender, sondern Millionenbeträge?

Lange starrte ich aus dem Fenster in die sternklare, windige Nacht. Die Bäume draußen wiegten sich im Wind. Mit einem Mal konnte man glauben, dass nun bald der Herbst kam. Ich setzte mich auf einen der wackeligen Stühle und sprang nach dreißig Sekunden wieder auf. Ich kochte Kaffee und schüttete ihn weg.

Halb eins. Noch eineinhalb Stunden. Und das Handy blieb still. Meine Nervosität begann unerträglich zu werden. Die Hände waren feucht, der Puls wollte sich nicht beruhigen, obwohl Sönnchens Kaffee längst nicht mehr wirkte. Ich arrangierte die Sachen im Regal um. Ein kleiner Keramik-Kerzenständer aus Spanien mit einer heruntergebrannten Christbaumkerze, eine angeknackste Zuckerdose aus Meißener Porzellan aus der Erbmasse von Veras Großtante, eine kunstvoll bemalte indische Teedose unbekannter Herkunft.

Erinnerungen. So viele Erinnerungen. Vera hatte immer viel Tee getrunken. Kaffee hatte sie ja nicht vertragen. Tee. Ich hielt das Ding in der Hand und konnte es nicht wegstellen. Eine Teedose. Wann hatte ich zum letzten Mal eine Teedose in Händen gehalten?

Und plötzlich riss der Vorhang, und alles war auf einmal sonnenklar. Ich fuhr in meine Schuhe, fand den Autoschlüssel am Fußboden neben dem Camping-Kocher und hetzte davon, ohne meinen Töchtern auch nur einen Zettel zu hinterlassen, wohin ich unterwegs war.

23

Auf der rasenden Fahrt zur Klinik hätte ich ständig schreien und mich ohrfeigen können. Endlich erreichte ich Vangelis per Telefon und informierte sie brüllend im Telegrammstil. Sie war zu diesem Zeitpunkt kaum mehr als zweihundert Meter von der Klinik entfernt und versprach, sich zu beeilen.

Mit jaulenden Reifen bog ich auf den leeren, taghell beleuchteten Parkplatz ein, ließ den Peugeot irgendwo in der Nähe des Haupteingangs mit offener Tür und laufendem Motor stehen, kümmerte mich nicht um die empörten Rufe des Zivis am Empfang, wartete nicht auf den Fahrstuhl, sondern nahm die Treppe, immer drei Stufen auf einmal.

Als ich oben ankam, zeigte die Uhr in der Mitte des menschenleeren Gangs Viertel nach eins. Und als ich keuchend in Marianne Schmitz' Büro stürmte, war sie bereits tot, wie ich auf den ersten Blick erkannte. Sie lag neben ihrem Schreibtisch in verkrümmter Haltung, so, als hätte sie in den Sekunden ihres Todes unerträgliche Schmerzen gehabt.

Nur Augenblicke nach mir kam Klara Vangelis. Da saß ich bereits am Boden, mit dem Rücken zur Wand neben dem Tisch, an dem ich mich noch vor wenigen Tagen mit der Toten neben mir über Schuld und Verantwortung unterhalten hatte, und war stumm und taub vor Schreck und Schmerz.

Sie stellte keine Fragen, sondern zückte ihr Handy, um das Richtige zu tun. Minuten später war eine Menge Leben um mich herum. In mir war keines mehr. In mir war der Tod. Dies war einer der wenigen Momente, in denen ich sterben wollte. Wenn meine Töchter nicht gewesen wären, wenn der Gedanke an sie mich nicht zurückgehalten hätte, ich weiß nicht, was noch geschehen wäre, in dieser verfluchten und nicht enden wollenden Nacht. Entfernt schnappte ich Worte auf wie »Gift« und »Tee«. Professionell freundliche Krankenschwestern versuchten, mit mir ins Gespräch zu kommen. Irgendwann gab mir eine mitfühlende Seele eine Spritze.

»Sie war seine Geliebte, nicht wahr?«, fragte Vangelis, als ich in einem Krankenhausbett wieder zu mir kam.

Ich brachte nur ein Nicken zustande.

»Krahl wollte ihm nicht die Frau wegnehmen, mit der er verheiratet war, sondern die, die er geliebt hat«, fuhr sie ohne Gnade fort.

Ich räusperte mich einige Male, bis ich glaubte, sprechen zu können. »Was ist mit meinen Mädchen?«

»Wir haben Sönnchen zu ihnen geschickt. Sie hat in der Schule angerufen und ihnen frei gegeben. Ich hoffe, Sie sind damit einverstanden.«

»Diese Wohnung im Emmertsgrund draußen, das war ihr Liebesnest, was?«, hörte ich Balkes Stimme hinter mir. Er hatte sich an die Fensterbank gelehnt. Das Licht schmerzte in meinen Augen, als ich zu ihm hinsah.

»Hat jemand meinen Wagen abgeschlossen?«, murmelte ich blöde.

Er warf mir die Schlüssel auf die Bettdecke. »Hab mir auch erlaubt, ihn ein bisschen ordentlicher zu parken.«

Vangelis zog sich einen Stuhl heran, setzte sich und schlug die Beine übereinander. »Unser Heiliger Franz. Wer hätte gedacht, dass der Mann ein Doppelleben führt.«

Ich brummte irgendetwas und schlief wieder ein.

Gegen Mittag war ich wieder weit genug bei Kräften, um aus der Klinik zu flüchten. Sie ließen mich einen Wisch unterschreiben, dass ich dies auf eigenes Risiko tat, erzählten mir mit ernsten Mienen etwas von Schockzustand. Aber ich konnte keine Sekunde länger liegen.

»Wie ist er reingekommen?«, lautete meine erste Frage. »Auch mitten in der Nacht sind doch überall Leute in so einer Klinik. Wie kommt der unbemerkt rein und wieder raus?«

»Ganz einfach, durch den Haupteingang. Er ist ja immer noch da angestellt«, erklärte mir Vangelis. »Mindestens vier Personen haben ihn gesehen. Keiner hat sich was dabei gedacht, dass er plötzlich wieder da war. Mit zweien hat er sogar gesprochen. Hat erzählt, er sei ein paar Tage krank gewesen und würde am Montag, also heute, wieder zur Arbeit kommen.«

»Und dann hat er auf eine Gelegenheit gewartet, in das Büro von der Frau Doktor zu kommen und ihr dieses Zeug in die Thermoskanne zu tun«, ergänzte Runkel dumpf.

»Was für Zeug?«

»Wissen wir noch nicht«, gestand Balke. »Irgendein höllisch schnell wirkendes Gift. Sie muss praktisch nach dem ersten Schluck tot gewesen sein.«

»Und jetzt?« Ich merkte, dass ich doch noch nicht die alte Form wiedererlangt hatte. Ich lehnte mich zurück und schloss die Augen. »Was machen wir denn jetzt? Hat jemand eine Idee?«

»Es gibt eigentlich nur zwei Möglichkeiten«, murmelte Balke. »Entweder, er ist jetzt mit seiner Rache am Ende oder ...«

»... er versucht, den Professor auch noch umzubringen«, beendete ich seinen Satz und zwang mich, die Augen wieder zu öffnen.

»Der Sie übrigens dringend sprechen möchte«, sagte Vangelis. »Er hat schon mehrfach angerufen.«

»Wo steckt er?«

»Bei seiner Frau. Und er zeigt mächtig Nerven.«

Ich starrte sie eine Weile an und versuchte zu überlegen.

»Lassen Sie uns hinfahren«, entschied ich schließlich. »Ich hab sowieso ein paar Dinge mit ihm zu bereden und will sein Gesicht sehen dabei.«

Balke war enttäuscht, dass er nicht mit durfte. Aber er war befangen. Ihn wollte ich lieber nicht dabeihaben bei dem Gespräch.

Natürlich war auch ich befangen. Wäre ich mein Chef gewesen, ich hätte mich umgehend von diesem Fall abziehen müssen. Nach der vergangenen Nacht war Volker Krahl kein Verdächtiger mehr für mich, sondern ein Feind. Ich wollte ihn haben und quälen, ihm wehtun, ihn weinen sehen. In mir loderte ein Höllenfeuer aus Hass, Rachsucht und maßloser Enttäuschung.

Aber ich war nicht mein Chef. Da war niemand, der mich hätte bremsen können.

Frau Grotheer bekam ich an diesem Tag nicht zu Gesicht. Der Hausherr selbst öffnete uns die Tür, nickte uns ernst zu und führte uns ins Wohnzimmer. Er trug eine dunkelblaue Strickjacke, eine schon leicht zerknitterte graue Hose und altmodische Hausschuhe. Wir setzten uns. Er war blasser als sonst, das rechte Augenlid zuckte unablässig. Der Tod der Geliebten hatte ihn sichtlich getroffen.

»Unglaublich«, war das erste Wort, das er herausbrachte. Immer wieder schüttelte er ungläubig den Kopf. »Einfach unglaublich, wozu ein Mensch fähig sein kann. Ausgerechnet Marianne. Ich nehme an, Sie haben sich inzwischen manches zusammengereimt?«

»Ich war in Ihrer Wohnung im Emmertsgrund«, sagte ich leise. »Dort habe ich übrigens auch den entscheidenden Hinweis entdeckt. Es war der Tee. Ihr Tee, auf den sie nicht verzichten konnte. Aber leider habe ich zu spät geschaltet. Viel zu spät. Eine halbe Stunde früher, und ...«

Er nickte vor sich hin und sah auf seine Hände. »Niemand wird Ihnen einen Vorwurf machen«, sagte er matt.

»Doch«, erwiderte ich. »Ich.«

»Davon sind wir niemals frei.«

»Wie war es damals beim Tod von Krahls Sohn? Haben Sie sich damals Vorwürfe gemacht?«, fragte ich.

Verwundert sah er auf. »Was denken Sie denn?« Plötzlich wurde er laut: »Ja, was denken Sie denn? Dass wir Tiere sind? Dass uns der Tod eines Menschen unberührt lässt? Niemals! Niemals wird das so sein! Was denken Sie wohl, weshalb ich Medizin studiert habe, warum Marianne Medizin studiert hat?« Unvermittelt wurde er wieder leiser. »Entschuldigen Sie.« Er fuhr sich über die Stirn. »Es ist alles so ... entsetzlich. Ich ... ich bitte um Ihr Verständnis.«

»Es war wohl kein Zufall, dass Ihr Sohn ausgerechnet in die Wohnung neben der Ihren eingezogen ist?«

»Gewiss nicht. Er muss uns beobachtet haben. Vielleicht hat er einmal zufällig meinen Wagen gesehen. Ich weiß es nicht. Plötzlich war er eben da. Hat eines Abends Sturm geläutet, vor unserer Tür randaliert. Es war eine unvorstellbar peinliche Situation. Er hat es darauf angelegt, mir das Leben zur Hölle zu machen.«

»Und deshalb sind Sie dann nicht mehr dort aufgetaucht«, sagte ich.

»Ging es darum auch bei dem Streit mit Marianne Schmitz am Montag vor seinem Tod?«, fragte Vangelis.

Grotheer nickte gequält. »Plötzlich wollte er Geld. Viel Geld. Hat gedroht, an die Öffentlichkeit zu gehen. Das wäre mein Ruin gewesen. Nicht der finanzielle, verstehen Sie mich richtig. Mein Ruin als, wenn ich so sagen darf, moralische Institution und als Wissenschaftler. Neid und Missgunst gibt es an jeder Universität. Nicht jeder gönnt dem anderen seine Erfolge. Es gibt Kollegen, die wären begeistert gewesen über eine solche Chance, mein Ansehen in der Öffentlichkeit zu demontieren. Nein, keine schöne Situation, weiß Gott.« Wieder sah er auf seine Hände, die reglos in seinem Schoß lagen. »Um ehrlich zu sein, als ich erfuhr, dass er tot ist ...«

»Da waren Sie beruhigt?«, fragte ich tonlos und fühlte, wie meine Finger kalt wurden.

Er schloss die Augen. »So schrecklich es klingen mag – in gewissen Sinne, ja. Natürlich war es nicht so, dass ich gejubelt hätte. Aber es war schon eine deutliche Erleichterung. Ich weiß nicht, ob Sie das verstehen können. Es ist vielleicht auch nicht notwendig, dass Sie es verstehen. Marianne war ziemlich aufgebracht deshalb.«

Oben hörte ich leise Schritte, eine Tür klappte. Dann war es wieder still. Ich fragte mich, ob seine Frau unser Gespräch belauschte.

Nach einigen schweigend verbrachten Sekunden richtete ich mich auf. »Herr Professor, Sie wollten mich sprechen.«

Er blickte mich von unten her an. »Wundert Sie das?«

»Sie haben Angst?«

»Muss ich das nicht?«

»Ich kann es Ihnen nicht sagen«, antwortete ich ehrlich. »Meine Meinung ist, dass Sie nicht in Gefahr sind. Es würde seinem System widersprechen, wenn er nun auch noch Sie angreifen würde. Aber solange er frei herumläuft, kann alles passieren. Wir wissen nicht, was in seinem verwirrten Kopf vorgeht.«

»Möchten Sie hören, was ich glaube? Er ist krank. Ich vermute sogar, er hat nicht mehr lange zu leben. Nur so ist dieser plötzliche, zum Äußersten entschlossene Fanatismus zu erklären. Nach diesen entsetzlichen Prozessen, die mir so viele schlaflose Nächte bereitet haben, hat er all die Jahre stillgehalten. Und nun, aus heiterem Himmel, diese unvorstellbare Grausamkeit. Es muss etwas sehr Einschneidendes geschehen sein.«

Ich wechselte einen Blick mit Vangelis. Ich musste unbedingt Runkel fragen, ob er endlich Krahls ehemaligen Arzt aufgetrieben hatte.

»Sie sollten vorläufig dieses Haus nicht verlassen, Herr

Professor. Hier sind Sie in Sicherheit. Ich werde die Wachen noch einmal verstärken, und Sie werden niemanden einlassen, den Sie nicht persönlich kennen. Völlig gleichgültig, mit welcher Begründung er an Ihrer Tür klingelt.«

»Der Laborbericht vom LKA.« Balke warf mir eine dünne Mappe auf den Schreibtisch. »Die DNA von den Haaren im Emmertsgrund stimmt mit der aus der Wohnung in der Semmelsgasse überein. Krahl ist definitiv unser Mann.«

Ich überflog den Bericht. »Damit ist er fällig. Ich beantrage den Haftbefehl.«

»Das mit dem Bein, das wird ihm das Genick brechen«, sagte Balke zufrieden. »Es hinken ja nicht so viele Männer.«

Eine halbe Stunde später hielt ich das ersehnte Dokument in Händen, und die Fahndungsmaschinerie der Polizei begann zu laufen. Bereits nach wenigen Minuten war Volker Krahl europaweit zur Fahndung ausgeschrieben. Ab achtzehn Uhr würde sein Bild in den Fernsehnachrichten der Regionalprogramme gezeigt werden, morgen früh würde es in jeder Tageszeitung erscheinen. Und endlich konnten wir zu unseren Bildern einen Namen nennen. Georg Simon hatte sich, nachdem er wieder halbwegs nüchtern war, als guter Beobachter erwiesen. Wir brauchten nur noch zu warten.

Wir warteten einen Tag, wir warteten zwei Tage, nichts geschah. Die Zwillinge aßen wieder mehr und weinten immer seltener. Frau Brenneisen stand kurz davor, mir das Du anzubieten, und Sönnchen hätte am liebsten meine Töchter adoptiert.

Am Dienstagabend traf ich die Frau mit der Perlenkette, diesmal wieder in der Wohnung ihrer Freundin. Sie hatte eine CD mitgebracht, eine fast dreißig Jahre alte ECM-Aufnahme mit John Taylor, Norma Winstone und Kenny Wheeler. Wir liebten uns zu der friedvollen, heiteren Musik. Hinterher war sie traurig.

»Sie waren mit den Gedanken nicht bei mir«, sagte Sie ohne Vorwurf. »Gibt es eine andere?«

Ich küsste sie auf die Nasenspitze.

»Lassen Sie mir Zeit. Ich brauche einfach Zeit.«

Sie lächelte unsicher. »Sie denken immer noch an sie?«

»Immerzu«, gestand ich und verschwieg, wen ich damit meinte. Ich war mir sicher, dass ich sie lieben würde, irgendwann, sobald ich die Trauer und den Schock über Mariannes Tod überwunden hatte.

»Ich möchte kein Ersatz sein für irgendjemanden«, sagte sie mit fester Stimme, nachdem die Platte zu Ende war. »Alles will ich sein für Sie, aber das nicht.«

Was hätte es für einen Sinn gehabt, ihr von Marianne zu erzählen?

Grotheer hielt sich brav in seinem Haus versteckt, obwohl er in der Klinik dringend gebraucht wurde. So machte dort notgedrungen ein Oberarzt eine Blitzkarriere, um die ich ihn nicht beneidete. Ich lernte ihn kennen, als ich kurz in der Klinik vorbeischaute, weil plötzlich doch noch Fotos aufgetaucht waren, auf denen Krahl zu sehen war. Sie waren anlässlich einer Geburtstagsfeier im Juni aufgenommen worden, und offenbar hatte er nicht gleich bemerkt, dass er im Bild war. Die Kamera war nicht besonders gut gewesen, aber unsere Techniker würden herausholen, was herauszuholen war. Ein schlechtes Foto ist allemal besser als ein gutes Phantombild.

Der frisch gebackene Stationschef wirkte erschöpft, hielt sich aber wacker. Wir sprachen ein paar Sätze miteinander, dann hetzte er weiter. Er war an einem entscheidenden Punkt seiner Berufslaufbahn angelangt. Entweder, er schaffte es und würde in Kürze Mariannes Stellung einnehmen, oder er durfte sich demnächst nach einem anderen Job umsehen. Ich fühlte mit ihm. Mir ging es genauso.

Liebekind bestellte mich inzwischen täglich zum Rapport, die Falten auf seiner Stirn wurden tiefer und tiefer. In Frau Steinbeißers Miene entdeckte ich einen neuen Zug: Mitleid. Sie sah mich bereits als gescheitert und war gespannt auf meinen Nachfolger. Die Medien veröffentlichten mit Freude unser digital überarbeitetes Foto von Krahl, verfolgten eifrig jeden unserer Schritte in der Hoffnung, uns niedermachen zu können, und übertrafen sich in Mutmaßungen.

Und wir konnten doch nichts tun als warten.

Ich begann zu glauben, dass das Vitamin A wirkte. Jeden Morgen machte ich Sehtests mit der Zeitung, und der Abstand, aus dem ich die Texte noch entziffern konnte, schien wirklich größer zu werden. Ich erhöhte die Dosis von eins auf zwei.

Der Verkauf unseres Hauses war inzwischen amtlich, der Besitzwechsel der Wohnung in Heidelberg ins Grundbuch eingetragen. Eine Einbauküche wurde gekauft und verblüffenderweise schon zwei Tage später installiert.

Der Umzug rückte näher.

Krahl blieb verschwunden.

Jeden Tag wurde er irgendwo entdeckt, brach Hektik aus, die nach wenigen Stunden wieder in sich zusammenfiel. Er war und blieb verschwunden. Ich arbeitete den Aktenberg ab, der sich inzwischen auf meinem Schreibtisch angesammelt hatte, und versuchte mich in seine Gedanken zu versetzen. Wo würde ich unterkriechen, wenn ich an seiner Stelle wäre? Verstecken kann man sich in der Einsamkeit oder in einer Menschenmenge. Dazwischen gibt es nichts. Ein allein stehendes Haus irgendwo im tiefen Odenwald, eine Gartenlaube am Rande von Mannheim, ein Bauwagen in einem vergessenen Steinbruch oder aber eine Studentenbude mitten in der Heidelberger Altstadt. Ich ertappte mich dabei, wie ich auf die Straße hinuntersah und versuchte, ihn in einem Passanten zu erkennen.

Ich lernte meine neuen Nachbarn kennen. Im Erdgeschoss wohnte eine blasse fünfköpfige Familie. Der Mann war irgendwas an der Universität, die Frau mit ihren drei rabiaten Kindern im Alter zwischen anderthalb und fünf restlos überfordert. Wir versprachen, uns gegenseitig auszuhelfen, wenn Not am Mann war. Sie sagten mir, dass die laute Musik meiner Töchter sie nicht im Geringsten störte, da bei ihnen ohnehin ständig Lärm sei. Über mir wohnte die stille, zierliche Witwe des ehemaligen Geschäftsführers einer Firma für Feuerschutzanlagen, die sich darüber freute, dass die Wohnung unter ihr nicht mehr leer stand. Da sie, obwohl erst Ende fünfzig, ein wenig schwerhörig war, waren auch von hier keine Klagen zu erwarten.

In dieser Zeit machte ich eine Entdeckung: Es gelang mir allmählich, meine Töchter zu unterscheiden. Sarah, die mit der kleinen Narbe an der Stirn, bewegte sich offener als Louise, ihre Stimme war ein wenig lauter, ihr gesamtes Auftreten selbstbewusster. Wenn sie ein Anliegen hatten, wenn es etwas durchzusetzen galt, dann war sie es, die das Gespräch eröffnete. Jeden Tag ging es ein wenig besser.

Das Wetter schlug wieder um. Nachdem es eine Woche lang kühl und regnerisch gewesen war, wurde es plötzlich wieder warm.

24

Am Donnerstag fuhr ich nach Dienstschluss in die Stadt und kaufte ein, was der Mensch zum Joggen braucht. Endlich wollte ich meine guten Vorsätze in die Tat umsetzen. Gleich morgen würde ich damit beginnen, und zwar nach dem Frühstück. Kompromisslos. Jeden Tag, bei Regen, bei Schnee, bei Gewitter und Erdbeben. Keine Ausrede würde ich gelten lassen. Anders ging es bei mir nicht, denn im Erfinden von Ausreden mir selbst gegenüber bin ich ein Genie.

Später fuhr ich sogar noch nach Karlsruhe, um mein Fahrrad zu holen. Am nächsten Morgen vergaß ich jedoch meine sportlichen Absichten völlig, und erst der Anblick Balkes, der auf einem Rennrad zum Dienst erschien, erinnerte mich daran, dass sich zu Hause ein paar funkelnagelneue gelgepolsterte Nike-Schuhe langweilten.

Am Abend traf ich die Frau mit der Perlenkette erneut. Ich

hatte mir angewöhnt, gegen zehn einen kleinen Abendspaziergang durchs Viertel zu machen. Das trug einerseits zur Beruhigung meiner Nerven bei, andererseits wartete ich natürlich immer darauf, dass sie kam. Ich hoffte, sie einmal aus einem Auto steigen zu sehen, mir eine Nummer merken zu können. Aber es gelang mir nicht. Immer war sie plötzlich da, und mit ihr dieses Lächeln. Noch immer waren wir Fremde füreinander und dabei so intim und vertraut, wie es vielleicht nur Fremde sein können. Diesmal gingen wir wieder nur spazieren. Sie wies mich auf schöne alte Fassaden hin, irgendwo tranken wir ein Glas Wein. Sie blieb nicht lange und schien noch immer traurig zu sein.

Als ich kurz nach elf nach Hause kam, saßen die Zwillinge in der Küche. Es war unverkennbar, dass sie ein Anliegen hatten.

»Paps«, begann Sarah kläglich. »Das Schlafen auf diesen Isomatten, das ist nicht gut für uns.«

»Ein paar Tage haltet ihr noch durch. Dann kommen unsere Möbel, und das Elend hat ein Ende.«

»Aber wir haben morgens immer solche Schmerzen!«

Sie zogen herzzerreißende Gesichter und griffen sich völlig gleichzeitig ins verdächtig gebeugte Kreuz.

»Schmerzen?«, fragte ich aufmerksam.

Sie nickten betrübt. »Und es wird jeden Tag schlimmer!«

»Dann geht ihr morgen am besten gleich zum Arzt. Ich werde mich erkundigen, ob es in der Nähe einen guten Orthopäden gibt.«

Alarmiert sahen sie auf. »Und was macht der?«, fragte Louise.

»Krankengymnastik verschreiben. Einige Wochen Rumpfbeugen und Liegestütze, und ihr werden sehen, schon geht's euch wieder blendend.«

Das Gespräch lief eindeutig nicht so, wie sie gehofft hatten. Schließlich trollten sie sich. Ich wusste nicht, was sie hatten erreichen wollen mit ihrer Hexenschuss-Show. Jedenfalls war es schief gegangen.

Die zweite Angriffswelle kam beim Frühstück. Sie klagten über Kopfschmerzen. Nachdem ich sie ein bisschen bemitleidet hatte, rückten sie endlich heraus mit ihrem Problem.

»Paps, du schreibst uns doch eine Entschuldigung für die ersten zwei Stunden, ja? Danach geht's uns bestimmt besser, und dann gehen wir auch in die Schule! Ehrlich!«

»Habt ihr Mathe in den ersten Stunden?«

»Sport«, ächzte Sarah mit schmerzverzerrtem Gesicht.

»Und Sport mit solchen Kopfschmerzen …«, ergänzte Louise weinerlich und griff sich mit einer gut gespielten Geste an die Stirn.

»Wisst ihr was? Ihr sagt eurer Lehrerin, wie schlecht es euch geht. Dann dürft ihr auf der Bank sitzen und zugucken. Und vielleicht wird euch ja mit der Zeit besser, und ihr könnt am Ende doch ein bisschen mitturnen. Das wird euren Rücken bestimmt gut tun.«

Sicherheitshalber blieb ich sitzen, bis sie weg waren. Dann nahm ich zwei Vitamin-A-Pillen, zog feierlich mein federleichtes und windschlüpfriges T-Shirt an, die funkelnagelneuen, sportlich glänzenden Lauf-Shorts und schlüpfte in meine ultraleichten Hochleistungsschuhe. Heute würde ich eine Tradition eröffnen, die erst dann ein Ende finden würde, wenn ich mich nicht mehr auf eigenen Beinen fortbewegen konnte. Vor Jahren hatte ich einmal an einem Halbmarathon teilgenommen. Zwar war ich ungefähr zur selben Zeit ins Ziel gekommen wie das Mittelfeld des Ganzmarathons, aber ich hatte durchgehalten. In ein, zwei Monaten wollte ich meine alte Form wieder erreicht haben.

Zur Lockerung machte ich einige Rumpf- und Kniebeugen. Die Gelenke knackten bedenklich, und nach der dritten Verbeugung fürchtete ich einen Moment, nun selbst einen Hexenschuss zu haben. Außerdem war ich schon ziemlich außer Atem. Ich beschloss, einen Augenblick zu verschnaufen. Draußen schien die Sonne. Bestimmt war es schon wieder viel zu warm für diese Tageszeit. Vielleicht nicht gerade die ideale Temperatur zum Begründen einer Tradition? Und außerdem würden meine Leute mich natürlich längst im Büro erwarten, und ich war ohnehin schon reichlich spät dran wegen des Theaters mit den Mädchen. Schließlich zog ich die Sportsachen aus und stieg unter die Dusche.

Ich gebe ja zu, mein innerer Schweinehund hatte gesiegt. Aber man muss auch mal verlieren können als Mann.

Ersatzweise beschloss ich, wenigstens mit dem Rad ins Büro zu fahren. Aber das Vorderrad hatte einen Platten, und die Luftpumpe hatte ich in Karlsruhe vergessen.

Niemand erwartete mich im Büro. Bei der üblichen Lagebesprechung gab es deprimierend wenig Neues. Wieder einmal hatte es in der Nacht falschen Alarm gegeben. Ein armer Kleinkrimineller, der das Pech hatte, Krahl ähnlich zu sehen, war mit einigem Getöse in einer Bar in der Nähe des Bahnhofs verhaftet und inzwischen schon wieder freigelassen worden.

Ich machte mich wieder an meine Akten, ließ mir von den Leuten Bericht erstatten, die die anderen Fälle bearbeiteten, die es schließlich auch noch gab. Wenigstens hier gab es den einen oder anderen Lichtblick. Die vermissten Vierzehnjährigen hatten es immerhin bis nach Marseille geschafft und dort sogar Arbeit in einer Lagerhalle im Hafen gefunden. Nun würden sie sich wieder an den Schulalltag gewöhnen müssen. Der Bankraub im Juli schien in eine Serie zu passen, die ganz Deutschland überzog. Man vermutete eine litauische Bande dahinter, und das LKA Niedersachsen hatte die Ermittlungen an sich gezogen, und wir durften die Sache vergessen, ohne unsere Aufklärungsstatistik zu verschlechtern. Zwei noch nicht strafmündige, dunkelhäutige Taschendiebinnen, die nur gebrochen Deutsch sprachen, waren auf frischer Tat ertappt worden. Nun wurde wie üblich versucht, ihre Personalien festzustellen, was mal wieder nicht gelingen würde. Wie immer würde man sie in ein Heim bringen, aus dem sie dann nach zwei Tagen ausbüxen würden. Und spätestens übernächste Woche würde das Spielchen von vorn beginnen.

Kurz nach zehn erschien Balke.

»Chef, ich möchte diesen Professor am liebsten sofort hopsnehmen«, stieß er hervor und warf sich auf den nächsten Stuhl. »Unsereiner ist so blöd und zahlt jeden Monat seine Steuern, und dieser ...« Er verkniff sich das Schimpfwort und breitete ein paar Blätter auf meinem Tisch aus. »Diese Stiftung ist ein Schwindel von vorne bis hinten. Und Marvenport and Partners haben eine Achtzehn-Meter-Yacht in Livorno liegen!«

»Wir müssten eine Menge Leute in Haft nehmen, wenn der Besitz einer Yacht ein Straftatbestand wäre. Und wir wissen bis heute nicht mal, ob sie mit Grotheer wirklich was zu tun haben.«

Aber Balke ließ sich nicht aus dem Konzept bringen. »Sie glauben doch nicht im Ernst, dass die ihm diese edle Wohnung als Bumsbude zur Verfügung stellen, nur weil sie seine Nase so hübsch finden?« Er warf einen Blick auf seine Papiere. »Ich hab mir mal den Spaß gemacht, ein paar Dinge zu überprüfen. Unser lieber Professor ist zum Beispiel am sechsundzwanzigsten August nach Palo Alto geflogen, via New York und Cincinnati. Diese Tagung, der ...« Er buchstabierte vom Blatt: »Dieser Interamerican Congress of Minimally Invasive Surgery hat tatsächlich am nächsten Tag, dem Mittwoch, begonnen, und Grotheer hat auch wirklich die Eröffnungsansprache gehalten, aber ...« Er lehnte sich zurück und sah mir ins Gesicht.

»Aber?«

»Ich kenn ein Mädel, die studiert Anglistik und Amerikanische Literatur und jobbt regelmäßig im PX-Shop bei den Amis. Und die hat zufällig 'ne gute Freundin in Cincinnati, und die wiederum hat 'nen Freund, der bei der Einreisebehörde am Flughafen arbeitet.«

»Und?«

»Drei Stunden nach Ende seiner Ansprache hat Grotheer die USA schon wieder verlassen. Mit 'ner Alitalia-Maschine nach Rom.«

Ich beugte mich vor. »Rom?«

»Rom.« Er nickte und fächelte sich mit seinen Blättern Luft ins Gesicht. »Und es kommt noch besser: Am selben Tag ist auch seine Assistentin Frau Doktor Schmitz abgeflogen, morgens um halb sieben ab Franfurt. Aber nicht etwa nach Palo Alto, wie sie behauptet hat, sondern nach Pisa. Die ist gar nicht erst auf dieser Tagung aufgetaucht.«

»Woher wissen Sie das?«

»Ich kenn da ein Mädel ...«

»Natürlich«, seufzte ich.

»Und Livorno liegt nun zufällig irgendwo zwischen Rom und Pisa. Was wollen wir wetten, dass die beiden sich da unten auf dieser Yacht ein paar ruhige Tage gegönnt haben? Auf Kosten von uns schafsköpfigen ehrlichen Steuerzahlern?«

Zögernd sagte ich: »In die Wohnung im Emmertsgrund wollten sie nicht mehr, seit der Sohn sie entdeckt hatte. Und da sind sie dann vermutlich auf die Idee mit der Yacht gekommen.«

»Die übrigens ›Dream of Freedom‹ heißt und seit fünf Jahren in Livorno liegt«, fuhr er fort. »Und Sie hätten die Wette sowieso verloren. Ich hab nämlich schon angerufen. Il Professore und seine cara Amica sind da unten Stammgäste. Alle paar Wochen haben sie 'ne kleine Auszeit genommen und ein bisschen Freedom geträumt.«

Sönnchen streckte den Kopf durch die Tür. »Herr Kriminalrat, da wäre ein Herr.«

»Ein Herr?«

»Er möchte eine Aussage machen.«

»Soll einen Augenblick warten.«

Die Tür schloss sich geräuschlos.

»Okidoki.« Balke schob seine Papiere zusammen. »Jetzt mal im Ernst. Ich finde, es reicht. Diese Stiftung lässt massenweise Geld verschwinden, diese Firma auf Guernsey hängt irgendwie mit drin, und hinter allem steckt unser schlitzohriger Professor. Wir sollten ihm die Steuerfahndung auf den Hals hetzen. Hier geht's schließlich nicht um ein bisschen Schwindelei beim Lohnsteuerjahresausgleich, wir reden über richtig dicke Klöpse. Und, was mich am meisten ärgert, alles auch noch unter dem Deckmäntelchen der Nächstenliebe! Wenn wir ein bisschen Glück haben, dann setzen sie ihn sofort fest wegen Verdunklungsgefahr, Krahl kommt nicht mehr an ihn ran, und wir haben zwei Fliegen mit einer Klappe geschlagen.«

»Und wenn wir ein bisschen Pech haben, dann verklagt er uns wegen Rufschädigung, und wir können ...«

»Ich weiß, ich weiß.« Seufzend verdrehte er die Augen. »Badisch Sibirien, Grenze bewachen. No risc, no fun. Wäre der Spaß das nicht wert? So einen Großkotz mal von seinem Sockel zu holen und in die Scheiße zu ziehen, wo er hingehört?«

»Okay«, sagte ich vorsichtig. »Aber wir fangen klein an, damit wir immer noch den Schwanz einziehen können, wenn es schief geht. Kennen Sie zufällig jemanden beim Finanzamt?«

»Na logisch«, erwiderte er völlig ernst. »Die Jessica, süßes Hüpferchen, aber leider ziemlich fest verheiratet seit neuestem. Ist zwar nur Sachbearbeiterin, aber sie versteht ihren Job und kennt 'ne Menge Leute.«

»Dann sollten Sie die Dame mal anrufen.«

»Wird mir ein Vergnügen sein.«

In plötzlicher Eile verschwand er.

Ich legte die Hände vors Gesicht und gähnte. Irgendwo konnte ich ihn ja verstehen. Auch mich machte es wütend, immer wieder zu hören und lesen, wie die großen Steuersünder ihre Milliönchen über Grenzen hin- und herschoben, während unsereiner jeden Monat auf seiner Gehaltsabrechnung nachlesen durfte, wie viel unser Arbeitgeber wieder einmal fürs Finanzamt abgezweigt hatte, ohne dass man auch nur gefragt wurde. Auch mich juckte es, Grotheer die Maske der Wohlanständigkeit vom Gesicht zu reißen. Aber ich muss gestehen, die Haupt-Triebfeder meines Tuns war

Eifersucht. Blanke, billige Eifersucht. Die Enttäuschung darüber, dass Marianne ihn geliebt hatte und nicht mich.

Sönnchen streckte den Kopf durch die Tür.

»Jetzt nicht!«, fuhr ich sie an.

Ich brauchte noch ein paar Minuten. Ich musste überlegen. Aber mein Kopf war taub und weigerte sich zu denken. Wieder einmal begann ich, in meinem Büro herumzutigern. Wäre es vielleicht wirklich die beste Lösung, Grotheer unter irgendeinem Vorwand in Haft zu nehmen? Ein paar Tage, bis wir Krahl endlich hatten? Es war ja nur eine Frage der Zeit. Ein Mensch kann sich nicht in Luft auflösen, selbst Krahl nicht. Täglich wurde über den Fall in den Zeitungen berichtet, wieder und wieder wurde das Foto aus der Klinik tausendfach abgedruckt. Wenn er noch in der Gegend war, dann würden wir ihn früher oder später unweigerlich kriegen.

Aber was, wenn er nicht mehr in der Nähe war? Wenn er sich abgesetzt hatte, um zu warten, bis die Aufregung sich gelegt hatte? Um irgendwann, viel später, zurückzukommen und seine Rache zu vollenden? In Wochen, Monaten, Jahren? Falls Grotheers Vermutung stimmte, falls Krahl wirklich schwer krank war, dann lautete die Frage, wie lange er noch Zeit hatte.

Runkel rief an und teilte mir mit, dass er Krahls Bruder noch immer nicht erreicht hatte. Gerade eben erst habe er wieder in Kanada angerufen.

»Wissen Sie eigentlich, wie spät es in Vancouver gerade ist?«, fragte ich entsetzt.

»Wieso?«

»Ich vermute mal, da wird es jetzt kurz nach Mitternacht sein. Der arme Kerl wird sein Telefon abgestellt haben, damit er in Ruhe schlafen kann!«

Bevor er auflegen konnte, fragte ich ihn, was seine Nachforschungen wegen Krahls Arzt ergeben hatten.

»Nichts«, lautete die schlichte Antwort. »In Neckargemünd und Umgebung gibt's keinen Arzt, der eine Akte über ihn hat.«

Irgendwo in der Ferne schlug eine Kirchturmuhr elf. Ich trat ans Fenster. Ein Entenpärchen landete in dem viereckigen Teich vor dem Eingang. Wolken waren aufgezogen, erste Tropfen fielen. Die Schranke zum Parkplatz schwang hoch, ein großer dunkelblauer Wagen fuhr vor, ein Audi. Eine Frau stieg aus, und für einen Moment dachte ich ... aber das konnte nicht sein. Hastig spannte sie ihren Schirm auf und lief zum Eingang. Nein, ich musste mich getäuscht haben.

Sönnchen sah wieder herein. Noch bevor ich den Mund öffnen konnte, sagte sie tapfer: »Herr Kriminalrat, da wäre immer noch dieser Herr.«

»Welcher Herr denn?«

»Er wartet jetzt schon über eine halbe Stunde. Er möchte dringend mit Ihnen reden.«

»Soll mit jemand anders reden.«

»Er besteht aber darauf ...«

»Okay.« Ich stöhnte auf. »Schicken Sie ihn in Gottes Namen rein. Aber sagen Sie ihm, dass ich verdammt wenig Zeit habe.«

Augenblicke später erschien ein schmaler und sehr aufrecht gehender weißhaariger Mann mit elegantem Hut und schwarz glänzendem Stöckchen in meiner Tür.

»Freundlichen Dank dafür, dass Sie mir ein wenig Ihrer knappen Zeit opfern, Herr Kriminalrat«, begann er mit einer angedeuteten Verbeugung, nachdem er sich umständlich gesetzt und seinen Hut auf meinem Schreibtisch platziert hatte. »Sie gestatten, mein Name ist Englisch. Professor Doktor Englisch.«

»Angenehm«, sagte ich. »Und was verschafft mir die Ehre?«

»Nun.« Würdevoll saß er auf seinem Stuhl und sah mir in die Augen. Er klemmte seinen Stock zwischen die Beine und legte die knochigen Hände auf den Knauf. »Sie verzeihen, wenn ich mich direkt an Sie wende. Aber ich habe im Lauf meines Lebens schon des Öfteren die Erfahrung machen müssen, dass es besser ist, sich an Schmidt zu wenden und nicht an Schmidtchen, Sie verstehen.«

»Ich verstehe.«

Er hatte den Blick eines Mannes, der gewohnt ist, dass man ihm zuhört und Zeit hat für ihn. Ergeben lehnte ich mich zurück.

»Sie suchen doch diesen Mann.«

»Volker Krahl.«

»Ich kenne den Herrn allerdings unter dem Namen Grünlich.« Siegessicher lächelte er mich an. »Herr Grünlich wohnt in meinem Hause.«

»In Ihrem Haus? Seit wann?«

»Seit einem Jahr schon. Seit Oktober letzten Jahres, um genau zu sein.«

»Bis vor zwei Wochen hat er noch in einer kleinen Wohnung in der Semmelsgasse gehaust.«

Ungerührt nickte er. »Das mag ja durchaus sein. Aber dennoch bin ich überzeugt, dass es sich um den Mann handelt, den Sie suchen. Er sagte uns gleich zu Beginn, er werde oft unterwegs sein und nur gelegentlich bei uns übernachten. Reisender sei er, für eine gewisse Firma Audiostar in Göttingen, die, wenn ich recht verstanden habe, Tonanlagen herstellt für große Veranstaltungen, Konzerte und dergleichen. Er komme aus dem Norden, sagte er uns, habe nur hin und wieder hier in der Gegend zu tun und benötige einen Ort, wo er dann übernachten und seine Dinge deponieren könne. Uns, meiner Frau und mir, war das natürlich nicht unrecht. Herr Grünlich ist ein durchaus angenehmer Mieter, wie Sie sich vielleicht vorstellen können.«

»Wie oft haben Sie ihn denn gesehen?«

»Nun, er kam nur alle paar Wochen für ein, zwei Nächte, manchmal auch drei, um anschließend wieder abzureisen.«

»Er ist mit dem Wagen gekommen?«

»Mit einem Mercedes, ja. Der Wagen hat ein Göttinger Kennzeichen. Das hat schon alles zusammengepasst.«

»Und trotzdem hatten Sie Ihre Zweifel?«

»Nun.« Er räusperte sich und betrachtete mit kritischem Blick seinen Hut. »Wir, meine Frau und ich, möchten natürlich gerne wissen, mit wem wir unser Haus teilen. Und als wir von Ihrer Fahndung lasen und dieses Bild in der Zeitung sahen … Wir haben dann einige Erkundigungen eingeholt.«

»Erkundigungen? Was für Erkundigungen?«

»Diese Firma Audiostar, für die zu arbeiten Herr Grünlich vorgibt, die gibt es in der Tat. Aber sie vertreiben ihre Produkte nicht über Vertreter, sagte man mir dort.«

»Und Sie halten es für ausgeschlossen, dass Sie etwas falsch verstanden haben? Dass es eine andere Firma war, zum Beispiel?«

»Herr Kriminalrat, verzeihen Sie, aber ich bin nicht dumm. Und meine Frau ebenso wenig. Ich war siebenundzwanzig Jahre lang Professor für Slawistik an der hiesigen Hochschule, ich bin des Lesens und Schreibens durchaus mächtig. Herr Grünlich hat sogar einige Kartons von Audiostar in der Wohnung stehen. Und Ordner mit Papieren, Lieferscheinen und solchen Dingen, aber dennoch …«

»Sie haben sich also ein bisschen umgesehen?«

Kampfeslustig funkelte er mich an. »Immerhin handelt es sich um unser Eigentum, und wir haben ja wohl gewisse Rechte, zu wissen, wer unser Gast ist.«

Ich griff zum Hörer und trug Sönnchen auf, mich mit der Vertriebsabteilung dieser Firma in Göttingen zu verbinden.

»Eine Frage noch, Herr Professor. Hinkt Ihr Herr Grünlich?«

Bevor er antworten konnte, klingelte mein Telefon. Ja, natürlich beschäftigte Audiostar einen Mitarbeiter namens Grünlich. Er sei aber nicht im eigentlichen Sinne Vertreter, sondern für die Organisation von Marketing-Kampagnen zuständig. Herr Grünlich arbeite seit zwölf Jahren für die Firma, und man sei äußerst zufrieden mit ihm.

»Keineswegs«, sagte Professor Englisch, als ich auflegte.

»Was, keineswegs?«

»Herr Grünlich hinkt keineswegs. Er ist im Gegenteil erstaunlich gut zu Fuß für sein Alter. Als ob er regelmäßig Sport triebe. Obwohl er ein wenig blass ist und manchmal müde wirkt.«

»Geben Sie bitte meiner Sekretärin Ihre Adresse und Telefonnummer«, sagte ich erschöpft. »Wir werden uns melden, falls wir weitere Fragen haben.«

Er holte Atem zu einer Gegenrede, erhob sich dann aber schweigend, setzte seinen Hut auf und verschwand mit würdigen Schritten und einem gemurmelten Gruß. Ich meinte, etwas wie »Schmidtchen« zu hören und war gespannt auf den ausführlichen Leserbrief für die Rhein-Neckar-Zeitung, den er heute Nachmittag verfassen würde.

25

Kaum war die Tür geschlossen, öffnete sie sich schon wieder.

»Der Herr Direktor ...« Weiter kam Sönnchen nicht. Liebekind schob sie zur Seite. Es war das erste Mal, dass er mich in meinem Büro aufsuchte. Sonst pflegte er anzurufen oder mich zu sich zu bestellen, wenn er etwas von mir wollte. Seine Miene versprach jedoch nichts Schlimmes. Im Gegenteil, ein schelmisches Lachen hing in seinen Mundwinkeln.

Ich erhob mich.

»Herr Gerlach, Sie wollten doch partout wissen, warum Sie Kripochef geworden sind.« Er trat einen Schritt zur Seite. Eine große, dunkelblonde Frau trat ein. »Hier steht der Grund vor Ihnen. Ich darf vorstellen – meine Frau.«

Mein Atem stockte.

Auch heute trug sie wieder die unvermeidliche Perlenkette.

Nach dem ersten Schrecken trat ich zwei Schritte vor und drückte Frau Liebekind linkisch die Hand. Sie senkte den Blick, hob ihn wieder, ihr Lächeln wollte verlöschen, flackerte wieder auf. Mein Atem war noch nicht wieder in

Gang gekommen. Liebekind schmunzelte in sich hinein und schien nichts von unserer Verwirrung zu bemerken.

Ich hatte also ein Verhältnis mit der Frau meines Chefs.

Wo war meine Pistole?

Was blieb mir übrig, als mich zu erschießen?

»Irgendwie hat sie einen Narren an Ihnen gefressen«, fuhr Liebekind arglos fort, nachdem von uns anderen offenbar keine Beiträge zur Unterhaltung zu erwarten waren. »Ich hatte den ganzen Bewerbungskram übers Wochenende mit nach Hause genommen, weil ich mich nicht recht entscheiden konnte. Sie ...« Er zog seine Frau herzhaft an sich. Widerstrebend ließ sie es geschehen. »... hat die Mappen gefunden und gelesen. Heimlich natürlich. Und dann kommt meine liebe Theresa abends mit der Bewerbung eines gewissen Alexander Gerlach daher. Schatz, sagt sie, den hier musst du nehmen. Was sollte ich machen? Sie wissen ja, Frauen, die ihren Willen nicht bekommen ...«

Theresa also. Viermal hatte ich mit ihr im Bett gelegen. Zweimal war ich Händchen haltend mit ihr spazieren gegangen. Sieben oder acht Mal hatte ich ihr einen Orgasmus verschafft, bei einem Mal war ich mir nicht ganz sicher.

Durch ihre vollen Wimpern hindurch sah sie mir unentwegt in die Augen und schien plötzlich eine Höllenangst zu haben. Das war auch völlig berechtigt.

»Guten Tag«, brachte ich endlich heraus. »Freut mich, Ihre ... Bekanntschaft zu machen.«

»Sie müssten sich eigentlich kennen«, meinte Liebekind mit zärtlichem Blick auf seine Frau. Mein Atem stockte erneut. »Damals, bei der Feier Ihrer Inauguration, Sie erinnern sich?«

Sie nickte mir zu und lächelte scheu. »Freut mich ebenfalls«, hauchte sie. Ich erkannte ihre Stimme kaum wieder.

Endlich verabschiedeten sie sich und gingen Arm in Arm davon. Einmal wandte sie sich noch um. Ernst und fragend sah sie mir ins Gesicht. Ich hielt ihrem Blick stand. Aber ich lächelte nicht.

Ich schloss die Tür hinter ihnen.

Ich Idiot hatte also ein Verhältnis mit der Frau meines Chefs. Niemals wieder würde ich Liebekind in die Augen sehen können, ohne daran zu denken, dass er im Bett nichts zustande brachte, dass seine platonische Liebe zu Zigarren vielleicht ganz andere Hintergründe hatte als vermutet.

Und natürlich läutete ausgerechnet jetzt mein Telefon.

»Spreche ich mit Herrn Gerlach?«

Eine unbekannte Frauenstimme. Ich brachte nur ein »Hm« heraus.

»Dem Vater von Sarah und Louise?«

Um ein Haar hätte ich »leider« gesagt.

»Herxheimer. Ich bin die Sportlehrerin. Ihre Töchter haben einen Unfall gehabt?«

»Was denn für einen Unfall, um Himmels Willen?«, frage ich und spürte den letzten Rest von Adrenalin durch meine Adern schießen, der mir noch verblieben war.

Sie lachte erleichtert auf. »Danke, das beantwortet schon meine Frage. Wir haben letzte Woche mit Geräteturnen begonnen, und Ihre Töchter scheinen mir nicht eben flammende Anhängerinnen davon zu sein.«

»Das ist mir auch schon zu Ohren gekommen.« Noch wusste ich nicht, wohin das führen sollte. Aber ich wusste, dass es nichts Gutes war.

»Und heute kommen die beiden nun zu mir, die eine humpelt zum Herzerweichen, die andere klagt über ein Rückenleiden, und sie erklären mir, sie könnten leider nicht am Sportunterricht teilnehmen, wegen ihres schlimmen Unfalls.«

»Sie humpelt?«

»Welche von beiden, kann ich leider nicht sagen.«

»Sie humpelt, sagten Sie?«

»Und wie«, lachte sie. »Ihre Töchter sind wirklich köstliche Schauspielerinnen. Aber so geht das natürlich nicht. Deshalb dachte ich, ich kläre das lieber gleich mit Ihnen. Vielleicht könnten Sie ein Wort mit Ihren süßen ...?«

Ich legte auf. Frau Herxheimer musste mich für einen äußerst unhöflichen Menschen halten. Meine Tochter humpelte. Sehr überzeugend, denn sie war eine gute Schauspielerin. Meine Hand lag immer noch am Hörer.

»Das gibt's doch gar nicht«, rief Balke von hinten. Zu viert waren wir im großen BMW auf dem Weg nach Ziegelhausen. Wie üblich fuhr Vangelis wie der Teufel. Runkel saß neben Balke auf der Rückbank und schien ein Nickerchen zu halten. Die Straße führte am Neckarufer entlang. Ein weißes Ausflugsschiff fuhr langsam flussabwärts.

»Oh doch, das gibt's«, rief ich zurück. »So was kann man sich regelrecht antrainieren. Sie müssen am Ende gar nicht mehr dran denken. So wie manche Leute ihren Kopf von einer Sprache auf die andere schalten können, so kann man mit ein bisschen Talent auch …«

»Aber dann müsste der ja zwei Jahre lang gehumpelt haben! Tag für Tag, Nacht für Nacht!«

»Ich bin überzeugt, er hat sogar gehumpelt, wenn weit und breit kein Mensch war. Wenn einer wirklich will, dann geht das. Und dass Krahl willensstark ist, hat er bewiesen.«

»Du meine Güte«, stöhnte Balke. »Da muss einer erst mal drauf kommen!«

Ich zückte meine Heckler & Koch, warf einen Blick auf das Magazin, schob es in den Griff zurück und lud durch.

Vangelis bog ab, der BMW fegte über die Neckarbrücke. Runkel, der offenbar in Ziegelhausen wohnte, gab mit müden Worten die Richtung an. Ich schaltete Martinshorn und Blaulicht aus. Mit quietschenden Reifen ging es über ein abenteuerlich kurviges und schmales Sträßchen den Berg hinauf. Eine halbe Minute später hielten wir vor einem adretten, sonnengelb gestrichenen Haus mit liebevoll gepflegtem Vorgärtchen.

»Oho«, begrüßte mich Professor Englisch sichtlich zufrieden. »Sollte ich Sie am Ende etwa doch überzeugt haben?«

»Ist er da?«, fragte ich atemlos.

»Leider ist Herr Grünlich, oder wie immer er heißen mag, gestern Abend abgereist.« Es war ihm anzusehen, wie er es genoss, mir die schlechte Nachricht zu servieren. »Er hatte ein großes Paket dabei sowie zwei Koffer. Er schien für längere Zeit verreisen zu wollen.«

»Was ist das für ein Auto?« Balke hatte das Handy schon in der Hand.

»Ich habe mich inzwischen kundig gemacht. Ein Mercedes, E-Klasse, silbermetallic, Kennzeichen … Johanna, wie war noch gleich die Nummer?«

Balke gab die Beschreibung von Krahls Wagen an die Leitstelle durch.

»Jetzt möchten Sie sicherlich einen Blick in seine Räumlichkeiten werfen«, meinte Englisch zuvorkommend.

Nein, das wollten wir ganz und gar nicht. Wir hetzten zum Wagen zurück. Balke telefonierte immer noch und ordnete an, Grotheers Bewachung umgehend zu verstärken und in höchste Alarmbereitschaft zu versetzen.

Als wir den Neckar überquerten, fing es wieder zu regnen an.

»Da hinten, da wohne ich«, sagte Runkel. »Aber wir müssen anbauen. Das Haus wird langsam zu klein.«

»Ich glaube eigentlich nicht, dass Grotheer in Gefahr ist. Es haben nur drei Fotos auf Krahls Schreibtisch gestanden«, rief ich.

»Und weshalb ist er dann immer noch in der Gegend?«, fragte Vangelis, schaltete hoch und wechselte auf die Busspur, wo sie freie Bahn hatte. »Der hat noch was vor. Da bin ich mir sicher.«

Balkes Handy machte Musik.

»Hi, Süße«, gurrte er, lehnte sich zurück und strahlte die dunklen Wolken an. Nach wenigen Sekunden erlosch sein Lächeln.

»Dank dir schön. Und wenn's dir mit deinem Oliver mal langweilig wird, du hast ja meine Nummer.« Er legte auf. »Das war die süße Jessica vom Finanzamt.«

Vangelis ging vom Gas, weil wir das Heidelberger Ortsschild passierten, und begann, sich den Weg frei zu hupen.
Der Verkehr war sehr dicht, es war kurz vor Mittag. Balke
beugte sich vor und legte die Unterarme auf die Lehnen unserer Sitze.

»In der Schweiz läuft schon seit drei Monaten ein Ermitt-
lungsverfahren gegen diese Stiftung! Wegen Veruntreuung
und so weiter. Es gibt eine Anzeige!«

»Dann war Ihr Verdacht richtig?«

»Bisher haben sie noch nichts Endgültiges.« Er musste
sich festhalten, weil Vangelis mit quietschenden Reifen auf
den Parkplatz der Polizeidirektion bog. Für Augenblicke befürchtete ich, sie würde die Außenwand des Gebäudes
durchbrechen, aber der BMW kam wenige Zentimeter vor
dem Aufprall zu stehen.

»Sie sollten Rennen fahren«, sagte ich beim Aussteigen erleichtert. »Sie haben wirklich Talent.«

»Das tue ich«, erwiderte sie harmlos lächelnd.

»Sie gewinnt fast jedes Jahr die Odenwald-Rallye«, erklärte mir Balke. »Sie ist einfach unmöglich.«

Auf der Treppe diskutierten wir, wie wir weiter vorgehen
sollten.

»Ganz einfach«, meinte Balke, »wir greifen uns Grotheer.
Sofort. Vorläufige Festnahme wegen Verdacht auf Steuerhin-
terziehung. Und wenn er erst mal hier sitzt, dann wird er uns
schon erzählen, wie er das mit seiner Stiftung gedreht hat.«

Sönnchen erwartete uns vor meiner Tür. Sie war sehr
blass.

»Gut, dass Sie kommen, Herr Kriminalrat!«, stieß sie
atemlos hervor. »Es ist geschossen worden! Auf den Professor!«

Wir machten kehrt und rannten die Treppe wieder hinunter. Unterwegs erfuhren wir über Balkes Handy, dass Grotheer unverletzt war. Jemand hatte von der Gartenseite her
seine Terrassentür zerschossen. Mit einer Schrotflinte vermutlich.

»Wer wohnt da drüben?«, fragte ich in die Runde, als ich vor Grotheers Glastür stand und durch das eimerdeckel-große Loch auf das gegenüberliegende Gebäude sah. In dem mehrstöckigen Haus, das zu großen Teilen von Bäumen und Sträuchern verdeckt war, gab es nur wenige Fenster, die als Standort des Schützen infrage kamen.

Einer der käseweißen Uniformierten trat einen Schritt vor und rapportierte: »Im Erdgeschoss die Besitzer, ein älteres Ehepaar. Die sind aber in Urlaub. Darüber eine allein erziehende Mutter mit drei Kindern. Die ist um diese Zeit arbei-ten, und die Kids sind natürlich in der Schule. Und unterm Dach ein Student.«

»Hat man den gesehen in den letzten Tagen, diesen Stu-denten?«

Alle sahen sich ratlos an. Der Schupo fuhr fort: »Der ist anscheinend auch in Urlaub. Jedenfalls hat den keiner zu Gesicht bekommen, seit wir da drüben Posten bezogen ha-ben. Und dann ist im Souterrain noch dieser Pfarrer im Roll-stuhl. Der ist erst seit gestern wieder da. Aber der wird's ja wohl kaum gewesen sein.«

Ich fuhr herum. »Ein Pfarrer? Im Rollstuhl?«

»Lenz heißt der«, bestätigte der Uniformierte eifrig ni-ckend. »Gottfried Lenz. War ein paar Wochen in der Reha-Klinik. Haben wir alles genau überprüft, wie Sie gesagt haben. Eigentlich sollte er erst Ende des Monats zurück-kommen. Hat ihm aber wohl keinen Spaß mehr gemacht, mit kalten Bädern und Elektroschocks. Kann man ja verste-hen.«

Vor Grotheers Haustür gab es Radau und Diskussionen. Ich ging nachsehen. Ein kleiner Lieferwagen parkte am Stra-ßenrand, dessen Fahrer Umzugskartons abliefern wollte, woran ihn meine uniformierten Kollegen jedoch tapfer hin-derten. In den Kartons befanden sich Sachen des verstorbenen Sohnes, wie sich nach einigem Hin und Her heraus-stellte, die aus der Wohnung im Emmertsgrund stammten. Ich gab den Bewachern einen Wink und ließ den schwitzenden Kerl herein. Auf ein entnervtes Zeichen des Professors hin schleppte er die Kisten herzhaft fluchend die Kellertreppe hinunter, um sie irgendwo abzustellen.

Vangelis hatte das Handy am Ohr und telefonierte leise. Ich wandte mich an Grotheer, der mit starrem Blick auf der Couch hing.

»Kennen Sie diesen Herrn Lenz?«

Er nickte matt. »Er war lange Jahre als Missionar tätig, in Afrika. Dort hatte er auch den Unfall, der ihn jetzt an den Rollstuhl fesselt. Und daher hatten wir ein wenig Kontakt in den letzten Monaten. Wir verfolgten ja in gewisser Weise dieselben Ziele, dadurch sind wir ins Gespräch gekommen. Herr Lenz ist nun wirklich völlig unverdächtig, er ist eine Seele von Mensch. So voller Güte und Humor, und das in seiner Situation. Mein Gott ... Nicht auszudenken, wenn ich an dieser Tür gestanden hätte!«

»Ich hoffe, Sie haben sich an meine Ratschläge gehalten?«

»Natürlich.« Sein Blick irrte herum. »Natürlich habe ich das.«

»Sie waren hier im Raum, als der Schuss fiel?«

Wieder nickte er. Es war, als ob er seinen Kopf nicht mehr ruhig halten konnte.

»Und Ihre Gattin?«

»Sie kommt nur noch zum Essen herunter. Sie leidet sehr.«

»Sie essen zusammen?«, fragte ich sinnlos. »Dort am Tisch?«

Sein Nicken ging in ein ebenso unkontrolliertes Kopfschütteln über. »Wir ... Nein. Wir gehen uns aus dem Weg, seit ...«

»Wann haben Sie diesen Missionar zum ersten Mal gesehen?«, fragte ich den Schupo.

»Gestern Abend ist er gekommen, mit zwei Koffern, im Taxi. Wir haben ihm geholfen mit dem Gepäck, dem armen Kerl. Und er hat uns sogar ...« Errötend sah er auf seine Schuhspitzen.

»Was hat er Ihnen?«

»Na ja. Heiligenbildchen hat er uns geschenkt«, murmelte er verlegen. »Und gesegnet hat er uns auch.«

Grotheer erhob sich. »Sie haben doch nichts dagegen, wenn ich mich zurückziehe? Mir ist nicht gut.«

»Soll Sie jemand begleiten?«

»Danke. So weit ist es zum Glück noch nicht.« Er ging mit dem Schritt eines gebrochenen Mannes zur Treppe.

»Später ist er dann nochmal weggerollt in seiner Karre«, fuhr der Schupo fort. »Seine Abendrundfahrt machen, hat er gesagt. Tapferer Kerl, das muss man sagen. Wann er heimgekommen ist, müsste die Ablösung wissen. Wir haben um acht übergeben. Vorhin ist er auch schon wieder losgezogen. Er braucht viel frische Luft, hat er gesagt. Und Regen macht ihm nichts aus, hat er gesagt. Seit er in Afrika gewesen ist, liebt er den Regen.«

Vangelis ließ ihr Handy sinken. »Peter Lenz liegt nach wie vor in der Reha-Klinik in Langensteinbach. Und es geht ihm nicht besonders gut. Er wird so bald nicht wieder nach Hause kommen.«

»Na prima!« Balke schlug sich wütend auf den Oberschenkel.

»Wir sollten wenigstens der Form halber drüben nachsehen lassen«, meinte Vangelis.

»Ja, das sollten wir wohl.« Ich schickte zwei Uniformierte los, die mir einen einigermaßen intelligenten Eindruck machten. Balke musste im Haus bleiben und aufpassen. Vangelis und ich traten in den Garten hinaus und gingen durch den Nieselregen bis zum Zaun. Sie wies mich auf ein paar frisch abgerissene Blätter hin, die zerfetzt am Boden lagen und vermutlich von der Schrotgarbe erwischt worden waren. Auch einige Äste hatten Streifschüsse abbekommen.

Vangelis peilte die Schussrichtung. »Sieht aus, als hätte er da an der Ecke im Garten gestanden.«

»Was zur Hölle sollte das?«, knurrte ich und zog die Schultern hoch. »Was hat er denn davon, dass er Grotheer die Terrassentür zerstört? Will er ihm Angst machen?«

»Chef«, rief Balke hinter uns mit vor Aufregung viel zu lauter Stimme, »er ist weg!«

Grotheer hatte sich vor wenigen Minuten durch die Verbindungstür in die Garage geschlichen, war in seinen Wagen gestiegen und weggefahren. Keiner unserer Leute vor der Tür war auf die Idee gekommen, ihn aufzuhalten.

»Jetzt wissen wir, was Krahl erreichen wollte«, keuchte Vangelis. »Wir sind wirklich dümmer, als die Polizei erlaubt!«

Balke telefonierte schon und gab die Daten von Grotheers Volvo durch.

»Hoffen wir, dass wir ihn vor Krahl finden«, fauchte Vangelis.

»Och«, Balke steckte sein Handy ein. »Wenn ich ehrlich bin …«

Die Schupos kamen zurück, um stolz zu berichten, Gottfried Lenz halte sich eindeutig nicht in seiner Wohnung auf. Sie hätten mehrfach geläutet und sogar an die Tür geklopft. Ich scheuchte sie brüllend in ihre Streifenwagen und trug ihnen auf, Grotheers roten Volvo zu suchen.

»Und jetzt?«, fragte ich zermürbt. »Was machen wir jetzt?«

Nein, ich wollte nicht mehr Chef sein. Ich sehnte mich danach, dass jemand mir sagte, was ich zu tun hatte.

»Essenszeit«, meinte Balke mit Blick auf seine Uhr. »Hoffentlich kriegen wir noch was. Heute ist Freitag, da gibt's Fisch. Und ich mag Fisch.«

26

Vom Mittagessen in der Kantine weiß ich nur noch, dass es grauenhaft schmeckte. Ich hasse Fisch, vor allem, wenn er in Begleitung von matschigem Kartoffelsalat nach badischem Rezept daherkommt, und mit Remouladensauce, die mir regelmäßig Sodbrennen verursacht. Wir saßen zu dritt am

Tisch, schwiegen vor uns hin und horchten auf unsere Handys. Hin und wieder klingelte Balkes, und ich staunte darüber, wie er für jede der Anruferinnen ein paar nette Worte fand, so dass sie bei Bedarf wieder mit ihm sprechen würde. Nur eine schien so sauer auf ihn zu sein, dass alles gute Zureden zwecklos war. Achselzuckend löschte er ihre Nummer.

Vangelis erhielt einen Anruf von ihrem Vater, der ihr klarmachte, dass sie abends spätestens um acht in der Taverne zu stehen habe, und zwar pünktlich. Er tat dies in einer Lautstärke, dass wir anderen ohne Probleme mithören konnten. Soweit ich verstand, war die Feier einer griechischen Verlobung geplant, bei der sensationelle Umsätze erwartet wurden.

Mich riefen meine Töchter an, um sich zu beschweren, dass ich Pizza ohne Salami und mit Oliven gekauft hatte, obwohl sie doch ausdrücklich welche mit Salami und ohne Oliven bestellt hatten. Ich riet ihnen, die Oliven herunterzupflücken und dafür Salami aus dem Kühlschrank draufzulegen.

Kurz nach zwei hatten wir auch die letzten Spuren aus unseren Dessertschälchen gekratzt. Ich beschloss, ein Gespräch mit Grotheers Frau zu führen. Vielleicht hatte sie ja eine Idee, wohin ihr Mann geflüchtet sein könnte. Und es gab noch mehr Fragen, die ich an sie hatte.

Frau Grotheer versetzte mich in Erstaunen. Fast hatte ich den Eindruck, das Verschwinden ihres Mannes hätte einen großen Druck von ihr genommen.

»Ich will ganz offen sein, Frau Grotheer.«

»Ich bitte darum«, sagte sie matt lächelnd und faltete die Hände in ihrem Schoß. »Wir haben wohl lange genug Verstecken gespielt.«

Ich klärte sie in groben Zügen über unseren Verdacht auf, ihr Mann habe seine mildtätigen Gaben im Wesentlichen steuerbefreit in seine eigene Tasche gespendet.

»Ich weiß nichts von diesen Dingen. Aber es wird wohl so sein, wie Sie sagen.«

»Das kann großen Ärger geben. Sehr großen Ärger.«

Sie hob die Schultern. »Wissen Sie, Herr Gerlach«, sagte sie leise. »Wir sollten Menschen vielleicht nicht leichtfertig für Taten verurteilen, die zu begehen wir nie in Versuchung kamen. Sind Sie sicher, dass Sie widerstanden hätten an seiner Stelle? Hätte ich es? Ich weiß es nicht?«

Nun kamen wir zu dem Thema, vor dem ich mich ein wenig fürchtete. »Sie werden sich vermutlich Ihre Gedanken gemacht haben, warum Krahl Frau Doktor Schmitz ermordet hat. Und wenn Sie mir die Unterstellung verzeihen – jetzt, im Nachhinein, werde ich den Verdacht nicht los, dass Sie sogar mit dieser Möglichkeit gerechnet haben. Dass Sie deshalb so gelassen blieben.«

»Lag es nicht auf der Hand?«

»Wie soll ich das verstehen?«

Sie senkte den Blick. »Mein Mann und ich leben seit vielen Jahren ... nebeneinander her. Wie so viele Paare. Sie werden verstehen, was ich damit andeuten will.«

»Gab es Gründe für diese Entfremdung?«

Einige Sekunden zögerte sie noch. Dann sah sie auf und mir geradewegs in die Augen. Sie hatte beschlossen, reinen Tisch zu machen. »Selbstverständlich gab es Gründe. Und es waren genau die, die Sie vermuten. Anfangs, ach ...« Ihr Blick flackerte. Aber sie hielt stand. Sie sah nicht weg. »Anfangs, in den ersten Jahren, habe ich noch gelitten. Wenn er abends spät nach Hause kam mit irgendeiner Ausrede, obwohl er die Klinik doch schon vor Stunden verlassen hatte. Wenn er dieses Leuchten in den Augen hatte, dieses vergessene Lächeln im Gesicht, das schon lange nicht mehr mir galt. Wenn er nach einem fremden Parfüm roch. Wie viele Frauen mögen Ähnliches durchgemacht haben? Wie viele mögen wie ich gehofft haben, sich selbst belogen, wieder und wieder belogen? Ihm vergeben, wieder und wieder? Die Schuld bei sich selbst gesucht?«

Sie brach ab und sah wieder in ihren Schoß. Als ob sie sich für die Untreue ihres Mannes auch noch schämte.

»Seit wann ging das so?«

»Schon immer. Ich wollte es nur erst nicht wahrhaben. Er gehört zu diesen Männern, die immer wieder die Bestätigung brauchen. Die es sich wieder und wieder beweisen müssen, was für ein Kerl sie sind. Und er hat es leider leicht gehabt in dieser Beziehung. Er hat etwas an sich, was Frauen fasziniert.«

»Wussten Ihre Kinder davon, Frau Grotheer?«

Traurig schüttelte sie den Kopf. »Sylvia nicht. Die hat an ihren Vater geglaubt. Sie hat ihn auch noch dafür bewundert, dass er sich nächtelang seinen Forschungen widmete, obwohl er doch nur ... doch nur ... bei seinen Huren war.«

Mein Handy schlug Alarm.

»Chef«, brüllte Balke in mein Ohr. »Wir haben ihn!«

»Krahl oder Grotheer?«

Er wurde leiser. »Den Volvo. In Mannheim am Bahnhof. In der Tiefgarage.«

Ich warf Frau Grotheer einen um Nachsicht bittenden Blick zu. »Wo Grotheer ist, dürfte Krahl nicht weit sein. Die Mannheimer Kollegen sollen an allen Schaltern rumfragen, beim Aufsichtspersonal und ...«

»Sind schon dabei«, fiel Balke mir ins Wort. »Die Fahrkartenautomaten werden auch gerade gecheckt.«

»Seit wann ging das schon mit Frau Schmitz?«, fragte ich, nachdem ich das Handy wieder eingesteckt hatte.

»Seit wann?«, fragte sie mit flammendem Blick. »Seit einem Jahr? Seit zweien? Was weiß ich. Jedenfalls länger als üblich. Deutlich länger als üblich.« Dann fiel sie in sich zusammen. »Verschwinden Sie«, sagte sie nach langem Schweigen tonlos. »Bitte verschwinden Sie jetzt.«

»Er hat insgesamt vier Fahrkarten gekauft«, berichtete Balke mir während der Rückfahrt am Telefon. »Kopenhagen, Paris, Warschau und Zürich.«

»Ach du lieber Gott«, stöhnte ich. »Wie sollen wir denn ...«

»Wir haben ausnahmsweise mal Glück. Ein Typ vom BGS hat ihn gesehen. Grotheer sitzt im ICE nach Zürich.«

»Seit wann?«

»Seit 'ner guten halben Stunde. Ich hab ihn auf Ehre und Gewissen gefragt. Er ist absolut sicher, dass unser Prof in diesem Zug sitzt.«

»Und was ist mit Krahl?«

»Niemand weiß was.«

»Wo ist dieser Zug jetzt?«

Balke überlegte kurz. »Irgendwo zwischen Karlsruhe und Baden-Baden müsste der jetzt sein.«

»Das sind sechzig, siebzig Kilometer. Nächster Halt?«

»Freiburg, in einer knappen Stunde. Und dann Basel. Dann ist er in der Schweiz. Dann ist er weg.«

»Nur für uns«, sagte ich wütend. »Nur für uns ist er dann weg. Für Krahl nicht.«

»Glauben Sie, der sitzt auch in diesem Zug?«

»Was glauben Sie denn? Was glauben Sie wohl, wozu er ihn aus seinem Haus gescheucht hat? Er wird ihm an den Fersen kleben wie Kaugummi. Und Grotheer merkt vermutlich nichts, weil er inzwischen völlig durchgedreht ist vor Panik.«

Ich hielt an einer roten Ampel und hörte, wie Balke mit jemandem im Hintergrund sprach.

»In genau siebenundfünfzig Minuten hält er in Freiburg«, rief er dann. »Fünfzehn Uhr zweiunddreißig, um genau zu sein.«

»Können wir ihn irgendwie stoppen?«

»Klar. Aber bis wir den Antrag durchhaben, liegt Grotheer auf den Malediven in der Sonne und ist schön braun geworden.«

»Oder er ist ganz blass und liegt in einer Kühlkammer. Wir haben nicht die leiseste Chance, in siebenundfünfzig Minuten nach Freiburg zu kommen.«

Ich beendete das Gespräch. Hundert Meter weiter bog ich

auf den Parkplatz, stellte den Wagen ab und lief durch den wieder stärker werdenden Regen zum Eingang.

»Doch«, rief Balke mir entgegen, als ich sein Büro betrat. »Wir haben doch eine Chance!«

»Vergessen Sie es. Das schafft nicht mal Vangelis. Glauben Sie mir, ich kenne die A 5.«

»Nicht über die Autobahn!«, rief er begeistert. »Wir fliegen! Klara organisiert gerade den Hubschrauber der Autobahnpolizei!«

Natürlich. Warum nicht auch noch das? Mir war jetzt schon schlecht.

Augenblicke später kam Vangelis herein. Der Hubschrauber war schon auf dem Weg. Abholen würde er uns auf dem Landeplatz des Klinikums.

Sie brauchte knappe fünf Minuten bis dorthin, und während dieser fünf Minuten war ich dreimal davon überzeugt, dass dieser Tag mein letzter sein würde. Als wir aus dem Auto stiegen, war der Hubschrauber eben im Begriff zu landen. Der Pilot ließ die Turbinen weiterlaufen, während wir gebückt unter den bedrohlich durch die Luft zuckenden Rotorblättern hindurch zur Kabine hasteten. Balke saß vorne neben dem Piloten, aber diesmal saß ich ausnahmsweise gerne hinten. Noch bevor wir die Türen zugezogen hatten, ging ein Ruck durch die ohrenbetäubend lärmende, grünweiße Höllenmaschine, und der sichere Erdboden verschwand aus meinem Blickfeld.

Die Maschine legte sich schräg in die Luft und drehte in einer Art Power-Slide ab, der auf Außenstehende sicherlich unterhaltsam wirkte. Dann konnte ich plötzlich die Erde wieder sehen, allerdings nicht unter mir, wo sie hingehörte, sondern vor mir. Zwischen Balke und dem breiten Kreuz des Piloten, dessen Gesicht ich noch nicht einmal gesehen hatte, tauchte die chirurgische Klinik auf, und ich war sicher, dass wir im nächsten Augenblick geradewegs hineindonnern würden. Aber dann verschwand das Gebäude wieder, der Neckar blieb zurück, Wolkenfetzen rasten mit zunehmender

Geschwindigkeit an uns vorbei. Kurz erblickte ich noch die weitläufigen Anlagen der amerikanischen Kasernen. Dann sah ich lieber nicht mehr hinaus.

Es war offensichtlich, dass auch Vangelis Angst hatte, aber das tröstete mich kein bisschen. Ich schloss die Augen und lauschte dem knappen und unverständlichen Dialog des Piloten mit seiner Bodenstation oder wie immer die das nennen mochten. Offenbar ging es um einen geeigneten Landeplatz in der Nähe des Freiburger Hauptbahnhofs. Es schien nicht einfach zu sein.

»Wie schnell fliegt eigentlich so eine Kiste?«, schrie ich Vangelis an, als ich es wagte, die Augen wieder zu öffnen.

»Über zweihundertfünfzig Klamotten«, antwortete Balke an ihrer Stelle. »In spätestens dreißig Minuten sind wir da!«

Ich riskierte einen Blick aus dem Fenster. Unten verschwand eben Karlsruhe hinter uns mit seinem Fächergrundriss und dem Barockschloss im Zentrum. Einen Augenblick meinte ich am Rand des Stadtgartens das Polizeipräsidium zu entdecken, das »Bullenkloster«, meinen ehemaligen Arbeitsplatz. Es hatte aufgehört zu regnen. Noch hingen schwere Wolken am Himmel, aber im Westen wurde es heller. Immer wieder wurde der Hubschrauber von einer Bö gepackt und schlingerte unter meinem Hintern herum, als wollte er mich abschütteln.

»Sie sollten sich besser anschnallen!«, brüllte Balke. »Das ist Vorschrift!«

»Hilft das irgendwas, wenn wir abstürzen?«

Er fand das auch noch lustig. »Natürlich nicht«, lachte er. »Aber man kann später die Leichenteile besser zuordnen.«

Es gibt eine Art von Humor, die ich nicht schätze. Selbst Vangelis grinste mit starrem Blick vor sich hin. Der Pilot sah kurz nach hinten und sagte etwas zu Balke.

»Tüten sind unterm Sitz!«, schrie der gut gelaunt. »Nur für alle Fälle, sagt er. Aber man hat ja schon Pferde ... Ich will sagen, man weiß ja nie.«

Nein, diesen Gefallen würde ich ihnen nicht tun. Um mich

abzulenken, zog ich meine Pistole aus dem Hosenbund und ließ das Magazin herausschnappen. Es war voll, die Patronen saßen, wie sie zu sitzen hatten. Ich drückte das Magazin in den Griff zurück. Durchgeladen hatte ich vor drei Stunden schon.

»Offenburg!« Aufgeregt zeigte Balke irgendwohin. »Und sehen Sie da drüben, das muss das Straßburger Münster sein!«

Ich habe mich in meinem Leben nie weniger für Kirchen interessiert als in diesem Augenblick.

»Da unten!«, schrie er wenig später, »das muss er sein! Der Zug! Der ICE! Da unten fährt er!« Er fragte den Piloten etwas. »Fünf Minuten noch, dann sind wir da. Wir können nicht beim Bahnhof landen. Aber es wartet ein Streifenwagen auf uns. Der bringt uns hin.«

»Und wie lange braucht der Zug noch?«

»Zehn Minuten mindestens. Wir kriegen ihn locker. Außerdem wird er auf uns warten. Das hat Rübe inzwischen organisiert.«

Wieder packte ein Windstoß den Hubschrauber. Er sackte einige Meter ab, schüttelte sich wie ein träger, nasser Hund, fing sich wieder. Meine Hand fuhr unter den Sitz. Aber es ging vorbei, ich konnte die Tüte lassen, wo sie war. Vangelis beobachtete mich. Aber es war kein Spott in ihrem Blick. Ich lehnte mich zurück, klammerte mich am Sitz fest und schloss die Augen. Dann ging es auf einmal abwärts wie im Expresslift. Die Maschine kippte vornüber, ich hatte das Gefühl, aus dem Sitz zu schweben, wenn der Gurt mich nicht festhalten würde. Balke jubelte. Und endlich, nach vielen endlosen Sekunden, hatte die Schwerkraft mich wieder. Der Lärm wurde schwächer, Balke riss die Tür auf.

»Los!«, brüllte er. »Viel Zeit haben wir nicht!«

Vangelis packte mich am Arm und zog mich gebückt vom Hubschrauber weg. Ich torkelte hinter ihr her auf einen silberfarbenen Mercedes Kombi zu, der mit blinkenden Blaulichtern und offenen Türen bereitstand. Ein paar

Neugierige beobachteten uns mit offenen Mündern. Irgendwie schaffte ich es einzusteigen, Türen knallten, der Wagen beschleunigte, und noch bevor ich das Gurtschloss gefunden hatte, musste ich schon wieder aussteigen. Vor uns eine Treppe.

»Gleis eins«, rief Balke, der schon wieder voraus war. »Ist ganz auf der anderen Seite! Wir müssen hier rauf!«

Ergeben rannte ich die Treppe hinauf, einige zehn Meter über eine Fußgängerbrücke, dann bog Balke links ab, es ging wieder hinunter.

Der Bahnsteig stand voller Menschen.

»Was ist denn hier los?«, fragte Balke atemlos in die Runde. »Wird die Stadt evakuiert, oder was?«

»Diese Deutsche Bahn wieder mal! Der Intercity um drei ist ausgefallen! Schlicht und einfach ausgefallen!«, maulte ein kräftiger Mann mit Halbglatze und Holzfällergesicht. »Und jetzt warten hier tausend Leute auf den ICE, und der ist bestimmt auch ohne uns schon voll, am Freitag Nachmittag.«

Der Zug kam. Mein Handy klingelte. Es war eine Frauenstimme. Erst bei der zweiten Wiederholung verstand ich den Namen:

»Theresa.« Die Frau meines Chefs.

Ich trat ein paar Schritte zur Seite, um aus dem Gedränge und dem Lärm zu kommen.

»Bist du sehr böse, Alexander?«, fragte sie.

»Frau Liebekind. Wir waren beim ›Sie‹, und wir sollten es bleiben.«

»Was habe ich denn getan?«

»Mich hinters Licht geführt. In einem Maße, dass ich ...«

»Was wäre anders, wenn er nicht mein Mann wäre?«

»Ich müsste zum Beispiel nicht jeden Tag um meinen Job fürchten. Ich müsste nicht ununterbrochen Angst davor haben, dass irgendwann irgendwer herauskriegt, was ich mir mit der Frau meines Chefs geleistet habe!«

»Ich habe mich in deine Bewerbung verliebt«, sagte sie

mit erstickender Stimme. »Wie du über dich geschrieben hast. So persönlich. Die anderen haben alle nur geprahlt, was sie alles können, was sie alles planen. Du warst der einzige, der über sich geschrieben hat. Und dann dein Foto ... du bist sehr böse auf mich?«

»Böse ist gar kein Ausdruck«, bellte ich ins Telefon. »Ich muss Schluss machen, der Zug fährt ab.«

»Tschüs, Alexander«, flüsterte sie.

»Adieu, Frau Liebekind. Grüßen Sie bitte Ihren Gatten von mir.«

Ich lief zu den anderen zurück. Vor allen Türen drängten sich Menschentrauben. Inzwischen hatte mein Magen sich wieder halbwegs beruhigt. Auch das irritierende Gefühl, der Erdboden würde schwanken, ließ allmählich nach.

»Jeder von uns übernimmt ein Drittel«, entschied ich. »Balke, Sie fangen vorne an, Vangelis nimmt den mittleren Teil, ich das Ende.«

Sie hetzten davon. Die Lautsprecherstimme quäkte irgendwas. Flüche murmelnd schob ich mich in den Pulk vor der hintersten Tür des Zugs. Immerhin hatte ich kein Gepäck, das mich behinderte. Dann begannen die Türen zu fiepen, Sekunden später rollte der Zug schon wieder. Der Bahnhof blieb zurück, es wurde heller, und ich begann, mich durch die in den Gängen stehenden und sitzenden Menschen zu quetschen. Ich warf prüfende Blicke in jedes männliche Gesicht, hinter jede Zeitung, entschuldigte mich ständig bei irgendjemandem für irgendetwas. Nach fünf Minuten hatte ich die Hälfte des ersten Wagons geschafft und war davon überzeugt, dass wir ebenso gut hätten zu Hause bleiben können.

Ich drängelte mich durch eine aufgebrachte italienische Großfamilie, die vielstimmig mit einer erhitzten, rundlichen Zugbegleiterin diskutierte, wie man denn nun um Himmels Willen von Basel weiter nach Firenze kommen solle. Ich entschuldigte mich bei einem sichtlich wohlhabenden Herrn, der über seinem Buch eingenickt war, und stieß ihn zugleich derb an, damit er aufwachte und ich sein Gesicht zu sehen bekam. Er zeterte hinter mir her. Endlich war der erste Waggon geschafft.

Von Krahl keine Spur.

Ob ich ihn womöglich übersehen hatte? Wie mochte er sich diesmal verkleidet haben? Er war etwas größer als der Durchschnitt, aber auch wieder nicht so sehr, dass er auffiel. Ob er wie wir durch den Zug streifte, um sein Opfer zu finden? Nein, vermutlich hatte er Grotheer längst ausfindig gemacht und wartete nun in aller Ruhe auf eine günstige Gelegenheit, seinen Plan zu vollenden. Bis Freiburg hatte er alle Zeit der Welt gehabt, den Professor zu finden, und bis dahin war der Zug nur halb so voll gewesen wie jetzt. Krahl war ja offenbar ein Genie, wenn es darum ging, sich unsichtbar zu machen. Und Grotheer würde in seinem Zustand nicht einmal merken, dass er verfolgt wurde, wenn jemand stundenlang im Gleichschritt neben ihm herlief. Weiß der Teufel, vielleicht saß er seinem Mörder inzwischen gegenüber und unterhielt sich angeregt mit ihm über die Pünktlichkeit der Deutschen Bahn.

Was, wenn die beiden in Freiburg ausgestiegen waren? Oder schon früher? Vielleicht saßen sie jetzt in irgendeiner Regionalbahn ins Elsass? Vielleicht war Grotheer längst tot und Krahl auf dem Weg nach Paris? Während solche Überlegungen durch meinen Kopf wirbelten, stieg ich über Beine und Gepäck der Leute, die sich im Eingangsbereich zwischen den Waggons niedergelassen hatten.

Mein Handy. Ich riss es aus der Jacketttasche und erwartete Vangelis oder Balke.

»Können wir denn nicht vernünftig reden über alles?«, fragte mit verzagter Stimme die Ehefrau meines Chefs.

»Ich wüsste nicht, was es noch zu reden gäbe.«

»Aber ... ich ...«

»Sie haben mich für dumm verkauft, Frau Liebekind. An der Nase herumgeführt. Und ich mag es nicht besonders, zum Narren gehalten zu werden.«

»Aber ... ich liebe dich doch«, sagte sie kläglich. »Hast du das denn nicht gespürt?« Jetzt begann sie auch noch zu weinen. »Empfindest du denn gar nichts für mich? Sollte ich mich denn so getäuscht haben?«

Ich versuchte einen Kerl zur Seite zu schieben, der doppelt so breit war wie ich. Irgendwie kam ich an ihm vorbei. Mit dem Handy am Ohr sah ich ständig nach links und rechts.

Was sollte ich antworten? Empfand ich etwas für sie? Natürlich tat ich das. Liebte ich sie? Keine Ahnung. Nein, bestimmt nicht. Ich war ja so unvorstellbar wütend. Und das Letzte, wonach mir jetzt der Sinn stand, war, über meine Gefühle für diese Frau nachzudenken.

Aber als ich den roten Knopf drückte, tat sie mir plötzlich Leid. Liebte ich sie etwa doch? Als ob das jetzt eine Rolle spielte. Ich nahm einem schlafenden, rotgesichtigen Mann die Zeitung vom Gesicht. Verwirrt sah er mich an. Ich winkte freundlich und stolperte weiter. Wieder das Handy. Balke diesmal.

»Das schaffen wir nie! Hier ist die Hölle los!«

»Wir tun, was wir können.«

»Das ist aber nicht besonders viel, ehrlich gesagt.«

»Zwanzig Minuten haben wir noch.«

»Achtzehn, um genau zu sein.«

27

Ich rief in Heidelberg an und erfuhr von Liebekind, dass die Bahn sich weigerte, den ICE vor der Grenze aufzuhalten. Der Professor sei ein freier Mann und könne reisen, wohin er wolle. Und dafür, dass Krahl im Zug saß, hatten wir nicht die Spur eines Beweises.

Zwei Zöllner versperrten mir den Weg und kontrollierten gewissenhaft das Gepäck einer attraktiven, groß gewachsenen Schwarzen, die schimpfend dabeistand und ihnen auf Französisch Pest und Cholera an den Hals wünschte. Ich zeigte ihnen meinen Dienstausweis und unser Foto von Krahl. Sie schüttelten ratlos die Köpfe und versprachen, die Augen offen zu halten.

Der nächste Anruf kam von Vangelis, die wissen wollte, wie es bei mir aussah. Sie hatte bisher zwei Waggons geschafft, ich anderthalb. Vermutlich kam sie besser voran, weil man auf Frauen Rücksicht nimmt. Auf Männer nahm man keinerlei Rücksicht in diesem vermaledeiten Menschenauflauf, der mit Tempo hundertsechzig durch die Rheinebene gen Süden raste. Jemand verlor das Gleichgewicht und trat mir auf den Fuß, als wir über eine Weiche donnerten. Es war ein athletisch gebauter Mittfünfziger mit zwei schweren Taschen, die er offenbar um keinen Preis der Welt aus der Hand geben wollte. Wieder einmal entschuldigte ich mich.

Draußen fegten mit Wein bewachsene grüne Hänge vorbei, idyllische Dörfer mit spitzen Kirchtürmen, eine kleine, friedlich grasende Schafherde. Ich wünschte mir diese alten Bummelzüge zurück, in denen noch Platz war, wo man Menschen nicht als Frachtgut, sondern als Passagiere ansah, wo man sich die Nase putzen konnte, ohne seinem Nachbarn dabei den Ellenbogen in die Milz zu rammen. Züge, die von Freiburg nach Basel eine Stunde brauchten oder länger.

Kein Volker Krahl, kein Professor, kein bekanntes Gesicht.

Jeder Sitz war besetzt, kein Stehplatz, auf dem nicht schon jemand stand. Auf einem Fensterplatz flegelte sich ein gelangweilter Kerl im schwarzen Lederanzug, trotz des Wetters mit dunkler Sonnenbrille im sonnengebräunten Gesicht. Dazu Baseball-Mütze, Kaugummi im offenen Mund und Stöpsel in den Ohren, aus denen Musik zischelte.

Ich rempelte jemanden an und ließ mich dafür derb beschimpfen. Diesmal entschuldigte ich mich nicht. Ein anderer stieß mir seinen Aktenkoffer ins Kreuz. Der Zug fuhr jetzt langsamer, es ging in ein Wäldchen, die Strecke stieg an, wurde kurvig. Einmal fuhren wir mitten durch einen am Hang liegenden Ort. Dann ein langer Tunnel.

Kein Krahl, kein Professor. Mir wurde schon wieder übel.

Und zu allem Elend hatte ich Idiot ein Verhältnis mit der Frau meines Chefs. Und als ob das allein nicht schon schlimm genug wäre, liebte sie mich nun auch noch. Ich hätte schreien können. Ich schrie wirklich, denn der Zug machte einen Schlenker, eine schlanke Brünette vor mir verlor das Gleichgewicht, stürzte auf mich, und zusammen setzten wir uns auf den Schoß einer zarten älteren Dame, die umgehend begann, mit ihrer gut gefüllten Handtasche auf mich einzudreschen.

Nach einigen Verrenkungen standen wir wieder auf den Beinen und entschuldigten uns. Die Frau lächelte mich verschämt an und sah abwechselnd in meine Augen und auf meine Füße. Bei günstigerer Gelegenheit hätte ich sie vielleicht zu einem Wiedergutmachungskaffee eingeladen.

Noch zehn Minuten. Und schon wieder das Handy.

»Chef, soll ich die Notbremse ziehen?«, schrie Balke.

»Können Sie sich das denn leisten? Finanziell, meine ich?«

Maulend legte er auf. Aber er hatte ja Recht. Bis Basel würden wir nicht einmal die Hälfte dieses Zuges überprüfen können. Und dabei liefen wir in diesem Gewühl auch noch ständig Gefahr, die Gesuchten zu übersehen. Inzwischen erhoben sich die ersten Passagiere, begannen, ihre Jacken und Mäntel anzuziehen, ihr Gepäck zu richten. Vor den Türen wurde es noch enger.

Eine Lautsprecherdurchsage kündigte den nächsten Halt an: Basel, Badischer Bahnhof. Die letzte Station auf deutschem Boden. Ein Ruck durchfuhr den Zug, er bremste. Das Gelände öffnete sich, rechts und links viele parallel verlaufende Gleise. Ein Verschiebebahnhof. Im Westen der Grenzübergang der Autobahn.

Kein Krahl, kein Professor.

Krahl würde ich vermutlich nicht einmal erkennen, wenn er mir gegenüberstand. Aber Grotheer, den hatte ich doch oft genug gesehen und gesprochen. Sollte er sich auch verkleidet haben? Wenn ja, wie? Plötzlich schoss mir ein Gedanke durch den Kopf, eine rasend schnelle Folge von Bildern. Der junge Mann, der vorhin Patrick Grotheers Sachen in den Keller geschleppt hatte, schwarze Lederanzüge, eine Sonnenbrille trotz des trüben Wetters ...

Ohne jede Rücksicht kämpfte ich mich zurück. Der Zug hielt. Eine Minute hatte ich noch. Zur Not würde ich eben in die Schweiz mitfahren. Endlich sah ich ihn, den Kerl mit der Sonnenbrille. Ich beugte mich vor und riss ihm die Mütze und die Kopfhörer herunter, die Sonnenbrille. In panischem Schrecken starrte er mich an.

Er war mindestens zwanzig Jahre jünger als Grotheer.

Augenblicke später standen wir schwer atmend und bodenlos frustriert im Freien und sahen davoneilenden Mitreisenden nach, die versuchten, einen Anschlusszug zu erreichen. Inzwischen hatten wir zehn Minuten Verspätung.

»Wat nu?«, fragte Balke und kickte eine zerknüllte Marlboro-Schachtel auf die Gleise. Vangelis kaute schweigend auf der Unterlippe.

»Nichts. Aus. Endstation«, fauchte ich wütend und wünschte, ich hätte auch etwas, wogegen ich treten könnte. »Ich hoffe, die Schweizer sind auf Zack und übernehmen den Zug.«

»Letztes Jahr hatten wir mal 'ne Fahndung, da saß eine Frau im Eurocity nach Straßburg. Bis die Franzosen reagiert haben, war sie im Flieger nach Venezuela.«

»Wir haben getan, was wir konnten«, seufzte ich.

»Soll er ihn doch kaltmachen!«, knurrte Balke. »Er hat's so gewollt! Wer hat ihn gezwungen zu türmen? Wir ja wohl nicht, oder?«

Die Türen begannen zu fiepen und schlossen sich zischend. Vangelis und Balke sahen mich an und erwarteten eine sinnvolle Anweisung.

»Wir fahren zurück«, entschied ich. »Ende der Veranstaltung.«

»Gibt's hier irgendwo Kaffee?«, fragte Balke und sah sich um.

Die Dämmerung hatte schon eingesetzt, als wir in Heidelberg deprimiert aus dem Intercity kletterten. Eine dichte Wolkendecke hing tief über der Stadt. Die vierhundert Meter zur Polizeidirektion gingen wir schweigend zu Fuß.

Die Rückfahrt war schweigsam verlaufen. Jeder hatte seinen Gedanken nachgehangen. Ich hatte abwechselnd an Krahl und an Liebekinds Frau gedacht, ohne dabei irgendwelche Fortschritte zu erzielen. Mein Kopf war taub und wirr, meine Laune gemeingefährlich. Hin und wieder hatte ein Handy gebimmelt, dreimal hatte jemand irgendwo Grotheer und zweimal Krahl aufgespürt. Natürlich war es jedes Mal falscher Alarm gewesen.

Die einzige Neuigkeit war, dass Runkel endlich Krahls Bruder in Kanada erreicht hatte. Aber auch der wusste nur, dass Krahl vor etwa zwei Jahren den Kontakt abgebrochen hatte. In einem der letzten Telefonate hatte er etwas von einer ärztlichen Untersuchung erwähnt, auf die er sich nicht gerade freute. Er war noch wortkarger gewesen als sonst. Dann hatte er sich nicht mehr gemeldet, und unter seiner Nummer wurde nicht abgenommen.

Ich stieg in meinen Peugeot und fuhr nach Hause, wo meine Mädchen mich zornig und ausgehungert erwarteten. Aber als sie meine Miene bemerkten, schluckten sie ihr Gemecker hinunter. Zu essen war nichts mehr im Haus. Ich bot ihnen Geld für Hamburger an, aber sie wollten nicht in die Stadt. So bestellten wir wieder einmal Pizza und Cola. Und für mich eine Flasche Chianti.

»Kein guter Tag?«, fragte Sarah beim Essen vorsichtig.

»Ein absolut beschissener Tag.« Ich erzählte ihnen, was geschehen war. »Und inzwischen ist der Professor vermutlich tausend Kilometer weit weg. Oder tot«, schloss ich, stellte meinen Teller in die Spüle und öffnete die Weinflasche. »Lust auf eine Runde Monopoly?«

Sie hatten eindeutig keine, taten mir aber den Gefallen, räumten ohne Zank den Tisch ab und holten die Schachtel. Um zehn war ich der Star des Abends, besaß acht der teuersten Straßen, jede mit mindestens einem Hotel bebaut. Ich wurde von Minute zu Minute reicher und deprimierter, und meine Flasche leerte sich zusehends. Das Handy lag eingeschaltet auf dem Tisch und blieb still.

»Wo er jetzt wohl ist?«, fragte Louise.

»Bestimmt ist der schon in Amerika«, meinte Sarah überzeugt. »Also ich würd an seiner Stelle nach Amerika fahren. Nach Florida. Da muss es cool sein, da sind ganz viele Stars.«

Schon wieder kassierte ich ein Bündel Scheine. »Er hat Fahrkarten in vier verschiedene Länder gekauft. Und vermutlich ist er dann gar nicht mit dem Zug gefahren, sondern hat sich ein Auto gemietet oder ein Taxi.«

Nein, das stimmte natürlich nicht. Die Autovermietungen und Taxizentralen hatten wir längst überprüft. Grotheer konnte höchstens zu Fuß unterwegs sein. Oder mit der Straßenbahn. Ich würfelte zwei Sechsen in Folge, kam über Los und zog 2000 Euro ein. Der Platz vor mir wurde knapp für das viele Geld.

»Weißt du noch, als wir beide mal in Amerika waren?«

»Das werde ich im Leben nicht vergessen«, seufzte ich. »Ihr könnt euch nicht vorstellen, was das damals für Mama und mich bedeutet hat, dass unsere süßen Mädels auf einmal weg waren.«

»Wart ihr sehr traurig?«

»Unvorstellbar traurig.«

»Alle beide?«

»Ja. Alle beide.« Ich griff nach der Flasche, um mein Glas wieder zu füllen. »Es war die aufregendste Nacht meines Lebens.«

Sie kicherten und wechselten stolze Blicke. Amerika. Sehr langsam stellte ich die Flasche wieder ab. Natürlich waren sie nicht nach Amerika gefahren. Wie sollten zwei achtjährige Mädchen ohne Reisekasse und Gepäck wohl nach Amerika kommen? Ich schlug den Korken in die Flasche und sprang auf.

»Entschuldigt. Aber ich muss nochmal kurz weg. Ich glaube, jetzt weiß ich, wo er steckt. Ihr rührt mein Geld nicht an, okay?«

28

»Kommen Sie rein«, sagte Helen Gardener ohne jede Überraschung in der Stimme. »Die warten schon auf Sie, glaub ich.«

Heute trug sie ein hübsches Kleid, hatte sich ein wenig zurechtgemacht und machte einen deutlich frischeren Eindruck auf mich als bei unserem letzten Zusammentreffen. Im Stehen wirkte sie auch nicht gar so fett wie in ihrem Fernsehsessel.

Mit der Hand in der Nähe des Pistolengriffs folgte ich ihr ins Wohnzimmer. Der Tisch war schön gedeckt, Kerzen flackerten, eine nahezu leere Weinflasche stand daneben, aus einem kleinen Radio kam zärtliche Musik. Krahl und Grotheer saßen auf der Couch vor leeren Tellern. Krahl hielt dem Professor einen kurzen sechsschüssigen Revolver an die Schläfe.

»Sie enttäuschen mich. Ich hatte früher mit Ihnen gerechnet, Herr Kollege«, begrüßte er mich. »Hatte schon überlegt, ob ich bei Ihnen anrufen muss. Und nehmen Sie bitte die Hand aus dem Jackett. Dann nehm ich auch meine Wumme hier weg.« Seine Stimme passte nicht zu seinem drahtigen Typ. Sie war zu hoch und hatte keine Resonanz.

Man sah auf den ersten Blick, dass er krank war. Ich hatte einen durchtrainierten Kerl mit Fremdenlegionärs-Visage erwartet. Statt dessen wirkte er auf mich wie ein Mann, der nach einer langen, langen Anstrengung mit letzter Kraft am Ende seiner Reise angekommen war. Gehorsam zog ich die Hand aus dem Jackett und hob sie demonstrativ hoch. Vorsichtig nahm er seine Waffe herunter und legte sie neben sich auf das rote Sofa. Grotheer starrte auf den Tisch mit der

Miene eines zum Tode Verurteilten, dessen Tag gekommen ist.

Helen Gardener stellte ein viertes Gedeck auf den Tisch und nötigte mich auf den einzigen freien Sessel. Sie murmelte die ganze Zeit wirr vor sich hin und schien nichts zu begreifen. Eine Katze strich mir um die Beine. Jemand schien gründlich gelüftet zu haben. Jetzt waren die Fenster geschlossen und die Vorhänge zugezogen.

»Was soll das?«, fragte ich, als ich saß. »Was haben Sie vor?«

»Ein Ende machen«, erwiderte Krahl müde. »Es ist Zeit.« Die Muskeln um seinen Mund waren in ständiger Bewegung. Seine Augen immerzu auf der Suche nach etwas, was sie nicht fanden.

»Welche Möglichkeit gibt es, Sie umzustimmen?«

Er lachte kalt.

Ich hatte nicht die geringste Angst um mich. Er war ja nicht verrückt. Oder zumindest nicht so sehr, wahllos Menschen zu töten. Er verfolgte ein Ziel, dieses Ziel hieß Rache, und er schien es nicht eilig zu haben damit. Um Zeit zu schinden, nahm ich einige Bissen von dem merkwürdigen Eintopf, den die Frau des Hauses mir auf den Teller geladen hatte. Ich hoffte, dass er nicht aus Katzenfutter bestand. Es schmeckte nicht gar so schrecklich, wie es aussah. Ohne mich anzusehen, schenkte sie mir Wein ein. Es war ein guter Spätburgunder aus der Ortenau, den vielleicht Grotheer als Gastgeschenk mitgebracht hatte.

Helen Gardener setzte sich neben Grotheer und legte ihre Hand auf seine.

»Es ist so schön, dass du da bist«, sagte sie zärtlich, und bei ihrem verwirrten Lächeln konnte man ahnen, dass sie vor langer Zeit einmal eine schöne, charmante Frau gewesen war. Für sie war Grotheer zu Besuch, zusammen mit zwei Fremden, die sie nicht weiter interessierten. Für sie war dies ein Fest. Der Mann, auf den sie so lange gewartet hatte, war endlich zurückgekommen.

»Vergessen Sie Ihre Pistole«, sagte Krahl unvermittelt zu mir. »Sie werden niemals schnell genug sein.«

Er musste erraten haben, dass ich in Gedanken wieder und wieder die Bewegungen übte, die nötig sein würden, meine Waffe zu ziehen und ihn zu erschießen, falls es nötig sein würde.

»Haben Sie ihn denn nicht schon genug bestraft?«, fragte ich.

»Das lassen Sie mal meine Sorge sein«, erwiderte er mit einem rasiermesserscharfen Lächeln im Gesicht.

Ich schob meinen Teller weg und lehnte mich zurück. So vergrößerte ich meinen Bewegungsraum und lief nicht Gefahr, am Tisch hängen zu bleiben, wenn ich nach meiner Heckler & Koch greifen musste. Entsichert hatte ich sie noch vor der Tür. In Krahls amüsiertem Blick konnte ich lesen, dass er wusste, was in meinem Kopf vorging. Er ließ mich nicht eine Sekunde aus den Augen.

»Blöde Situation, was?«, meinte er fast mitfühlend. »Sie würden mich zu gerne abknallen, dürfen es aber erst, wenn ich irgendwas mache. Wenn ich Sie oder ihn angreife. Aber dann wird es zu spät sein, da können Sie sicher sein. Ich möchte jetzt nicht in Ihrer Haut stecken, Herr Kollege.«

»Was soll das werden, Krahl?«, fragte ich müde. »Hören Sie doch auf mit dem Unsinn. Sie haben doch schon genug angerichtet.«

»Jetzt müssen Sie mir erklären, dass der Richter Milde walten lassen wird, wenn ich aufgebe«, erwiderte er grimmig. »Dass man alles wieder hinbiegen kann, wenn ich nicht noch mehr Dummheiten mache. Dass Sie mir einen guten Anwalt besorgen und sehr nett zu mir sein werden. Dass ich eventuell sogar Bewährung kriege, und all den anderen Scheiß, den man Geiselnehmern so erzählt, um sie weich zu kochen. Sie sehen, ich hab den Text noch im Kopf.«

»Sie haben keine Chance, Krahl. Sie kommen hier nicht lebendig raus.«

»Richtig, den Satz hatte ich doch glatt vergessen. Ich verrate Ihnen was: Ich will hier gar nicht lebendig raus. Auf die paar Tage kommt es mir nicht mehr an. Lieber heute und hier einen anständigen Tod, als in irgendeinem Klinikbett verrecken.«

»Warum sind Sie so sicher, dass Sie nicht zu retten sind? Was fehlt Ihnen denn?«

»Das geht Sie einen Scheißdreck an. Es reicht, wenn Sie wissen, dass ich demnächst krepieren werde wie ein Vieh. Haben Sie gewusst, dass man von zu viel Stress Krebs kriegen kann? Von zu viel Gram, zu vielen Schmerzen? Haben Sie das gewusst?«

»Die Medizin hat in den letzten Jahren …«

»Seien Sie still, okay?«, fuhr er mich an.

Sekundenlang schwiegen wir. Frau Gardener streichelte die Hand von Grotheer, der so aussah, als wäre er schon tot. Krahl schien sehr erschöpft zu sein. Seine Lider flackerten manchmal für Augenblicke. Wenn ich ihn lange genug hinhielt, würde er vielleicht irgendwann einnicken. Wieder strich eine der Katzen um meine Beine und rieb ihren Kopf an meinem Unterschenkel. Die Katzen! Was, wenn eine von ihnen auf die Couch springen würde und ihn ablenkte, ihn für kurze Zeit in seinen Bewegungen behinderte? Das war vielleicht eine Chance, die entscheidenden Zehntelsekunden zu gewinnen.

»Was haben Sie davon, wenn Sie ihn auch noch umbringen? Der Mann hat doch wirklich schon mehr als genug gelitten für etwas, was er nicht mal getan hat.«

Er reagierte nicht.

»Erzählen Sie mir von Ihren Kindern, Krahl.«

»Halten Sie einfach die Klappe, solange Ihnen nichts Gescheites einfällt«, schnauzte er mich an.

Ich kam einfach nicht an ihn heran. Es gelang mir nicht, ihn in ein Gespräch zu verwickeln. Es gab kein Lockmittel, das ihn nachdenklich machen konnte, keine Drohung mehr, die ihn verunsichern würde. Hätte ich das Haus doch lieber stürmen lassen sollen, wie Balke vorgeschlagen hatte? Aber es ist so verflucht riskant, ein Haus zu stürmen, in das man nicht hineinsehen kann. Und so, wie ich die Situation jetzt beurteilte, hätte Grotheer die Aktion nicht überlebt.

»Ich mach uns mal 'nen Kaffee«, murmelte Helen Gardener und erhob sich. »Sie möchten doch auch einen?« Sie sah mich an.

Mir war alles Recht, was Zeit verstreichen ließ. Ich erhob mich ebenfalls. »Ich helfe Ihnen beim Abräumen.«

»Sie werden fein sitzen bleiben.« Krahl hielt schon wieder seinen Revolver in der Hand. Die Mündung war genau auf meinen Bauchnabel gerichtet. »Wenn Sie diesen Raum verlassen, dann ist der hier tot, wenn Sie zurückkommen.«

Also setzte ich mich wieder. Es war eine Patt-Situation. Eine verfluchte Zwickmühle. Gleichgültig, was ich tat, es war das Falsche. Wenn ich mich auf ihn stürzte, um ihn zu entwaffnen, dann riskierte ich mein Leben. Wenn ich es unterließ, riskierte ich das von Grotheer. Natürlich war das Haus längst umstellt, natürlich lagen rundum schwarz vermummte Scharfschützen im Gebüsch, standen Tränengaswerfer in Stellung und Leute vom Sondereinsatzkommando in Bereitschaft, auch wenn man hier drinnen nichts davon bemerkte. Aber was half das? Was sollte man gegen einen Mann unternehmen, dem nichts mehr am Leben lag? Das Gespräch in Gang halten. Ich musste das Gespräch in Gang halten. Je länger es dauerte, umso größer war meine Chance, dass er unaufmerksam wurde.

Frau Gardener kam mit einem Tablett und vier dampfenden Tassen. Sie stellte vor jeden von uns eine hin, nahm wieder Platz und strahlte ihren Geliebten an wie zuvor. Ich beneidete sie um ihre Naivität, um ihre Ahnungslosigkeit. Der Kaffee schmeckte bitter. Er musste aus einer seit Monaten offenen Packung stammen. Tapfer schlürfte ich. Ihr schien er zu schmecken. Grotheer probierte seinen gar nicht erst.

Wieder und wieder spielte ich alle denkbaren Szenarien durch. Krahl konnte plötzlich den Revolver nehmen und ihn Grotheer an den Kopf halten. Dann musste ich schneller sein als er. Ich war kein besonders guter Schütze und ziemlich aus der Übung. Eine winzige Hoffnung lag darin, dass er einfach nur sich selbst erschoss, wenn er seine Überlegenheit lange genug ausgekostet hatte. Gab es andere Möglichkeiten? Was um Himmels Willen plante er?

Seit Minuten war es wieder still. Das war schlecht, sehr schlecht. Ich musste mit ihm reden, doch mir fiel nichts ein. Von fern hörte ich den Verkehr der Autobahn durch die geschlossenen Fenster. Schließlich leerte ich meine Tasse und ließ die Hände sinken.

»Sie geben auf?«, fragte Krahl sofort.

»Tun Sie, was Sie für richtig halten. Sie haben gewonnen. Ich kann Sie nicht daran hindern. Dass Sie hier nicht ungeschoren wegkommen, brauche ich Ihnen nicht zu sagen.«

»Nein«, erwiderte er lächelnd. »Das brauchen Sie wirklich nicht.« Er nahm einen großen Schluck aus seiner Tasse. »Grauenhaft. Dieses Gesöff schmeckt ja echt grauenhaft.« Er schüttelte sich.

Helen Gardener schien es nicht gehört zu haben. Sie war ganz auf Grotheer konzentriert und streichelte immerzu seine Hand. Der stierte apathisch vor sich hin und hatte seine Tasse noch immer nicht angerührt.

Krahl lehnte sich zurück. Für Sekunden sah er wieder sehr erschöpft aus, vielleicht fiel die Anspannung jetzt langsam von ihm ab. Er fühlte sich als Sieger. Das war gut. Hier lag vielleicht eine Chance. Seine Lider fielen herab, er riss sie wieder hoch, atmete tief ein.

»Machen Sie ein Fenster auf«, befahl er mürrisch. »Nein, nicht Sie. Und der Vorhang bleibt zu!«

Ich war schon aufgesprungen und fiel wieder in meinen Sessel. Frau Gardener erhob sich wortlos und kippte das Fenster zum Garten. Sie schien unserem Gespräch also doch zu folgen. Als ich wieder Krahl ansah, waren seine Augen geschlossen. Sollte er tatsächlich eingeschlafen sein? Jeden Moment konnte er wieder aufwachen. Aber wenn ich es schaffte, ihm dann meine Waffe unter die Nase zu halten, dann hatte er verloren. Er würde entweder die Hände heben oder nach seinem Revolver greifen. Und sowie er den in der Hand hielt, würde ich abdrücken. Langsam, unendlich langsam bewegte sich meine Rechte in Richtung Jackettausschnitt. Sie glitt darunter. Kein Geräusch war zu hören. Krahls Atem ging ruhig und gleichmäßig. Mit den Fingerspitzen fühlte ich schon den körperwarmen Stahl meiner Waffe. Noch zwei Sekunden. Noch eine.

»Das können Sie lassen«, sagte Helen Gardener ruhig neben mir. »Der wird die Augen nicht mehr aufmachen.«

Es dauerte lange, bis ich den Sinn ihrer Worte begriff. Auch Grotheer erwachte erst allmählich aus seiner Angststarre. Ungläubig sah er auf die Frau, dann auf den Mann neben sich, aus dessen Mundwinkel jetzt ein klein wenig Speichel trat. Krahls Kopf fiel zur Seite. Sein Atem wurde flacher und flacher. Zögernd ließ ich die Hand sinken.

»Was haben Sie ihm gegeben?«, fragte ich endlich.

»Tropfen«, antwortete sie einfach und ergriff wieder Grotheers schmale Hand. »Er wird's nicht überleben.«

Helen Gardener behielt Recht. Als der Notarzt Minuten später Krahl untersuchte, war er bereits tot. Wie sie uns ohne jede Aufregung erzählte, hatte sie sich schon vor vielen Jahren ein schnell wirkendes Gift besorgt, um sich das Leben zu nehmen, nachdem ihr Mann verschwunden war und Grotheer nichts mehr von ihr wissen wollte. Aber dann hatte sie nicht den Mut gefunden, es zu nehmen.

»Ist nicht so leicht zu sterben, wie man denkt«, erklärte sie ernst. »Dreimal hab ich's schon im Glas gehabt. Aber ich konnt's nicht. Ich konnt's einfach nicht. Die Kinder, die haben mich doch gebraucht. Man muss weiterleben. Muss einfach. Ob man will oder nicht.« Unvermittelt begann sie zu schluchzen. »Er wollt mir meinen Franz wegnehmen!«, heulte sie. »Und dabei ist er doch gerade erst zu mir gekommen! Endlich ist er gekommen, und dann steht der da vor der Tür und ...«

Vangelis nahm sie sanft am Arm und führte sie hinaus. Die Spurensicherer baten uns, aus dem Weg zu gehen. Ich trat mit Grotheer zusammen auf die Terrasse. Zwei rauchende SEK-Beamte machten uns bereitwillig Platz. Die Luft war kalt, es roch nach Herbstfeuer und feuchter Erde. Plötzlich war ich sehr, sehr müde. Grotheer bat einen der schwarz Uniformierten um eine Zigarette.

»Früher war sie eine Schönheit«, murmelte er, als wollte er sich dafür entschuldigen, dass er mit Helen Gardener im Bett gewesen war. Es waren die ersten Worte, die ich ihn an diesem Abend sprechen hörte. »Man kann es kaum glauben, wenn man sie heute sieht. Eine so lebenslustige, heitere Frau. Wir waren ja mehr oder weniger Nachbarn in Neuenheim, unsere Kinder waren befreundet, und da geschahen eben manchmal Dinge, die vielleicht nicht hätten geschehen sollen. Wird sie jetzt wegen Mordes angeklagt?«

»Wohl kaum. Ich werde aussagen, wie es war. Dass sie Ihnen das Leben gerettet hat. Und mir vielleicht auch.«

»Wie sind Sie nur darauf gekommen ...?«, fragte er mit flacher Stimme und blies den Rauch weit von sich. »Wie konnten Sie wissen, dass ich hier bin?«

»Ich will Ihnen eine kleine Geschichte erzählen, Herr Professor. Vor Jahren waren eines Abends meine Töchter verschwunden. Im Kinderzimmer lag ein Zettel, ›Wir fahren nach Amerika‹. Mehr nicht. Sie waren damals gerade acht geworden und fühlten sich wegen irgendeiner Kleinigkeit ungerecht behandelt. Die ganze Nacht haben wir wie die Verrückten nach ihnen gesucht. Das ganze Viertel haben wir auf den Kopf gestellt, alle Bekannten und Freunde geweckt. Schließlich, es war schon nach Mitternacht, da habe ich sie als vermisst gemeldet. Aber sie waren wie vom Erdboden verschluckt. Niemand hatte sie seit dem frühen Nachmittag gesehen. Sie waren einfach weg. Am frühen Morgen haben wir sie dann endlich gefunden, im Keller, in einem Schrank auf alten Decken, friedlich schlafend. Seither hat dieser Schrank bei uns immer Amerika geheißen. Und als die Mädchen mich vorhin an diese Weltreise erinnert haben, da kam mir plötzlich die Idee, dass Sie vielleicht gar nicht weit weg sind, wie Sie uns glauben machen wollten, indem Sie gleich vier Fahrkarten kauften, sondern im Gegenteil ganz in der Nähe. Wo man Sie am wenigsten vermutet.«

»Aber wieso ausgerechnet dieses Haus? Ich dachte …«

»Sie dachten, niemand wüsste von Ihrer Beziehung zu Frau Gardener?«

Er nickte.

»Doch«, sagte ich. »Ich, zum Beispiel, ich habe es gewusst. Das Geld, das sie bekommt von dieser Firma auf Guernsey. Und das plötzliche Verschwinden ihres Mannes, damals. Es war nahe liegend, dass Sie der Vater ihres jüngeren Sohns sind.«

Er brauchte nicht zu nicken. Seine Augen gaben mir Recht.

»Und Krahl hat es ja offenbar auch gewusst.«

Eine Weile schwiegen wir.

»Herr Professor, es gibt da noch etwas anderes, was mich beschäftigt.«

»Das wäre?«

»Ihre Stiftung in Lausanne. Es scheint da in der Vergangenheit nicht immer mit rechten Dingen zugegangen zu sein. Ich habe erfahren, dass Anzeige erstattet wurde, dass in der Schweiz ein Verfahren läuft.«

»Ja. Das ist mir bekannt.«

»Sie wissen von diesen Dingen?«

»Natürlich. Ich selbst habe mich ja an die schweizerischen Behörden gewandt, nachdem mir Verschiedenes zu Ohren gekommen war. Meine Anzeige richtet sich aber nicht gegen die Stiftung, sondern gegen bestimmte Personen im Management. Leider hatte ich nicht immer die Zeit, mich damit auseinander zu setzen, was die Leute dort taten. Ich habe der Präsidentin vertraut, was offenbar ein Fehler war. Aber wir kennen uns schon sehr lange, und ich sah keine Veranlassung, Schlechtes zu vermuten. Erst eine E-Mail von einer aufgelösten Sekretärin hat mich vor einigen Monaten zum Nachdenken gebracht.«

»Und diese Firma auf Guernsey?«

»Marvenport? Die gehört mir zu zwanzig Prozent. Die restlichen Anteile halten das Ehepaar de Falconet und ein paar Menschen, deren Namen Sie nicht kennen werden. Daran ist nichts Illegales.«

Balke kam zu uns heraus. Auf meinen Blick hin verzog er sich wieder.

»Jetzt denken Sie vermutlich an die Wohnung im Emmertsgrund?« Grotheer sah auf seine fast heruntergebrannte Zigarette. »Sie möchten wissen, was es damit auf sich hat?«

»Das würde mich in der Tat interessieren. Auch wenn es jetzt wohl keine Rolle mehr spielt.«

»Diese Wohnung habe ich über die Firma kaufen und einrichten lassen, um Gastwissenschaftler des Instituts darin unterzubringen. Seit die Universitäten über immer weniger Geld verfügen, ist es oft mehr als peinlich, wie wir unsere Gäste behandeln müssen. So konnten sie wenigstens menschenwürdig wohnen.«

»Und später haben Sie dann hin und wieder sich selbst menschenwürdig darin untergebracht.«

»Das ist richtig«, antwortete er ernst und trat seine Zigarette aus. »Aber ich denke, es ist kein Verbrechen, eine Frau zu lieben.«

»Nein«, gab ich zu, »das ist es wohl nicht.«

Lange schwiegen wir. Das Handy schreckte mich aus meinen Gedanken. Ich trat einige Schritte in den Garten hinaus und nahm es ans Ohr. Es war Theresa.

Nachwort

Krimis zu schreiben, sagte meine sehr geschätzte Kollegin Maeve Carels einmal, ist die Kunst, die immer gleiche Geschichte immer wieder anders zu erzählen. Und es stimmt ja: jeder Kriminalroman, der etwas auf sich hält, beschäftigt sich mit der Frage, aus welchen Gründen Menschen schlimme Dinge tun und wie verzweifelt und am Ende aussichtslos der Versuch ist, sie daran zu hindern. Diese bittere Erkenntnis kollidiert nun leider heftig mit meinem angeborenen Optimismus. Als Krimiautor bin ich nämlich mit drei schweren, ja geradezu Karriere schädigenden Handicaps gestraft.

Erstens glaube ich nicht, dass alles immer schlimmer wird. Merkwürdigerweise sind die meisten Menschen davon überzeugt, dass die Kriminalität in unserem Lande unentwegt zunimmt, während die Statistik (von bestimmten »Mode«-Delikten abgesehen) seit vielen, vielen Jahren hartnäckig das Gegenteil beweist. Unsere Gesellschaft ist eben nicht im Begriff, in einem Abgrund von Unmoral und Mord und Totschlag zu versinken, wie uns manche meiner Kolleginnen und Kollegen gerne weismachen möchten (und was viele Leser offenbar – vielleicht aus einer gewissen wohligen Freude an Untergangsvisionen – wieder und wieder bestätigt haben wollen).

Zum Zweiten, und das ist für einen Krimiautor vielleicht ein noch schwereres Manko, glaube ich nicht, dass es böse Menschen gibt. Meine Täter sind Pechvögel – ob bereits von Geburt an oder erst im Laufe ihres unglücklichen Lebens dazu geworden, sei dahingestellt. Diese Grundhaltung nimmt einem sehr viel Gestaltungsfreiraum beim Schreiben eines Kriminalromans. Wie schön und spannend ist es doch, einen durch und durch verdorbenen, gruselig perversen Massenmörder durch die verregneten Nächte einer selbstverständlich immer müllübersäten Großstadt zu jagen. Am Ende ist er zur Strecke gebracht, endlich geht die Sonne auf, und die Welt ist wieder in Ordnung. Ist sie eben nicht.

Denn das ist mein drittes Problem: Wenn ein Verbrechen aufgeklärt und der Täter gefasst ist, dann ist nichts in Ordnung. Das Verbrechen ist nicht ungeschehen gemacht, Opfer oder Hinterbliebene leiden noch immer unter seiner Tat, und auch der Täter selbst wird natürlich nicht froh durch den Ausgang der Geschichte. Erreicht wurde lediglich, dass er vorläufig keine weiteren Verbrechen begehen wird und dass Opfer und Gesellschaft eine gewisse Genugtuung erfahren. Und wenn es gut läuft – und das gelingt selbst bei Triebtätern viel öfter, als man denkt! – wird der Täter, der »Böse«, auf die rechte Bahn zurückgebracht, in ein Leben ohne Kriminalität.

Wie soll man nun auf dieser Basis Kriminalromane schreiben? Nach langem Nachdenken wurde mir klar, es kann nur so gehen: Die müllübersäte Metropole wird durch eine überschaubare Stadt ersetzt, in der das Leben zumindest scheinbar noch in Ordnung ist. Heidelberg kenne ich, seit ich kurz vor dem Abitur zum ersten Mal per Anhalter dort war. Später habe ich es oft besucht, immer wieder genossen und bald lieben gelernt. Eine kleine Großstadt mit so unendlich vielen Facetten, so voller Schönheit und Brüche, Romantik und an manchen Stellen, die Heidelberger mögen mir verzeihen, eben doch Dreck und Müll und den Problemen, die jede Stadt dieser Größe nun einmal hat. Schon nach den ersten hundert Seiten des »Heidelberger Requiems« war offensichtlich, dass diese Stadt als Handlungsort für einen Kriminalroman nach meinem Geschmack geradezu eine Idealbesetzung ist.

Kriminalrat Alexander Gerlach, mein Protagonist, ist kein verlorener Trinker, kein am Leben und seinem Job Verzweifelter, kein von Chef und Kollegen gemobbter einsamer Wolf, sondern ein Mensch wie Sie und ich. Er hat seine Probleme, er hat auch seine Stärken. Er hat seine Sorgen und Nöte und auch seine Erfolge und schönen Momente. Manchmal mogelt er sich durch wie wir alle, hin und wieder ist er sogar richtig gut. Oft wächst ihm alles über den Kopf, aber irgendwie klappt es dann am Ende meistens doch. Er hat (natürlich nicht ganz ohne Absicht) eine Menge mit mir gemein. Wie ich ist auch er Vater – allerdings habe ich keine Zwillinge, und meine Töchter haben die Pubertät schon ein Weilchen hinter sich – und durchlebt alle damit verbundenen Freuden und Leiden. Auch seine berufliche Situation ähnelt meiner stark. Als Leiter eines relativ großen Forschungslabors sitze ich im steten Spannungsfeld zwischen einem Chef, der Erfolge erwartet, Untergebenen, die sie nicht immer liefern, und Umständen, die sie nur zu oft fast unmöglich machen. Gerlach zerreißt sich als Kripochef zwischen der Verwaltungsbürokratie, deren Teil er ist, der Ermittlungsarbeit auf der Straße, von der er nicht lassen kann, und seinem bewegten und oft kräftezehrenden Privatleben.

Und auch mein Gerlach glaubt natürlich nicht an das Böse im Menschen, auch wenn er das in Gesprächen hartnäckig anders darstellt. Tief drinnen trägt er nämlich dieselben Überzeugungen, denselben Grundoptimismus wie sein Schöpfer. Dennoch möchte ich nicht in seiner Haut stecken, und vermutlich möchten das auch nicht viele meiner Leser. Ständig muss man Angst um ihn haben, manchmal will man ihn an den Ohren packen und ausschimpfen, hin und wieder möchte man ihn in den Arm nehmen und trösten. Aber am Ende freue ich mich regelmäßig mit Gerlach, wenn es wider alle Erwartung noch einmal gut gegangen ist. Auch wenn es ihm wieder nicht gelang, das Böse aus der Welt, oder wenigstens Ordnung auf seinem Schreibtisch zu schaffen.